JN043440

岩 波 文 庫

38-608-1

人類歴史哲学考

(一)

ヘ ル ダ ー 著
嶋田洋一郎訳

岩 波 書 店

Herder

IDEEN ZUR PHILOSOPHIE DER GESCHICHTE DER MENSCHHEIT

訳者まえがき

一　今回の翻訳刊行について

ヘルダーは恩師カントと同じく十八世紀の啓蒙主義の時代を生きたドイツの思想家であり、『言語起源論』や『人類歴史哲学考』を通じて、その後のドイツの文化や思想に大きな影響を与えた。ただヘルダーはカントや友人ゲーテほどには日本で知られていない。それにはカントやゲーテの作品に比べて日本語に訳された著作の数が圧倒的に少ないということも理由に挙げられよう。著作全体の量ではこの二人に決して引けを取らないヘルダーであるが、そのヘルダーの主著は何か？　と問われれば、誰もが異口同音に『人類歴史哲学考』と答えるであろう。すなわちそれは『純粋理性批判』のないカントが、あるいは『ファウスト』のないゲーテがまったく考えられないのと同じように、『人類歴史哲学考』のないヘルダーも考えられないということである。

では『人類歴史哲学考』がヘルダーの主著たる理由は何か？　それは、これ以前のヘルダーの多岐にわたる思想がこの作品に流れ込むと同時に、これ以降の思想がここから新たに流れ出ている点にある。さらに言えば、本書はそれ以前のヨーロッパの思想を養分として育った大樹のような作品であり、そこからは次世代の若い枝が伸びていくとも表現できよう。

今回新たに訳出した『人類歴史哲学考』全四部は刊行当初に第一部と第二部をカントが酷評したこともあって、日本でもその全貌がほとんど知られないまま今日に至っている。これに加えて全四部二十巻に及ぶその分量と内容の多様さも、この作品から読者を遠ざけた一因かもしれない。今日の学問分野で見るならば、その内容は天文学、地理学、植物学、動物学、生理学、心理学、言語学、文学、哲学、歴史学、人間学、文化人類学など多岐に及ぶ。ただ当時の諸学問における最新の成果を組み込みながら、人類史を一つの書物で記述する構想は、学問が次第に個別化・厳密化されつつあった十八世紀以降では輪郭のぼやけたものに見えざるをえなかったとも言える。

さらに作品の理解を妨げている一因はヘルダー自身の叙述の方法にもある。ヘルダーの文章は、他者のテクストへの批判的注釈となっている場合が多く、個々の内容を理解するためには、彼が念頭に置いている元のテクストを明らかにする必要がある。それにはヴォルフガング・プロスが『ハンザー版作品集』で行ったように、従来の学問史をふまえた膨大な量の注釈が不可欠となる。加えて頻出する人名や地名なども、ヘルダーが人類史をそれぞれの時間と空間を生きた人間や土地の歴史との結びつきで考えているため、注釈が欠かせない。読者はこうした注釈を参考に個々の情報を再文脈化して初めてヘルダーの描く歴史世界に入ることができる。

すなわち、ドイツ語を母語とする読者でもヘルダーのテクストを注釈なしでは理解することが難しく、ましてや共通の文化的あるいは思想史的背景を持たない非ヨーロッパ系の言語に翻訳された場合は理解がいっそう困難となろう。実際、日本では『人類歴史哲学考』の全訳が一九四〇年代までに二つも存在していたにもかかわらず、豊富な哲学的知識を背景に直接ヘルダーの原典と向き合った和辻哲郎は別として、日本においてはこの作品への理解が深まらなかった。その原因は、十分な訳注が付されていなかった点にあると考えられる。しかしこれは、それぞれの訳者の怠慢であったわけではなく、それどころか二十世紀前半にヨーロッパ以外において全訳が二つも存在したことは、ヘルダーの受容史にあって特筆すべき出来事であったと言えよう。ただ残念なことに、この大著に学問的に十分な注釈を付すことを可能にするだけの研究状況が日本はおろかドイツにもまだ整っていなかった。

十八世紀後半から十九世紀前半のドイツの思想哲学に関する研究といえば、ドイツでも日本でも圧倒的な存在感を誇った「ドイツ観念論」と、そこから派生したさまざまな思想が主な対象となった。その一方で、こうした潮流以前に存在し、ヘルダーの思想形成にも大きな役割を果たした啓蒙主義は、これらの動きの陰に隠れるような形となった。その背景には哲学や文学の研究もドイツやフランス、あるいはイギリスといった各国別の研究が中心となったという事情がある。十九世紀末から第三帝国時代にかけて民族主義がドイツで抬頭した時期にはヘルダーも「民族精神」の提唱者として取り上げられたことから、第二次大戦後のドイツにおいても研究がなかなか進まなかった。

これに対して十八世紀ヨーロッパの啓蒙主義に関する研究は、一九六〇年代以降に盛んになる。それは同時に哲学や文学といった個々の学問分野別の研究に加えて、広く学際的な研究への注目と、人間を取り巻く具体的な社会環境に目を向ける社会史研究の発展とも重なり合っていた。ドイツを中心とするヘルダー研究も、従来の『ズプハン版全集』全三十三巻(一八七七—一九一三年)に加えて、一九七〇年代後半からはそれぞれ豊富な注釈を付した二つの著作集ならびに全十八巻からなる書簡全集が刊行され、大きく促進されるようになった。今回の翻訳もこうした研究面での進展があって初めて可能となったものである。

ただ『人類歴史哲学考』で扱われる個々の記述は、あくまでも十八世紀後半における学問状況を反映したものであり、そこには当然のことながら現在から見れば多くの誤りがある。本来ならば現在の学術的成果に照らして検証すべきであろうが、その範囲が広すぎてすべてについて行うことは不可能である。さらにはヘルダーが参照した、あるいは参照したと思われる文献や、その原典の文章の確認も今回は断念せざるをえなかった。それゆえ今回の翻訳の目的は、さまざまな理由からほとんど塵（ちり）に埋もれたようになっているヘルダーの主著を、最新のヘルダー研究をふまえた訳注によって当時の思想史的文脈において把握するとともに、新たな全訳によって現在の読者に提供する点にある。

二　『人類歴史哲学考』の構成

『人類歴史哲学考』は「序言」を含む全四部二十巻から成り、各部が五巻ずつ、そして各巻がさらにそれぞれ四つから七つの章に分けられている。また構想だけが残されている第五部も五つの巻から成ることが想定されていた。この五巻ごとの構成は『人類歴史哲学考』全体の内容とも対応している。第一部は自然からの人間の発生を、第二部は地球上での人間生活の多様性を、第三部は人類の古代世界の歴史を、そして最後の第四部は人類の中世から近世初頭までの歴史を記述している。なお全巻の構成と、各巻の章ごとに付された標題は本分冊所収の「目次」ならびに「第二分冊以降の構成」を参照されたい。

ヘルダーというと、従来の哲学史の記述ではヨハン・ゲオルク・ハーマンやフリードリヒ・ハインリヒ・ヤコービとともに「感情哲学」あるいは「非合理主義的な思想家」とされることも少なくないが、この構成を見るかぎり、そこには幾何学的とも言える調和と均衡が保たれており、ヘルダーが優れた構成感覚を持った著作家であることが分かる。すなわち各部が五巻ずつから成り、内容の点から見ると、第一部と第二部が「自然」を、そして第三部と第四部が「歴史」を扱う大きな二部構成となっている。それは、古代ローマの歴史家リウィウスの長大な歴史書『ローマ建国以来の歴史』における「五巻組」(Pentade)あるいは「十巻組」(Decade)に倣ったものとも言える。こうした古典古代に範を仰ぐヘルダーの姿勢は『人類歴史哲学考』の五年ほど前に刊行された『民謡集』全二部(一七七八・七九年)の構成にも見られる。ヘルダーは第一部と第二部から成る作品の全体を各部につき三巻に分け、第一部の各巻にはそれぞれ二十四の歌を置いているが、これは同じくそれぞれ二十四巻から成るホメロスの『イーリアス』と『オデュッセイア』の構成を意識したものと考えられる。このように『民謡集』はいわば韻文による叙事詩として、そして今回の『人類歴史哲学考』は散文による歴史記述として構想されている。

ヘルダーの歴史哲学といえば、ドイツの歴史学者フリードリヒ・マイネッケの『歴史主義の成立』（一九三六年）以来、『人類歴史哲学考』よりも各歴史事象の個別性を強調する『人間性形成のための歴史哲学異説』（一七七四年）の方が多く読まれてきたように思われる。ここでまず『歴史哲学異説』の構成と内容を見ておくと、全体は三つの章から成り、第一章が楽園における人類史の起源からローマ文明までを、第二章がキリスト教の成立から啓蒙主義までを扱い、「補説」とされる第三章では、未来に向けての人間性の形成に考察の目が向けられる。シュトルム・ウント・ドラング期のヘルダーによるこの『歴史哲学異説』の方が文体的にも読者に強く訴えかける切れ味を備えており、かつ分量も手頃であったことから、いわばヘルダーの歴史哲学の代名詞のようになってきた。これに対して円熟期に入ったヘルダーが総力を注入した『人類歴史哲学考』は、ポリュビオスやリウィウスなどによる長大な歴史書、それも序言から始まり、各部の初めにプリニウスなど古典古代の作家からの引用文を「モットー」として置く本格的な歴史書の系譜に連なるものと見ることができる。

最後に『人類歴史哲学考』全体の内容を、分冊ごとに見ておくことにしたい。

まず本・第一分冊に収録された第一部では自然界における人間の誕生の様子が、『旧約聖書』の「天地創造」における被造物誕生の順序に従って記述される。「序言」に続く第一巻は、人類の自然上の前提条件、すなわち自然における人間の居住場所としての地球の天文学的な記述が中心となる。第二巻では、その地球を「作業場」として繰り広げられる鉱物、植物、そして人間の世界が、それぞれの被造物に内在する諸力の「有機組織化」という観点から描かれる。第三巻では、植物や動物と比べた場合の人間の有機組織上の特性が生理学と比較解剖学の観点から考察され、第四巻では、動物界における人間独自の存在のあり方が技術、言語、理性を中心に議論される。そして第五巻は第一部をまとめる形で、被造物に内在する諸力を自然それ自体に内在する原理として根拠づける。

第二分冊には、第二部の第六巻から第九巻までが収録される。第六巻では地球上での人間の空間的分布をふまえて種々の地域における諸民族について有機組織上の観点から民族誌的に記述される。第七巻では、類存在としての人間の単一性と、風土上の諸条件に従って生じる人間の多様性との相互関係について考察される。第八巻は人間の知性や想像力を風土の問題と関連づける。第九巻では学問、政治、宗教の問題が歴史における伝承の問題と関連づけられて議論される。

第三分冊には、第二部の最後の第十巻と第三部全五巻のうち第十一巻から第十三巻までを収録する。まず第十巻は、第一部の第一巻で取り扱われた地球に再び言及しながら、人類史の起源に関する複数の文字伝承の中から『旧約聖書』の「創世記」の記述を「原初の土地」という観点から自然地理学的に考察する。ちなみにカントが書評の対象としたのは、この第二部までであった。続く第三部からは、人類の諸民族の歴史という意味での世界史が始まる。第十一巻では、最初に中国について記述されるが、これはヘルダーが人類の生誕地をアジアの「原山脈」に求めていることに起因している。第十二巻ではエジプトも含む中近東の諸国が考察される。そこではフェニキアのような交易民族にも注意が向けられるが、それは「侵略者は自分のために侵略を行うのに対して、交易民族は自分と他民族に奉仕する」(同巻第四章)という利他性をヘルダーが重視しているためである。第十三巻では、いよいよギリシアが登場する。そこでは地中海という多島海の特性を生かした他民族との活発な交流という視点が重視される。

第四分冊には、第三部の第十四巻と第十五巻、そして第四部全五巻のうち第十六巻と第十七巻を収録する。第十四章では、ヘルダー以前あるいは同時代の歴史家によって多様な形で取り上げられてきたローマが対象となる。第三部を締めくくる第十五巻は『人類歴史哲学考』全二十巻の中でも動物や人間、あるいは種々の民族についての個別の考察が見られないという点で例外的な巻である。それは第十一巻から第十四巻までにおいて描かれる古代の世界と、第十六巻から第二十巻にかけて描かれるヨーロッパの中世および近世の叙述のあいだに挿入された純粋に理論的な巻であるとともに、第三部と第四部をつなぐ蝶番のような役割を果たしている。これに続く第四部第十六巻の中心となるのはラトヴィア人や古プロイセン人など北東ヨーロッパの諸民族やフランク人などのゲルマン諸民族と、スラヴ諸民族やアラブ人やユダヤ人などである。第十七巻では、キリスト教の成立と発展が東方諸国およびギリシア諸国やローマ諸州において考察される。

最後の第五分冊には、第四部の第十八巻から第二十巻までを収録する。まず第十八巻では、キリスト教がアルプスを越えてゲルマンの地へと広がり、神聖ローマ帝国の建設に至る様子が描かれる。第十九巻では、ローマ・カトリックによるヨーロッパ各地の異教民族の改宗について語られるとともに、ヨーロッパの学問や文化の発展においてアラブ人の果たした役割にも言及される。そして最後の第二十巻では、十字軍が考察の中心となるが、キリスト教に対しては批判的な視線が向けられる。しかし同時にヘルダーはキリスト教を中心とするヨーロッパにだけ目を向けるのではなく、「世界史上のいかなる出来事も、孤立して存在しているわけではない」と述べ、この時代に「ヨーロッパにおける交易精神」が大きく発展したことを評価する。

以上が『人類歴史哲学考』全体のおおよその内容である。その記述は人類の誕生に関わる地球の自然学的な記述から始まるが、最終的にはヘルダーの生きるヨーロッパの基礎が築かれた時代、すなわち中世末期から近世初期までの記述で終わっている。その意味では「人類の歴史」と表題にはあるものの、ヘルダーの関心はあくまでも神聖ローマ帝国に象徴される、民族あるいは国民の共同体としてのヨーロッパの成立という点にあるとも言えよう。しかしそれは教皇と皇帝の対立の歴史を基本としながらも、第二十巻で考察される「ヨーロッパにおける交易精神」あるいは「ヨーロッパにおける理性の陶冶」に見られるように、ヨーロッパが世界の他の地域とさまざまな形で交流することによって可能となったものである。そしてこのような動きの中での人間の生き方を、その活動の基盤としての地球を出発点として、可能なかぎり多様な側面から記述することがヘルダーにとっての目的となる。どうか読者諸賢もこの大作を通読し、ヘルダーの描く人類の多彩で広大な歴史世界に触れていただければ幸いである。

凡　例

一、本文中の＊と番号で示される注はヘルダーによる原注である。原文の隔字体は太字で示す。

一、本文には今日の人権感覚や歴史意識の点から見て問題となるような語句や表現が含まれているが、本書の歴史的性格を考え、変更を加えていない。

一、訳注について。『人類歴史哲学考』読解に際しての最大の問題は、ヘルダーが執筆にあたって参照した種々の資料について本文中にも原注にも、その典拠がほとんど示されていないことである。現在のところ、こうした典拠について最も多くの情報を提供しているのは、ハンザー版の編者ヴォルフガング・プロスによる注釈であり、以下、本訳書における訳注もこのプロスの注釈に負うところが多いことをお断りしておきたい。訳注では人名や地名等に関する説明を中心とし、著書のある人物についてはヘルダーが念頭に置いていると思われる作品にも言及する。なお人名については、原綴および生没年の記載を原則として本文で言及される近世以降の人物に限り、第五分冊に索引を付す。またヘルダーが作品執筆の最終段階で削除したと思われる他の著作からの引用は、作品の思想史的背景をより明らかにするためにも、見当のつくかぎりできるだけ掲載することとした。そのさい邦訳のあるものはこれを利用し、その書誌的情報を明記する。邦訳の見つからないものについては、主としてハンザー版の注釈に引用されているものを和訳してある。

一、今回の翻訳と訳注の作成に際して使用ならびに参照したテクスト類は左記のとおりである。なお翻訳の底本としたのは『人類歴史哲学考』の本文に加えて構想や草稿および異文が最も豊富に収録されている『ズプハン版全集』第十三巻（一八八七年）および第十四巻（一九〇九年）である。

Johann Gottfried Herder. *Sämtliche Werke.* （Hrsg. von Bernhard Suphan）, Bd. XIII. Berlin 1887, Bd. XIV. Berlin 1909.

Johann Gottfried Herder. *Ideen zur Philosophie der Geschichte der Menschheit.* 2 Bde. （Hrsg. von Heinz Stolpe）, Berlin 1965.

Johann Gottfried Herder. *Ideen zur Philosophie der Geschichte der Menschheit.* （Hrsg. von Martin Bollacher）, Frankfurt a. M. 1989.

Johann Gottfried Herder. *Werke.* (Hrsg. von Wolfgang Pross), Bd. III. *Ideen zur Philosophie der Geschichte der Menschheit.* (2 Bände), München 2002.

これらの版に加えて左記の英語訳とフランス語訳（いずれも全訳）も参照した。

Johann Gottfried v. Herder. *Outlines of a Philosophy of the History of Man.* Translated from the German *Ideen zur Philosophie der Geschichte der Menschheit* by T. Churchill, London 1800.

Idées sur la Philosophie de l'Histoire de l'Humanité, par Herder. Ouvrage traduit de l'Allemand et Précédé d'une Introduction par Edgar Quinet, Tome I, II, Paris 1827. Tome III, Paris 1828.

なお『人類歴史哲学考』にはすでに左記の二種類の和訳（いずれも全訳）があり、今回の和訳に際して大変参考になった。

ヨハン・ゴットフリイト・フォン・ヘルデル『歴史哲学』（上）田中萃一郎訳（泰西名

著歴史叢書13)、国民図書株式会社、一九二三年。同『歴史哲学』(下)川合貞一訳(泰西名著歴史叢書14)、国民図書株式会社、一九二五年(後にヘルデル『歴史哲学』として一九三三年に第一書房より一巻本として刊行されたほか、戦後にも再び上下の二巻本として刊行)。

ヨハン・ゴットフリート・ヘルダー『人間史論』Ⅰ・Ⅱ、鼓常良訳、白水社、一九四八年。同『人間史論』Ⅲ・Ⅳ、鼓常良訳、白水社、一九四九年。

一、本文中の人名と地名の表記でギリシア語やラテン語に由来するものは、原則として長音を含まずに慣例に従った形で表記する。

目　次

第二巻

第三巻

第四巻

第五巻

『人類歴史哲学考』第二分冊以降の構成

第四部

人類歴史哲学考（一）

第一部

リガ　ライプツィヒ
ヨハン　フリードリヒ　ハルトクノッホ[1]書店
一七八四年

——神が汝に何ものとなることを命じたか、また汝が人間の世界で
いかなる位置を占めているかを学び知るがよい——

ペルシウス(2)

序　言[3]

一〇年前に小著『人間性形成のための歴史哲学異説[4]』を出版したとき、私はこの異説という表題によって〈私もまた画家である〉と言おうとしたのでは決してない[5]。〈今世紀の多くの寄与に対する寄与〉という副題のみならず、それに続くモットー[6]が示すとおり、私はその著書をむしろ一つのささやかな覚え書きにするつもりだった。実際のところ著者は、その著書が人類史の完全な哲学を提供しているとはまったく考えていない。著者は、人間が絶え間なく踏み分け歩んできた多くの道のほかに、傍らに置かれはしたものの、ひょっとしたらいくつかの思想が歩むに値するようなもう一つの小さな道を示しただけのことである。その著書のあちこちに引用されている諸著作は、踏み分けられ歩みつくされた道のどれから著者が抜け出ようとしていたかをあますところなく示している。それゆえ著者は自分の試みを、仮綴じの小冊子以外の何ものにも、つまり、寄与に対する寄与以外の何ものにもしたくなかったのであり、このことは小冊子という体裁によっても示されている。

その著書『歴史哲学異説』は間もなく売り切れ、私は新版を出すよう促された。しかしこの新版は今や敢えてその古い形で読者の眼前に出ていくことはできなかった。私は自分の小著のいくつかの思想が私の名前を挙げることなく別人の書物に移し入れられ、自分でも考えていなかった規模で適用されていることに気づいていた。あのささやかな〈異説〉という言葉は忘れ去られていた。しかも私のまったく思いもよらないことに、人類の**幼年時代、青年時代、壮年時代、老年時代**[7]という少々寓意的な言葉によって、一つの大きな道路[8]が際立たされることになった。もちろん、歴史の進展のこうした捉え方が適用され、また適用可能であったのは地球のごく少数の民族についてにすぎない。実際にこのように大きな道路では、**文化の歴史**は言うにおよばず、**人間の歴史全体の哲学**も確かな足どりをもって精確に測れるはずがない。それにしても、地球で何らかの文化を持たない民族があろうか[9]？　**われわれ**が文化と呼び、また時には洗練された弱さ[10]と呼ぶべきようなものにだけ向けて、人類のそれぞれの個人が創られているとしたら、摂理[11]という計画は何と不十分なものだろうか？　この文化という言葉ほど曖昧なものはなく、しかもこれをすべての民族と時代に適用することほどいかがわしいことはない。文明化された国民の中で、文明化された人間の何と少ないことだろうか？　またこの文明化という長所はどこに置かれるべきなのか？　しかもこの長所は彼らの幸福、すなわち個々の人間の幸福にどれほど寄与しているのか？　というのも、個々の成員すべてがその中で苦しんでいるのに、国家全体という抽象的存在が幸福でありえるというのは矛盾であるか、あるいはむしろ、一見してそれと分かるような見せかけの言葉にすぎないからだ。(12)

それゆえ、本書がいくらかでもその表題にふさわしいものであろうとすれば、ずっと深いところから始められ、さまざまな考えのいっそう大きな円環が描かれねばならなかった。人間の幸福とは何か？　そしてそれはこの地球上でどの程度まで実現されるのか？　それは地球のあらゆる存在、とりわけ各地域における人間の大きな差異のもとで、あらゆる体制のもとで、あらゆる風土において、境遇と年齢と時代のあらゆる変革にもかかわらず、どの程度まで実現されるのか？　これらの多様な状態を測る尺度は存在するのか？　摂理はこれらのあらゆる状況の中で被造物の幸福だけでなく、自らの究極の主要目的をも計算に入れたのか？　というような問題がすべて精査されねばならなかった。人類の全体に関する普遍的な結論が引き出せるまでには、これらの問題のすべてが時代や体制の荒々しい歩みを通して追究され、考量されねばならなかった。こうして本書では広大な領域をくまなく歩き、とても深いところを掘る必要があった。これについて書かれたものを私は若い頃からほとんどすべて読んでいた。(13)　人類の歴史について書かれ、私が自分の壮大な課題に対する寄与を期待した書物のどれもが、ようやく探しあてた財宝のようだった。私は人類史の哲学が近年ますます盛んになったことを喜ぶとともに、幸運にも入手できたあらゆる補助資料を利用した。

書物を公にする著作家は、その書物が次のような思想を、すなわち著作家が自ら案出したのではなくとも（いったい今の時代に本当に新しいものが案出されうることは、いかに稀であろうか？）少なくとも**見つけ出し**、自分のものとし、それどころか、自分の精神や心情の所有物のように、長年にわたって著作家がその中で生きてきた思想を内容としているならば、このような著作家は、言うなれば自分の書物によって、その良し悪しはともかく、ある意味で自分の魂の一部を読者にさらすのだ。この著作家は、自分の精神が或る時期や関心事において何に取り組んでいたのか、人生行路の中でどのような疑問に心を悩ませたのか、あるいはどのような解決を見出して立ち直ったのかを明らかにするだけではない。この著作家はまた（実際そうでもなければ、著作家になって心の中の関心事を奔放な大衆に伝えることにいったい何の魅力があろうか？）考えを同じくする何人か、いや、おそらくは少数の人たち、それも何年もの試行錯誤の中でこれらの、もしくは類似の思想が重要になった人たちをも当てにしているのだ。この著作家は、こうした人たちと目に見えない形で話し合い、自らの感じたことを伝えるとともに、もし彼らの方が自分より先に進んでいれば、彼らのうちに、より優れた思想や教えを期待する。精神や心情のこのような目に見えない交流こそが、書物刊行の唯一にして最大の恵みであって、さもなければそれは、著作を行う種々の国民にまさに利益と同じくらいの損害をも与えていただろう。著者が思い描いたのは次のような自分、すなわち、自らの書いた対象に心から興味を見出してくれる人たちや、共感を呼ぶいっそう優れた思想を誘い出したくなるような人たちの輪の中に入る自分であった。これこそが著作という仕事の最も優れた価値であり、寛大な心の持ち主であれば、自らの言ったことよりも自らが覚醒させたことにずっと大きな喜びを感じるだろう。数冊の書物が、いや、一冊の書物のいくつかの思想だけでも、自らにとって時にはいかに重要なものとなったかを考える人。自分とは離れているが、活動という点で自分に近い他の精神を、その固有の、あるいはもっと優れた足跡の上で見出すことが自分にどれほどの喜びをもたらしたかを考える人。こうした一つの精神が何年にもわたっていかにしばしばわれわれの関心を惹き、われわれをさらに導いてくれるかを考える人。このような人は、自分に話しかけて内面を伝えてくれる著作家を、賃金労働者ではなく、友人と見なすだろう。そしてこの著作家である友人もまた読者を信頼して種々の未完の思想を手にして現れるが、それは経験豊かな読者が、この友人とともに考え、その不完全なところを、より完全なものに近づけるためなのだ。

〈人類の歴史、人類史の哲学〉という本書のような主題にあっては、読者のこうした人間性〔フマニテート〕[14]こそが何より望ましい義務だと思われる。書いた者は人間であった。読む汝も人間である。書いた者は誤ったかもしれない。いや、きっとそうであろう。書いた者が持たず、また持てなかった知識を汝は有している。それゆえ読む汝は自分の持っているものを利用し、書いた者の立派な意志をじっくりと見るがよい。しかも非難にとどまることなく、さらに改訂し、増補するがよい。書いた者はその力のない手で、数世紀かかってようやく完成でき、また完成するであろう構築物に数個の礎石を置いたにすぎない。今後これらの礎石が土に覆われて、これらを運んできた者ともども忘れ去られても、これらの礎石の上に、あるいはまったく別の場所に、これよりも立派な構築物が立っていれば、書いた者は幸福なのだ。

さて、私は自分でも気づかないうちに、最初に意図したものからあまりにも離れてしまった。すなわち、私は自分がどのようにしてこの歴史という題材を取り扱うに至り、また自分がまったく異質な仕事や職務にありながら、この題材に戻ってきたかを語りたかったのだ。人生の真昼の太陽は学問の緑野から非常に多くのものを引き出してくれる[15]が、この緑野がすべてまだ朝の装いのまま眼前にあったかなり早い時期から、私にはそもそも世界のすべてのものが自己の哲学と学問を持っているのだから、われわれに最も関わりのある人類の歴史も、全体として哲学と学問を持つべきではないか？　という考えが何度も去来していた。すべての形而上学と倫理学、自然学と博物学、そして何よりも宗教が最もよく私にこのことを思い起こさせた。神は自然の中ですべてを度量衡に従って秩序づけ、それによって事物の存在、事物の形姿と結合、進展と維持を整え、その結果として、大宇宙からちり粒に至るまで、地球と太陽を支える力からクモの巣の糸に至るまで、たった一つの叡智、善意、支配力がゆきわたるようにした[16]。神はまた人間の身体や魂の諸力にあっても、すべてを大変見事に、かつ素晴らしく熟考したので、われわれが大胆にもこの唯一賢明な者のことを、たとえ遠くからでも考えようとすると、われわれはその思想の深淵の中で自分を見失ってしまう。どうして、と私は自分に言ったが、いったいこの神が人類を全体において規定し整えるにあたって、叡智や善意を放棄し、この地上で構想を持たないことがあろうか？　あるいは、神はわれわれとほとんど関係のない低次の被造物の中でも、永遠の構想の法則についてきわめて多くのことを示したからには、いったい神がこの構想をわれわれに隠そうとするだろうか？　人類は全体として何なのか？　羊飼いのいないヒツジの群れのようなものか？　それともあの嘆きの賢者[17]が言うように、神は彼らを海の魚のように、また主人を持たない蛆虫のようにしておくのか？――あるいは、人間はその構想を知る必要がなかったのか？　多分そうであったと思う。いったいどの人間が、自分自身の生の構想だけでも見渡せるだろうか？　しかしそれでも人間は見るべき範囲のものは見るし、自分の歩みを導くのに何が必要かは十分に心得ている。とはいえ、まさにこの知らないということが、大きな濫用の言い訳にならないだろうか？　構想が見えないからといって、何らかの構想が存在することを否定する人、もしくは少なくともびくびくしながら構想のことを考え、疑いながらも信じ、信じながらも疑う人の何と多いことか。彼らは人類がアリの群れと見なされないよう極力抵抗する。というのも、この群れにあっては一人の強大な者の足が、しかもおぞましいことに、この強大な者とはアリ自身なのだが、何千ものアリを踏みつぶし、何千ものアリの大小さまざまな企てを台無しにし、それどころか、ついには地上最大の専制君主である偶然と時間が、アリの群れ全体を跡形もなく運び去り、そして誰もいなくなった場所を他の働き者の連中に手渡すと、この連中もまたまったく痕跡を残さず運び去られるからなのだ。――誇り高い人間は、自分の種族を地上のこうした族と見なすことも、すべてを死滅させる破壊行為の餌食と見なすことも拒否する。しかし歴史と経験は人間にこうした光景を無理やり押しつけないだろうか？　いったい地球上ではどのような全体が完成されているのか？　全体とは地球上では何なのか？　そもそも空間に秩序が与えられているのと同じように時間には秩序が与えられていないのか？　しかもこれら二つは**一つの**運命の双生児なのだ。時間は叡智に満ち、空間は見かけの無秩序に満ちている。事実また人間は明らかに秩序を求め、時代の一地点を見渡し、過去の上に未来を築くように創られている。そのためにこそ人間は想起と記憶を有している。だが、こうして時間を次から次へと積み重ねることこそが、人類全体を不格好なまでに巨大な構築物にしていないだろうか？　そこでは、誰かが置いたものを別の誰かが運び去る一方で、決して建てられるべきでなかったものがそのまま残存し、そして何世紀かすれば、すべてはついに瓦礫となり、それがもろければもろいほど、その下では臆病な人間たちがそれだけいっそう自信たっぷりに暮らしているのではないだろうか？――私としてはこうした懐疑をこれ以上むやみに並べたくない。それに私は、人間が自分自身と他人、それにまったく異なる被造物に対して有する矛盾も追及したくない。とにかく私は自分にできる範囲で**人類の歴史の哲学**を探し求めた。

　私はこの哲学を見つけたのか？　それはこの著作が決定するだろう。しかし第一部はまだその任ではない。第一部は基礎だけを内容としており、人類の居住の場である地球を全般的に概観することと、われわれの周囲でともに太陽の光を享受している種々の有機体を一巡することに分けられる。私としては、この行程があまりにも遠いところから説き起こされているとか、あまりにも長いとか思われないよう願っている。なぜなら、人類の運命を、創造という書物[18]から読むにはこの行程しか存在しないため、この行程をいくら入念に、しかも多くの現象を考察しながら歩んでも十分ではないからだ。形而上学的な思弁を求めたい人は、より簡単な方法でそれを手にすることができる。しかし思うに、思弁が経験や自然の類比[19]から切り離されるならば、それはほとんど目的地に到達しない虚空の旅なのだ。自然における神の歩み[20]。永遠なる者が、行為の結果として一連の作品においてわれわれに明示した思想。それらは神聖な書物であり、その文字を私は、なるほど一人の弟子より劣りこそすれ、少なくとも誠意と熱意をもって一字一字判読してきたが、これからもそうしたいと思う。究めがたい創造主の永遠の叡智と善意について、私がその作品の中に名状しがたい信頼とともに感じた甘美な印象のいくらかを、一人の読者にだけでも運よく伝えることができれば、確信に満ちたこの印象は確かな絆となり、それによってわれわれは著作の進行とともに、人類史という迷路にも思いきって入れるだろう。いたるところで自然の偉大な類比が私を宗教の真理へと導いてくれた。しかし私はそれらの真理を、とにかく苦労して隠しておかざるをえなかった。というのも、私はそれらを自分のために前もって奪おうとしたのでなく、創始者の隠れた現前について、その作品のいたるところで私に放たれる光にだけ、しっかり忠実であろうとしたからだ。読者と私がいっそう大きな満足を感じるのは、われわれがこの道を辿りながら、最初は暗くしか輝かない光が、最後には炎や太陽として立ち昇るのを目にするときだろう。

それゆえまた、自然という名称がときおり擬人化されていても思い違いしないでほしい。自然[21]は決して独立した存在ではない。そうではなく、**神は自らの働きにおいてすべてなのだ**。いずれにせよ、私はこの神聖きわまりない名称を常にその神聖さを十分にとどめておける程度に用いたのであって、少なくとも濫用しようとは考えなかった[22]。なぜなら、善きものを感謝とともに認識する被造物であれば、きわめて深い畏敬の念なしにこの名称を用いるべきではないからだ。〈自然〉という名称が、今世紀の少なからぬ著作の中で意味を失い、低俗なものになったと考える者があれば、その者はそれに代えて、**かの全能の力**、**善意**、**叡智**に思いを致し、自らの魂の中で、この目に見えない存在を、地上のどんな言語によっても名づけえないもの[23]と呼ぶがよい。

これと同じことは、私が被造物の**有機的諸力**に言及する場合にもあてはまる。思うに、われわれの目にするのが外に現れたそれらの作用であり、私もそれらにいっそう適切で正しい名前を与えることができなかったからといって、それらを隠れた性質[24]と見なすことはできない。したがって**有機的諸力**をはじめ、暗示するに留めざるをえなかった多くの他の物質に関しても、より詳細な論述は後日を期することとしたい[25]。

しかしその一方で私の喜びとするのは、この拙い仕事が多くの学問や知識において、もちろん私はそこから汲み取らねばならなかったのだが、何人もの大家が研究や蒐集を行っている時代と出会ったことだ。私はこれらの大家が、一人の門外漢による素人じみた試み[26]を軽蔑しないで、より良いものにしてくれることを確信している。事実、私が常に見てきたように、学問が現実に即していて、かつ根本的なものであればあるほど、学問を開拓し、愛する人々のもとでは無益な論争がそれだけ少なくなる。言葉による論争は言葉を扱う学者に委ねておこう。私の著作がそのほとんどの部分で示しているのは、われわれは現在まだ人間の歴史の哲学が書けないということと、それでもこの哲学は、今世紀あるいはこの一〇〇〇年代の終わりに書かれるだろうということだ。

汝、偉大な存在にして、人類の目に見えない高貴なゲーニウスよ[27]。一人の死すべき運命の者が書き、その中で大胆にも汝について思いを巡らし、汝を追おうとしたこの未熟きわまりない著作を、私は汝の足元に置く。その頁は吹き飛ばされ、文字は飛び散るかもしれない。さらには私が汝の足跡を見て、それを人間同胞のために表現しようとした際の言い回しや文章も飛散するだろう。しかしそれでも汝の思想は残り、汝はそれらを人類に段階を追いながらさらに開示し、いっそう見事な形で明示するだろう。そのとき、この著作の頁が忘却の嵐の中にたとえ埋もれても、それに代わって、より明晰な思想が人間の魂の中に生きているならば幸いである。

ヴァイマール　一七八四年四月二三日[28]

ヘルダー

初めて知られたとき、まか不思議に思われないものがあろうか？　どんなに多くのものが、それが現実に起るまでは不可能と判断されないであろうか？　まったく、宇宙の性質の威力と尊厳とは、もしわれわれの心がその一部を捉えるだけで全体を捉えることがなければつねに信じ得ないのだ。

プリニウス[29]

第一巻

一　われわれの地球はいくつかの星々の中の一つの星である

人類の歴史の哲学は、これがいくらかでもその名に値すべきものならば、天界から説き起こされねばならない。なぜなら、われわれの居住地である地球は、それ自身によってではなく、全宇宙を貫いて広がる天界の諸力によって、自己の性質と形態、および種々の被造物の組成と保持のための力を得ているからだ。それゆえ、地球はまず単独でなく、それが置かれているいくつもの世界の集まりの中で考察されねばならない。地球は、これらの世界の中心である太陽と、目に見えない永遠の絆によって結ばれており、この太陽から光、熱、生命、繁栄を得ている。中心点のない円が存在しないのと同じように、太陽なくしてわれわれは自分の惑星系のことを考えられないだろう。この太陽とともに、そして永遠の存在によって太陽およびすべての物質に賦与された恵み深い引力とともに、われわれが目にするのは、惑星が太陽の圏域の中で簡素にして美しく、かつ素晴らしい法則に従って形成される様子であり、また自身の軸の周りと、大きさや比重の調和のとれた空間における共通の中心点の周りを快活に間断なく回転する様子であり、さらには、まさにこれらの法則に従って、いくつかの惑星の周囲に衛星が形成され、それら惑星によって衛星がしっかりと引き留められる様子である。壮大な宇宙の構造をこのように眼前に思い描くことほど崇高な展望を与えてくれるものはない。しかも人間の知性は、**コペルニクス**(1)、**ケプラー**(2)、**ニュートン**(3)、**ホイヘンス**(4)、**カント**[*1]において、惑星の形成と運動の簡素ながら永遠で完全な法則について思いを巡らし、これを確認したときほど遠大な飛翔をあえて企てたことも、また一部は幸運のうちに成し遂げたこともなかった。

ただ、**ヘムステルホイス**(5)であれば次のように嘆くと私には思われる。すなわち、もしこの崇高な学説体系がギリシア人の時代に数学的精確さをもって確立されていたならば、この体系は人間の知性全体に影響を及ぼし、われわれの見解の全領域にも影響を与えていたであろうが、そうはならなかった、と。実際われわれは、地球を大きな深淵の中を浮遊する一個のちり粒と見なすことでたいてい満足してしまう。しかもその深淵の中では、いくつかの地球が太陽の周囲で自己の軌道を完結させているだけでなく、この太陽も他の何千もの太陽とともにそれらの中心点の周囲で、そしておそらくは、より多くのこうした太陽系が天体のさまざまに分散した空間において自己の軌道を完結させている。そのため、知性のみならず想像力までもがこの無限と永遠の広大さの海の中で自己を見失い、ついにはどこにも出口や終わりを見出せないままなのだ。しかしわれわれの知性や想像力を無に帰してしまう驚愕の念だけが、最も高貴で最も持続する影響では多分ないだろう。それ自身のどこにおいても十全な自然にとっては、一つの測りがたい全体と同じように、ちり粒も価値を有している。自然は場所と存在の点をいくつか定め、そこで世界が形成されるようにした(6)。そして自然はこれらのどの点にあっても力と叡智と善意の分かちがたい充溢を有しており、そこでは他のどんな形成の点も、世界原子(7)も存在しないかのごとく十全なものである。それゆえ私は、天界という偉大な書物を繙き、どこにあっても神性のみが満たしうるこの測りがたい殿堂を目の前にするとき、できるかぎり分かつことなく、全体から個を、個から全体を推論する。光り輝く太陽を創造したのはたった一つの力(8)であり、それがこのちり粒を太陽によって維持している。いくつもの太陽から成る一つの銀河をおそらくシリウス星の周囲で運行させ、また重力の法則によって私の地球という物体に作用を及ぼしているのも、たった**一つの**力なのだ。それで私にも分かるのだが、われわれの太陽神殿において地球が占める場所、公転の示す地球の位置、そして地球の大きさと重力はこれらに依存するすべてのものとともに、測りがたい宇宙の中で作用を及ぼす法則によって規定されている。それゆえ私は、無限なものに向かって驀進（ばくしん）しようとせずとも、この位置で満足するだろうし、自分がこの位置で無数の存在の調和にあふれた合唱の中に足を踏み入れたことを嬉しく思う。しかも私にとって最も崇高な仕事となるのは、私がこの位置で何であるべきか、そして多分この位置でのみ何でありうるのかを問うことだろう。もし私が最も制限されたもの、最も不快と思われるものの中にも、かの偉大な形成力の痕跡を見出すばかりか、最小のものでさえも測りがたいものへと進むこの創造主の構想と、私が明白な連関を有することを知るならば、この計画を究明し、天上の理性に従うことは、神に倣う私の理性の最も傑出した特性となろう。だから私は地球ではこれまで自分の目で見たこともない天上の天使を探すつもりはない。私が地球で見出したいのは地球の住民、すなわち人間であり、また地球という偉大な母が産み、抱き、養い、寛恕（かんじょ）し、ついには自らの懐（ふところ）に受け入れるものであれば、私は何にでも満足するだろう。要するに、この地球の姉妹である他の地球が、たとえまたより素晴らしい被造物を讃え、喜ぶことがあっても、この地球ではそこに生きることのできるものが生きるのだ。私の目は太陽とのこれ以外ありえない距離での太陽光線に適するように作られており、私の耳はこの大気に、身体はこの地球の重力に適するように、つまり私の感覚器官は、みなこの地球という有機体に基づいて、またそれに適するように作られている。これに応じて私の魂の諸力も活動を行う。こうして人類の空間と活動領域の全体は、私が生き抜くべき場である地球の重力や軌道と同じように、確固と規定され、限定されてもいる。それゆえ人間は多くの言語においても自分の母なる地球から自らの名称を導き出す。[9] しかしこの私の母なる地球が、調和、善意、叡智のより大きな合唱の中に入ってしかるべきであればあるほど、そして地球とあらゆる世界の存在が依拠する法則が堅固で立派なものであればあるほど、またそれらの法則にあっては全が一から生じ、一が全に奉仕していることに私が気づけば気づくほど、私は自分の運命がこの地球というちり粒でなく、これを統べる目に見えない法則にそれだけいっそう堅固に結びつけられているのを見出す。私の中で思考し活動する力は、その本性からして太陽や惑星を統べる、かの力と同じ一つの永遠の力なのだ。地球が摩滅したり惑星が場所を変えたりするのと同じように、この力の道具は摩滅することもあれば活動領域が変わることもある。しかしこの力が他の現象の中に繰り返し現れる際に依拠する法則は、決して変わることがない。その本性は神の知性のように永遠であり、また（私の身体という現象の支えでなく）私の存在の支えは、宇宙の支柱と同じくらいに堅固である。なぜなら、どの存在もそれ自身と同一であり、分割不能な一つの概念であると同時に、最大のものにあっても最小のものにあっても、同一の法則に依拠しているからだ。このように宇宙の構造は、私という存在の核である私の内的な生を永劫にわたって確かなものにしてくれる。私はどこにあろうと、何者であろうと、今ある私で、すなわち、すべての力の体系における一つの力であり、**神の世界**の見究めがたい調和における一つの存在であるだろう。[10]

＊1 （カントの）『**天界の一般自然史と理論**』、ケーニヒスベルクおよびライプツィヒ、一七五五年。内容の素晴らしさほどには知られていない著作。[11] **ランベルト**[12]は『**宇宙論書簡**』においてカントのこの著作を知らずにそれと類似したいくつかの考えを述べたが、ボーデ[13]は『**天界の知識**』において、称賛とともにこの著作に言及しながら若干の臆測を行った。

二　われわれの地球は中位の惑星の一つである

地球はその下に水星と金星という二つの惑星を、その上に火星（おそらくその上にもう一つ惑星が隠れていたと思うが）、木星、土星、天王星を持っている。この状況は、たとえこれ以外にどのような惑星が存在しようとも、太陽の秩序ある活動領域が消失し、天王星の偏心軌道が彗星の無秩序な楕円軌道の中に飛び込まないかぎりは維持される。それゆえ、地球はその位置に従っても、大きさ、自転と公転の関係、および時間の点でも中位の被造物[14]である。あらゆる極端なもの、最大のものと最小のもの、最も速いものと最も遅いもの、これらのどれもが地球とはほど遠い。このようにわれわれの地球は、他の惑星に比べて太陽系全体を天文学的に概観するためにも好都合な位置にある[*2]。だからわれわれが惑星間のこの崇高な関係を構成する若干の要素だけでも知るようになれば、素晴らしいことだろう。木星、金星、あるいはせめてわれわれの月への旅は、これらとともに同一の法則に従って生れたこの地球の形成のみならず、われら地球人類と、他の天体のより高次の、もしくはより低次の有機体との関係について、また場合によってはわれわれの将来の使命についても、非常に多くのことを明らかにしてくれよう。そうなればわれわれはいよいよ大胆に、二つか三つの天体の性質に基づいて、宇宙の連鎖全体の発展を推論できるだろう。しかしわれわれの限定し、確固と規定する本性は、こうした展望を拒んできた。われわれは月を眺め、その巨大な峡谷や山を観察する。また木星を眺め、そこに荒々しい変革や条痕を認め、土星の環、火星の赤みを帯びた光、金星の柔らかみを帯びた光を目にする。さらには、そこから見てとれるとも見てとれないとも思うことを臆測する。惑星間の距離においては均衡が支配している。人々は惑星の重力の比重に関しても真実らしい結論を導き出し、それらを惑星の自転や公転と結びつけようとした。しかしどれも数学に基づいてであって、自然に即してではなかった。というのも、われわれにはこの地球以外に比較の中間項が欠けているからだ。たとえば、地球の大きさ、自転、公転と太陽角度との関係は、ここ地球でも、すべてを同一の宇宙生成論上の法則から明らかにする公式を依然として見出していない。それにもまして知られていないのは、それぞれの惑星が自己の形成に際してどれほど位置をずらしたかということであり、その惑星の住民とその運命についてもわれわれはまったく知らないありさまだ。これについてキルヒャー(15)とスヴェーデンボリ(16)が夢想したこと、フォントネル(17)が冗談で言ったこと、ホイヘンス、ランベルト、カントがそれぞれの方法で推測したことが証明しているのは、われわれはこれについて何も知りえず、また何も知るべきではないということである。たとえわれわれが判断の基準を上下させ、より完全な被造物を太陽に近いところにも遠いところにも置くことができるにせよ、どれもみな夢想のままなのだ。それにこの夢想は、われわれが惑星間の差異にまで立ち入れないため、順次うち壊され、最後には次の結論を、すなわち、ここ地球のみならず、いたるところで統一性と多様性が支配しているという結論と、われわれの尺度である知性は、われわれの視線の偏りと同じく、進展と退歩を判断する何の基準をも与えてくれないという結論をもたらすにすぎない。われわれは中心点にではなく、惑星が押し合いへし合いする中にいる。他の地球と同じように、われわれは流れの中を漂っており、比較の尺度を持ち合わせていないのだ。

とはいえ、創造におけるあらゆる光と生命の源泉である太陽へのわれわれの立脚点である地球から、未来と過去に向けて推論することが許され、またそうすべきだとすれば、この地球には中庸という両義的な黄金の運命が授けられており、われわれはせめてもの慰めに、これを幸福な中間として思い描くことができる。もしも水星が昼夜の運行である自転を、場合によっては六時間で、また一年を八八日で完了し、そのうえわれわれより六倍も強く太陽に照らされているとすれば、またこれに対して、木星が太陽周回の長い軌道を一一年と三一三日で回り終えるにもかかわらず、昼夜の時間を一〇時間とたたないうちに元に戻し、そして太陽の光が一〇〇分の一の弱さでしか輝かない年老いた土星が、太陽の周囲を三〇年かけてようやく回るものの、自転をおそらく七時間で終えるとすれば、これらの間に位置する惑星である地球と火星と金星は中間的な性質を有している。これら三つの惑星の一日は互いにそれほど異なっていないが、逆に火星と金星と比べて地球が異なっているのは一年の長さである。金星の一日もおよそ二四時間であり、火星も二五時間を超えることはない。ただ金星の一年は二二四日であるのに、火星の公転周期は、この惑星が地球より三倍半も小さく、太陽との距離も地球の約半分であるにもかかわらず、一年と三二二日である。さらには大きさ、回転、距離の関係も著しく異なっている。こうして自然はこれら三つの中間惑星の一つにわれわれを置いたわけであるが、これらにあっては同時にまた時間と空間のみならず、被造物の形成についても中庸の関係と、均衡のとれた調和が支配しているように思われる。おそらくわれわれの精神に対する物質の関係も、われわれの昼夜の長さと同じように、互いに釣合いのとれたものだろう。われわれの思考速度も、ひょっとしたら他の二つの惑星の迅速さとか緩慢さに対する地球の自転と公転に比例している。同様にわれわれの感覚は、この地球上にあって進展可能で、またそうなる運命にあった有機体の精緻さと明らかに釣合いがとれている。ただ、地球の両側にある火星と金星からさらに遠くに目を向ければ、非常に大きな差異が存在すると思われる。それゆえ、われわれがこの地球上で生きているかぎりは、中庸の地球知性と、これと対等以上の価値をもつ人間道徳にしか頼らないことにしよう。もしわれわれが水星の眼でもって太陽を見て、水星の翼に乗って太陽の周りを飛ぶことができれば、また、もしわれわれに土星と木星が自転する際の迅速さと緩慢さ、それに両者の広くて大きな円周が与えられるならば、あるいはもしわれわれが彗星の尾に乗って、どのような熱さや冷たさも等しく感じながら、天界の広大な領域を航行できるならば、われわれも人間の思想や諸力の調和のとれた中間軌道よりも広い軌道、もしくは狭い別の軌道について語ることができよう。しかしそれでもわれわれは自分のいるところで、今あるままに、この穏和で調和のとれた軌道に忠実でありたい。実際この軌道は、われわれの生命の長さに多分ちょうど適しているのだから。

形成する自然の充溢に、それも今はわれわれに拒まれている充溢に、いつか何らかの方法で、これをあまねく享受しながら思いを致すならば、そこにはどんな怠惰な人間の魂をも覚醒させうる一つの展望が開ける。そのとき思い浮かぶのは、われわれが地球の有機体の総和に達した後には、一つ以上の惑星への移住が多分われわれの運命の行く末にして進展であるかもしれないということや、あるいはきわめて多種多様な同胞世界のすべての成熟した被造物との交際の継続が、最終的にはおそらくわれわれの使命だろうということだ。われわれの思想や諸力は、言うまでもなくこの地球という有機体からのみ芽生え、そしてかくも長きにわたってそれらの変革や変化に努め、ついにはこのわれわれの被造世界が与えうる純粋さと精緻さに到達した。それゆえ、もし類比がわれわれの導き手であってよいのであれば、他の惑星においても事情は変わらないだろう。そしてこれほど多様に形成された被造物がみな一つの目標に向かって邁進し、[*3]それぞれの感覚や経験を相互に分かちあうならば、どんなに豊かな調和が想像できることか。われわれの知性は地球の知性でしかなく、またそれは、われわれをこの地球で取り巻く種々の具体的所与から次第に形成されたものである。これと同じことがわれわれの心情の衝動や性向についても言える。世界が異なれば、その世界は自分の外にある補助手段や障害のことはおそらく知らないだろう。しかし、この世界がこれらの手段や障害の最終結果を知らないということがいったいあろうか？　もちろんありえない！　ここでもまたすべての半径は円の中心に向かおうと努める。純粋知性は、たとえそれがどのような具体的所与から抽出されたものであるにせよ、どこにおいても知性でしかありえない。心のエネルギーも、たとえそれがどのような対象で鍛えられたにせよ、どこにおいても同じ有用性、すなわち美徳であるだろう。こうしておそらくここでも最大の多様性が統一に向かって格闘するとともに、すべてを包括する自然は、多種多様な被造物の最も高貴な努力を統一し、全世界の花をいわば一つの庭に集めるという目的を持つだろう。自然に関して統一されたものが、いったいどうして精神や道徳に関しても統一されないことがあろうか？　精神も道徳も自然学であり(18)、最終的にはみな太陽系に依存する同一の法則に、より高次の秩序の中でのみ仕えているのだから。それゆえ、もし私に多様な惑星の一般的特性を、その住民の有機組織や生活の点でも、太陽光線の多種多様な色や音階のさまざまな音にたとえることが許されるならば、私はこう言うだろう。真と善という一つの太陽の光は、おそらくまたそれぞれの惑星上で異なった屈折をするため、いまだにどの惑星も太陽を完全に享受しているとは自慢できないだろう、と。ただそれらの惑星は、すべて一つの太陽によって照らされ、形成という一つの構想の上を漂い動いているのだから、われわれが期待できるのは、どの惑星もそれぞれの方法で理想的状態に近づき、そしてさまざまに動き回った後に、おそらくいつか善と美という一つの学校の中で一体となることである。今のわれわれとしては、もっぱら人間で、つまり、われわれを取り巻く惑星の調和における一つの音、一つの色でありたい。われわれの享受している光が柔和な緑色にたとえられるにしても、われわれはこの色が純粋な太陽光線であるとか、われわれの知性や意志が、宇宙を統べる手段であるとは考えないでおこう。なぜなら、われわれは明らかにこの地球全体とともに、万有の一断片にすぎないのだから。

＊2　ケストナー[19]『天文学礼賛』、ハンブルク雑誌、第一部、二〇六頁以下。

＊3　場合によっては居住可能な天体としての太陽については『ベルリン自然研究協会報告』第二巻、二二五頁における太陽の本性に関するボーデ[20]の説を参照。

三　われわれの地球は現在あるものになるまでに多種多様な変革を経てきた

この命題を証明するのは地球自身であるが、しかもそれは地球がその表面上と表面下（実際そこまでしか人間は達しなかった）において示すものによってである。水は溢れ出し、さまざまな地形、山脈、峡谷を形成した。火は荒れ狂い、地殻を粉砕し、山脈を持ち上げ、内部の溶解した臓腑を奔出させた。大気は地中に封じ込められて空洞を作り、かの強大な水と火の噴出を促した。颪は地表を吹き荒れ、そして四大[21]のもう一つのより強大な動因である地は、その地帯さえも変えた。これらの多くは有機的な生物がすでに存在していた時代に起こった。しかもあるところでは迅速に、またあるところでは緩慢に起こったことが一度ならずあるように見える。そしてそれは、ほとんどいたるところ非常な高所でも低所でも、動植物の化石が示しているとおりである。これらの変革の多くは、すでに形成されていた地球に関わるものであり、それゆえ偶然的なものと考えて差しつかえない。しかしそれ以外の変革は地球にとって本質的なものと思われる。これらは自ら地球を最初から形成してきた。偶然的あるいは本質的な変革のどちらに関しても(しかし両者の区別は困難である)、われわれはこれまで一つとして十全な理論を有していない。前者に関する理論をわれわれがなかなか持てないのは、それらの変革がいわば歴史に即した性質のもので、非常に多くの瑣末な地域的原因に左右される可能性があるからだ。しかしもう一方の、つまり地球の最初の本質的な変革について私はその理論を身をもって知りたいし、そうできると期待している。事実、いろいろな大陸からの所見は、相変わらずまだ十分に多面的でないし精確でもない。それでも思うに、一般自然学の原理や所見のみならず、化学や鉱山の経験によってもおそらく一つの幸運な視線がいくつもの学問を統合し、一方の学問を他方の学問によって説明するようになりつつある。たしかにビュフォンは大胆な仮説を持つこの種のデカルトにすぎないが[22]、やがてケプラーやニュートンのような人物が、きちんと符合する事実によってビュフォンを凌駕し論駁してほしいものだ。熱、大気、火、およびそれらが地球という存在の構成要素と合成や解体に及ぼした多種多様な作用についての新たな発見、ならびに帯電性で一部はまた帯磁性の物質[23]が還元される単純な原理は、私にはそれに向けた前進、それもただ間近にはなく、いくらか遠く離れた前進であるように思われる。それゆえ、おそらくいずれは幸運な人物が、ケプラーやニュートンが太陽系を描き出したのと同じくらい簡単に、一つの新たな中間概念[24]によって、われわれの地球の発生をうまく説明してくれるだろう。これによって従来は隠れた性質と考えられてきた多くの自然力が、いくつかの実証された自然上の存在に還元できれば素晴らしいことだろう。

さてそれはともかく、たしかに否定できないのは、自然がここでも大きく歩みを進め、無限なものに向かって進展する単純性に基づいて最大の多様性を与えたことである。われわれの大気、水、大地が産み出されうるまでには、相互に溶解し沈積する多種多様な**織り糸**[25]が必要だった。さまざまな種類の土、岩石、結晶、さらには貝、植物、動物、そして最後に人間におけるさまざまな種類の有機組織化は、或るものから他のものへの、いかに多くの分解や変革を前提としていたことか！　また自然はいたるところで今なおすべてを最も精緻で最も微細なものから産み出すが、そのあいだ、われわれの時間尺度をまったく顧慮せず、最も豊かな充溢をも可能なかぎり倹約して分かち与える。しかしこれでさえモーゼの伝承[26]に鑑みても自然の歩みであったように思われる。というのも、自然は被造物の形成、あるいはむしろそれらの成育や発達のために最初の土台を置いたからである。作用を及ぼす諸力と四大の塊は地球生成の基盤となったが、多分そこにはこれを土台として生成すべきであったものや、生成しえたものすべてが混沌の状態で含まれていた。さまざまな周期のうちに、霊に関わる織り糸と自然に関わる織り糸から、大気、火、水、大地が生成した。最初の植物組織の種子、たとえば苔が生成しうるには水、大気、光の多種多様な結合が先行していなければならなかった。動物組織が生成するまでには、多くの植物が出現し、かつ死滅していなければならなかった。さらにこの動物組織にあっても、昆虫、鳥、水棲動物および夜行性動物が、より形成の進んだ陸棲動物や昼行性動物に先行していた。そしてこれらすべての最後に地球という有機体の頂点である人間、すなわちミクロコスモス[28]が登場した。これこそあらゆる基本物質と存在の所産にして、精選された最高の精髄であり、いわば地球創造の精華である。それは自然の最後の寵児にほかならず、しかもそれが形成され、自然の懐にいだかれるまでには、多くの発展と変革が先行していなければならなかった。

しかし人間もさらに多くを経験したことは、きわめて当然であった。自然はその活動を一度も中止することはなく、ましてやその愛児のためには、活動をなおざりにすることも、遅らせることもない。それゆえ、人間が地球上で生活を始めてからも、地球の乾燥化とさらなる形成、内部の燃焼、洪水、そしてこれらから生じた現象が、ずっと長く繰り返し生じなければならなかった。最古の文字伝承でさえもまだこの種の変革に言及しており、われわれも最初の時代のこうした恐ろしい現象が、人類のほとんど全体にどれほど強大な作用を及ぼしたかを後に見るだろう。[29] 現在でこそ、この種の途方もない変革は減少しつつあるが、それは地球の形成が完了したか、あるいはむしろ地球が年老いたからである。だがこれらの変革が人類およびその居住地とまったく無縁なものになることは決してありえないし、またそうならないだろう。ヴォルテールがリスボン崩壊に際してあげた叫び声[30]は、学者らしからぬものだった。なぜなら、彼はそれを理由に、ほとんど冒瀆せんばかりに神を非難したからである。しかしわれわれは自分自身だけでなく、所有するすべてを、それに地球というわれわれの居住地さえも、四大という要素に負っていないだろうか？　これらの要素が、絶えず活動してやまない自然法則に従って、周期的に目を覚まし、自分の所有物を返すよう求めるとき。地球を居住可能にし、豊饒なものにした火と水、大気と風がさらに活動を続け、地球を破壊するとき。あるいはまた母としてわれわれをかくも長きにわたって温め、すべての生あるものを育て上げ、それらを黄金の綱でもってその温顔に向けさせてきた太陽が、もはや自己を維持することも活動を続けることもできなくなった地球を、その衰えゆく力とともども自分の燃えさかる内部に引きずり込むとき。――そのときに起こるのは、叡智と秩序の永遠の法則に従って起こらざるをえないこと以外の何だろうか？　変化する事物に満ちた自然において、歩みが必然であるとすれば、没落もまた必然である。だがそれは外観上の没落、すなわち形態と形姿の変転なのだ。しかもこの没落は、自然の内奥にまで関わることは決してない。というのも、自然はあらゆる没落を超越しており、絶えず不死鳥のように灰の中から蘇り、若々しい力をもって咲き誇るからである。われわれの住居の形成、ならびにこの住居を産み出すことのできたすべての物質の形成は、こうしてすでにわれわれをして、人間史全体の有為転変に対する心の準備をさせずにはおかない。われわれは詳細な見解を加えるごとに、ますますこの有為転変を認めるのである。

四　われわれの地球は自転するとともに、太陽に対しては斜角の方向に動く球体である

円が最も完全な形であるのは、それがあらゆる形のうちで最大の面積を最も簡素な構造の中に含み、最も美しい単純さの中に最も豊かな多様性を持つからだ。これと同じように、われわれの地球およびすべての惑星と太陽も、最も簡素な充溢の構想として、また最も慎ましい豊かさの構想として自然の手から産み出された。われわれが驚嘆せざるをえないのは、地球上で現実に生じている変化の多様性と、それにもましてこのとらえがたい多様性が仕える単一性である。われわれが自分の子どもたちに幼少時から地球上の単一性と多様性というこの美しさの深い印象を与えていないのは、われわれ自身が教育を受けている未開な北方[31]の野蛮さのしるしなのだ。私としては本書がこの壮大な展望を少しだけでも提示してくれればと願っている。実際こうした展望こそが私を自己形成の最も早い時期からとらえ、自由な思想の広大な海へと最初に導いてくれた。それゆえ

こうした展望は、すべてを取り巻くこの天界を私が見上げ、またすべてをとらえて自転するこの地球を自分の足元に見るかぎり、私にとって神聖なものなのだ[32]。

それにしても理解できないのは、人間が、かくも長きにわたって自分の地球の影を月の中に見ることができたのに、どうして地球ではすべてが循環、輪、変化であることを深く感じなかったのか、ということだ。この形をかつて心に留めていれば、いったい誰が全世界の人々を哲学や宗教における言葉の信仰へと改宗させたり、あるいはそのために全世界の人々を鈍感ではあるが神聖な情熱をもって殺しに出かけたりしたろうか？われわれの地球ではすべてが球体の変転なのだ。同じ地点も同じ半球も一つとしてなく、東と西は北と南のようにまったく対照的である。この変転をたとえば経度[33]があまり目立たないからといって緯度だけに従って計算し、風土に関するプトレマイオスのような古い枠組みに従って人間史までも区分するのは、偏狭な視野のなせるわざである。古代人には地球が現在ほどは知られていなかったが、今や地球は、全体を概観し評価するために、南北の緯度だけによるよりもずっと知られていると言える。

地球ではすべてが変化である。ここでは地球儀や海図のどんな区切りも、どんな区分もまったく意味を持たない。この球体が回転するにつれて、そこでは風土のみならず人間の頭脳も、また心情や衣服のみならず習俗や宗教も変化する。ただ、言い表しがたい叡智が存在するのは次の点、すなわち、すべてが非常に多様であるという点ではなく、丸い地球上ではほとんどすべてがなおも一致のうちに創造され調律されているという点においてなのだ。多を一と関わらせ、最大の多様性を束縛のない単一性と結びつけるこの法則のうちにこそ美の精髄がある。

穏やかな重量は、われわれにこの単一性と恒久性を与えるために、われわれの足を自然から離れないようにした。その重量は物質界では重力と呼ばれ、精神界では不活発性[34]と呼ばれる。何ものも地球から逃げ出せず、それにわれわれが地球上で生きて、また死のうとすること自体が、そもそも自分の意志に依存していない。これと同じように、自然もまたわれわれの精神を幼年期からその強力な束縛によってわれわれの所有物である地球に引きつける。（実際われわれは所有物として、けっきょくこの地球以外に何を持っているというのだろうか?）誰もが自分の土地、自分の慣習、自分の言語、自分の妻、自分の子どもを愛するが、それはこれらのものがこの世で最善のものであるからではなく、自分の確実な所有物であり、その中で自分と自分の努力そのものを愛するからだ。こうして誰もがどんなに厳しい風土の、どんなに粗悪な食事にも、またどんなにつらい生活様式にも、どんなに粗野な習俗にも慣れて、ついにはその風土の中にくつろぎと安らぎまでをも見出す。渡り鳥でさえ自分の生まれたところに巣を作るのだから、どんなにひどくて荒れ果てた祖国でさえも、それに慣れた人間種族にとって最も魅力的なものになることも稀ではない。

それゆえ、人間の祖国はどこか？　地球の中心点はどこか？　と問うならば、いたるところで次の答えが返ってくるだろう。たとえ氷の張り詰めた極地であろうと、真昼の灼熱の太陽の下であろうと、おまえの立っているこの場所だ！　という答えが。人間は生きられるところであれば、どこでも生きるのであり、実際またおよそどんなところででも生きられる。偉大な母はこの地球で永遠に続く単一性を産み出せなかったし、産み出そうとも思わなかった。そのためこの母としては、きわめて驚くべき多様性を前面に押し出して、この壮大な多様性を産み出すべく、人間を一つの生地から織る以外に方法はなかった。後にわれわれは美しい階梯を見出すだろうが、そこでは有機組織化の技術が、被造物において進歩するにつれて、被造物もさまざまな状態に耐えぬき、そのつどの状態に応じて自己形成能力をも増大させる様子が見られる。可変性があり、柔軟で感受性のあるこれらすべての被造物の中でも、人間が最も感受性に富んでいる。地球全体は人間のために作られ、人間は地球全体のために作られているのだ。

したがって、人類の歴史を哲学的に考察しようとするときに極力否定したいものは、一つの地域の教養から、またひどい場合には一つの学派の教養から得られた狭隘（きょうあい）な思考形態である。当地にいる人間、あるいはどこかの夢想家の観念が求める人間でなく、地球上のいたるところで、しかも同時に特にそれぞれの地域にいる人間を、つまり何か偶然の豊かな多様性のみが自然の手中でその方向に向けて形成できた人間を、自然の意図と見なそうではないか。われわれは人間のために、お気に入りの形姿やお気に入りの地域を探したり見つけたりはしたくない。人間は自分がいる場所で、自然の主人にして従僕であり、自然によって最も愛される子にして最も苛酷に扱われる奴隷なのだ。さまざまな利益や不利益、病気や災禍が、新たな種類の享受、豊かさ、祝福ともども人間をいたるところで待ち受けている。そしてこれらの境遇や状況の賽（さい）の目によって、そのつど人間はそれに応じたものになるのだ。

　小さくて依然としてよく分からない原因によって、自然は地球上の被造物のこうした多様性を促進したのみならず、また限定し確固たるものとした。すなわちそれは、**太陽赤道に対するわれわれの地軸の角度**である。球体運動の法則の中にこの角度はない。木星はこの角度を持たず、軌道上で太陽に対して垂直に位置している。火星もこれに似た角度は持っていない。それに対して金星のこの角度はおそろしく鋭角であり、土星もまた環や衛星とともに横に傾いている。季節と太陽の活動の何という無限の差異がこの角度によって太陽系の中で惹き起こされることか！　われわれの地球はこの点でもまた恵まれた扱いを受ける子どもであり、中位の仲間である。地球の傾斜角度はまだ二四度には達していない。地球は以前からこの角度を持っていたのか？　これについて今はまだ問題にしてはならない。要はこの角度なのだ。不自然で、少なくともわれわれには不可解なこの角度は、地球に固有のものとなり、何千年も変わっていない。この角度はまた現在の地球が、そしてその地球上で人類があるべき姿にとっても、必然的なものであるように思われる。この角度、つまり黄道に対する斜角の方向によって生成するのが特定の移り変わりを持つ地帯であり、それらは極から赤道へ、赤道からまた極へと広がり、地球全体を居住可能なものにしている。地球は規則正しく傾かざるをえないが、それはいつもキンメリア人[35]の住むような寒さや暗さの中にある地域までもが、太陽光線を目にして有機組織化に必要な能力を得るためである。こうして地球の長い歴史がわれわれに示すように、人間知性とその活動のあらゆる変革には地域の様態が多くの影響を与えた。しかも温和な地帯が地球全体にもたらした影響は、これまでどれほど寒冷な地帯からも、どれほど熱い地帯からも生れたためしがない。それゆえ、われわれがあらためて理解するのは、全能者の指が、いかに精緻な筆致で地球上のあらゆる変動や微妙な差異の輪郭を明示し、画定したかということだ。実際また、太陽に対する地球の方向がほんのわずかでも違えば、地球上のすべてが違ったものになっていただろう[36]。

精確に測られた多様性が、それゆえまたここでも世界創造主の造形術の法則である。地球が光と影に、人間の生が昼と夜に分けられるだけでは創造主には十分でなかった。人類の一年も、創造主が人間に免除した秋と冬の数日だけを除いて、移り変わらねばならない。それに従って人間の生の長短も、すなわち、われわれの諸力の分量も、人間の年齢の循環、われわれの仕事や現象形態や思想の変化、われわれの決断や行為の無効性あるいは有効性も規定される。なぜなら、後に見るように、これらは結局みな一日、もしくは一年という時間区分のこの簡素な法則と結びついているからである。人間がもっと長生きし、その生の力と目的と享受がこれほど変化も分散もしなければ、そして自然も人間をめぐる四季のあらゆる現象とともに急ぐのと同じほどに、人間を引き連れて周期的に急がなければ、地球上で人間界が著しく拡大することも当然ないだろうし、歴史が現在われわれに提示している混沌とした光景もこれほどには生じないだろう。しかしわれわれの居住圏域がより狭かった頃は、われわれの生の力はいっそう緊密で強く、そして確固とした作用を及ぼしていた。今や伝道の書の語ること(37)がわれわれの地球を象徴している。何ごとにも時がある。冬と夏、秋と春、青春と老年、活動と休止というふうに。斜角に動くわれわれの太陽のもとでは、人間のすべての行為が一年という周期なのだ。

五　われわれの地球は大気圏に覆われ、いくつかの天体との競合のうちにある

人間はきわめて複雑な有機体であるため、純粋な大気を呼吸して生きることはできない。人間は地球のほとんどすべての有機体の精華であるが、地球の最初の構成要素は、おそらくそのどれもが大気から沈積し、いくつかの過程を経て、目に見えないものから目に見えるものへと進んだ。われわれの地球が生成したとき、おそらく大気は諸力を産み出す場であるとともに、それらを形成する素材であったろうし、今でもそうではないだろうか？　以前はほとんど未知であったものが最近になっていかに多く発見され、しかもみな大気という媒体の中で活動していることか。帯電物質や磁気流、燃素[38]や二酸化炭素、冷却塩がそうだし、太陽が刺激を与えるだけの発光体もそうだろう。これらは地球上での自然活動の強大な基盤となるものばかりであり、しかもいかに多くの他のものがさらに発見されうることか！　大気は身ごもらせ、解体する。大気は吸収し、発酵さ

せ、沈積させる。大気はそれゆえ地球の被造物だけでなく、地球自身の母であるように思われる。すなわち、大気はあらゆる物の共通の媒体として、それらを自らの懐に引き入れ、そこから押し出す。

大気圏があらゆる地球被造物を最も精緻かつ精神的に規定することにも関わり合い、そのために活動していることは何らの証明も要しない。大気圏はかつて地球の形成者であったのと同じように、今は太陽とともに、あるいはその下でいわば地球の共同統治者となっている。もし、われわれの大気が、異なる弾性[39]や重力、異なる純度や密度を有し、異なる水、異なる土を沈積させ、物体の有機組織化に異なる影響を及ぼすならば、地球全体がどれほど違ったものになっていたろうか！　もちろんこのことは異なる大気圏において自己を形成した他の惑星についても言える。それゆえまた、われわれの地球の物質や現象から他の惑星の特性を推論してもまったく当てにはならない。この地球上ではプロメテウスが創造主だった。彼は沈積した柔らかな粘土から形を作り、輝く火花と精神上の諸力を高所から、それも彼が地球と太陽の距離、および他にそれしかない固有の重力の点で持ちうる分だけを取ってきた。

そうであれば、地球という球体のあらゆる産物の差異と同じように、人間の差異もまた、われわれが神性の器官[40]として、その中で生きている媒体に特有の差異に従わねばならない。この点で重要なのは、寒暖に従った地帯区分や圧力を持つ気体の軽重だけではない。むしろ精神に多種多様な作用を及ぼす諸力が、それ以上に限りなく重要になる。というのも、これらの力は地球において活発に働き、その精華は場合によってまさに地球のあらゆる特性と現象を形作っているからである。電流や磁気流はどのようにして地球の周りを流れているのか？　どのような靄（もや）や蒸気がここかしこで立ち昇るのか？　それらはどこへ動いていき、どのようなものに変化するのか？　それらはどのような有機体を産み出し、どれくらいのあいだ保持し、またどのようにして解体するのか？　こうしたすべての疑問が、それぞれの人間種族の性質や歴史に関する明白な推測を与えてくれる。なぜなら、人間は他のすべての被造物と同じように、大気によって大切に育てられたものであるとともに、自分が存在する圏域全体の中では地球のあらゆる有機体の兄弟なのだから。

思うに、ボイル[41]、ブールハーフェ[42]、ヘールズ[43]、スフラーフェサンデ[44]、フランクリン[45]、プリーストリ[46]、ブラック[47]、クロフォード[48]、ウィルソン[49]、アシャール[50]らによって、熱気と寒気、電気と大気の種類について、他の化学物質および鉱物界、植物界、動物、人間に対する影響も含めて行われた考察が一つの自然体系に集約されるとき、われわれは知識の新たな世界に向かう。そして時とともに、こうした考察が、いくつもの地域や地球産物について増大しつつある知識と同じように、多様かつ普遍的に与えられ、発展途上にある自然研究がいわば万人に開放されたアカデミーを創設するまでになり、さらにはこのアカデミーが、真なるもの、確実なもの、有用なもの、美なるものの一体となった精神において、これらのものの存在する各地で及ぼすさまざまな影響を認知するようになれば、その時われわれはようやく地球大気学を手にするに至り、自然のこの壮大な促成場が無数の変化の中で一様な根本法則に従って活動するのを目のあたりにするだろう。身体と精神における人間の形成はここから説明されるが、その叙述には、これまで断片的であれ、一部はきわめて明瞭な輪郭が与えられている。

しかし地球は宇宙の中で孤立しているのではない。地球の大気圏、すなわち活動する諸力のこの大きな容器に対しては他の天体も作用を及ぼしている。永遠の火の玉である太陽はその光線によって地球を活動させているし、月というこの圧力を持つ重い物体は、おそらく地球の大気圏の中を漂ってさえいるのだが、地球をその冷たく暗い顔で威圧することもあれば、太陽に温められた顔で威圧することもある。月は地球の前にいるときもあれば後ろにいるときもあり、地球は太陽にいっそう近づくこともあれば、ずっと遠ざかることもある。他の天体も地球に近づき、その軌道にどんどん迫り、地球の諸力に変化をもたらす。天体の体系全体は、同質もしくは異質の球体の、それも大きな力で動かされる球体相互の闘争的活動であり、この活動を調整し、球体相互の闘いに際して力を貸すのは全能の力のたった一つの偉大な理念である。ここでもまた人間の知性は、活動する諸力の大きな迷路の中で一本の糸を見出し、ほとんど奇蹟に近いことを成し遂げた。しかもこれを最も促進してくれたのは、あの非常に不均整な月、それも二つの相反する圧力機構によって動かされ、幸運にもわれわれのきわめて近くに位置するあの月なのだ。いつかこれらすべての観察所見とその結論が、すでに干潮と満潮について適用されたように、大気に包まれたわれわれの球体の変化にも適用されるならば、そして一部はもう案出された精巧な器具の助けを借りて地球のさまざまな場所で多年にわたって続けられている努力が、この天界という海の変革を、時間と位置に従って整理し、一つの全体へと構成するならば、**占星術**(51)は最も称賛に値し最も有用な形でわれわれの学問の中にその新たな姿を現すだろう。**トアルド**(52)によって始められ、**ド・リュック**(53)、**ランベルト**(54)、**トビアス・マイヤー**(55)、**ベックマン**(56)などによって、原則もしくは補助が与えられたことは、おそらく(しかもきっと地理学と人類史に対する壮大な視野をもって)**ガッテラー**(57)のような人物によって完成されるだろう。

要するに、人間は認知もしくは予感された天界諸力の下、あるいは中で誕生し、成長し、放浪し、活動する。大気と気象が人間と地球全体に対してこれほど多くの影響を及ぼしうるとすれば、多分これよりも大きな範囲において、電気火花[58]がこちらの人間世界でいっそう純粋に光を発し、また別の人間世界では一定量の可燃性の物質がいっそう激しく塊と化したであろう。そして或るところでは寒気や晴天の一群が、別のところでは穏やかで温和にする液体が、人類の最も重要な時期や変革を規定し、さらにそれらに変化を加えたのだろう。しかし、この地球という練り粉が永遠の法則に従って自己を形成するのも、あの遍在する眼差しのもとにおいてのみである。その眼差しだけが、自然に即した諸力のこの世界において、その構成要素のどの点にも、そしてどの飛び散る火花とエーテル光線にも、その在るべき位置、時間、作用圏域を明示し、この練り粉を他の対立する諸力と混ぜ合わせて和らげるのだ。

六　われわれの居住している惑星は水面上に隆起した大地山脈である

このことは世界地図を一瞥しただけでも明白だ。[59] 山脈の連鎖が陸地を横断しているだけでなく、明らかにその骨格としても存在しており、これに沿って、またこれに向かって大陸も形成された。南北アメリカでは山脈が西海岸に沿ってパナマ地峡を経て上に向かって走っている。この山脈は陸地が広がる状況に応じて横に広がり、ずっと中央にまで進み出ているところでは陸地もそれだけ広くなるが、ついにはニューメキシコを越えて見知らぬ地域で姿を消す。おそらくこの山脈はここでもまたイライアス山に至るまでさらに上に向かって進むだけでなく、横の広がりにおいてもいくつかの山脈、なかでもアパラチアのブルーリッジ山脈と関係がある。それはちょうど南アメリカで陸地の幅がより広くなると、山脈もまた北と東に広がるのと同じである。それゆえアメリカは、その形から見てさえも、山脈にくっついていわばその麓(ふもと)に沿って、あるいは平坦に、あるいは険しく形成された地域なのだ。

他の三つの大陸(64)は、いっそうまとまった景観を呈している。というのも、それらの大きな広がりは、根本的にただ一つの大陸だからである(65)。しかしこれら三つの大陸にあっても容易に見てとれるのは、アジアにある地球の尾根がアジアならびにヨーロッパ、場合によってはアフリカの少なくとも上部にまで広がる山脈の根幹を成していることだ。アトラス山脈(66)はアジアの山脈が延びて広がったものだが、後者はアジアの中央でいくらか高くなるだけで、いくつかの山なみを経てナイル河のところでおそらく月の山脈(67)と結びつくのだろう。この山脈は高さと広がりの点で本当に地球の尾根なのか？　これは将来明らかにされるに違いない。アフリカの大きさや若干の断片的な情報はそうであることを推測させるようだが、しかしまさにこの地域のよく知られた河川の少なさと小ささが調和を保っていることは、この地域の高地が、アジアのウラル山脈やアメリカのコルディレラ山系(68)のように、地球の本当の帯であることをまだ断定させるには至っていないように見える。要するに、これらの大陸においても、陸地が山脈に沿って形成されていることは一目瞭然である。どの部分も山脈から延びる枝と並行に走っており、山脈が枝分かれするところでは陸地も広がっている。このことは岬、島嶼、半島にもあてはまる。山脈の骨格が延び広がるに応じて、陸地は腕や肢を伸ばす。それゆえ、最終的に居住可能となったのは、変化に富んだ地層や地形の中で山脈に沿って形成された多様な地塊である。

このように、地球が陸地としてどのような形で存在することになったかは、最初の山脈の延び方次第だった。その意味でもこれらの山脈は、いわば地球の古い核にして支柱であるように思われる。この支柱に水と大気がもっぱら自らの重量を負わせたため、結果として有機体の根づく場所は低い屋根がかけられ、平らにされた。すなわち、球体回転からはこれら最古の山脈連鎖は説明されえない。それらは球体回転の最も大きかった赤道地方には存在しないばかりか、赤道と並行して走ることさえもない。アメリカの山脈は赤道をむしろ垂直に横切っている。こうして、どんなに高い山や山脈でさえも、球体という塊に比べれば運動の点でまったく取るに足らないものである以上、われわれはこの点で数学に即したこれらの区域づけから説明を求めてはならない。したがって私としては、山脈連鎖の名によって赤道や子午線と類似したものを提示することには賛成しかねる。というのも、山脈連鎖と赤道や子午線とのあいだには何ら真の関係は存在せず、むしろ類似したものを提示することによって誤解が生じるだろうからだ。重要なのは、山脈連鎖の原初の形態と創造と進展、ならびに高さと広がりであり、要するに、山脈連鎖の形成だけでなく、陸地の形成をもわれわれに明らかにしてくれるような**自然学**

に即した自然法則なのだ。しかしこのような法則は発見されうるのか？　山脈連鎖は一つの点からの射線として、あるいは一本の幹からの枝として、あるいはまた角張った蹄鉄として存在するのか？　そして山脈連鎖はそれが剝き出しの山脈として、また地球の骨格として隆起したとき、どのような形成法則を持っていたのか？　このような疑問は未解決ではあるが重要なものであり、私もできればそれらに満足のゆく解答を与えたいものだ。言うまでもなく、私がここで問題にしているのは沖積山脈でなく、地球最初の基底山脈たる原山脈である。

　言うなれば山脈が広がるのと同じように、陸地も延び広がったのだ。アジアが最初に居住可能となった[69]。なぜなら、アジアは最も高くて広い山脈連鎖のみならず、海も決して到達しなかった平地をも尾根として所有していたからである。それゆえ、十中八九ここアジアの山脈の麓、あるいは中腹のどこか幸福な谷にこそ人間の最初の選び抜かれた居住地があった。ここから人間は河川に沿って南下しながら、美しい実り豊かな平地へと広がった。北方に向かって自己を形成したのは、より頑強な民族であり、彼らは河川や山地を流浪し、やがて西方へと進みヨーロッパにまで押し寄せた。一群また一群と続くかと思えば、他の民族を押しのけて進む民族もあったが、彼らは再び海、すなわちバルト海[70]にたどり着き、一部はそこを越えてさらに進み、また一部は進路を変えて南ヨーロッパを占領した。しかしこの地域は、アジアから南へと移動してきた別の民族や外国人集団をすでに受け容れていた。こうして種々の、時にはまた衝突する人間の流れによって、地球のこの一角は現在と同じくらい人口密度が高くなった。一つならず追い払われた民族は最終的に山地に退き、征服者たちに平原や広々とした草原を委ねた。われわれがたいてい地球上のどこにおいても、民族や言語の最古の遺物と出会うのが山の中、もしくは陸地の端や隅であるのもこうした理由による。どの平地にも後に他所から来た民族が居住し、どの島や地域でも、より古い未開民族は山に隠れた。彼らが苛酷な生活を続けたこれらの山から、その後しばしば変革が惹き起こされ(71)、それらは平地を多少ともひっかき回した。インド、ペルシア、中国、それに西アジアの諸国はもちろん、技術や領土区分によって守られたヨーロッパまでもが、変革を事とする山岳民族の集団によって一度ならず襲撃された。そして諸民族の大きな舞台で起こった出来事の影響が、それより小さな領域に及んだことも稀ではない。南アジアのマラーター(72)や、いくつかの島の野蛮な山岳民族がそうだ。ヨーロッパ各地でも、恐れを知らないかつての山岳居住民(73)が跋扈したが、彼らは征服者になれないと盗賊に変身した。言うなれば地球の大山脈は、人間の最初の居住地であるのと同じように、変革や人類の養育といった活動の場でもあるように思われる。これらの山脈は、大地に水を与えるのと同じように、民族をも与えた。これらの山脈では泉が湧くのと同じように、勇気と自由の精神も生れる。もっともそのときには、山地より穏やかな平地は、法や技術や悪徳の軛(くびき)に屈しているのだが。現在もなおアジアの高地はその大部分が未開な諸民族の跳梁の場である。しかし彼らが何世紀後の将来のどのような氾濫や革新のために今そこにいるのかを誰が知ろうか？

　アフリカに関しては、同地の民族の動静を判断するための知識があまりにも少なすぎる。上部の地域はそこに住む部族から見てもたしかにアジアから来た者たちで占められている。実際エジプトは自分たちの文化をアフリカ大陸の高地にある地球の尾根(74)からではなく、アジアから受け取ったのだろう。しかし多分エジプトにはエチオピア人(75)が大挙して押し寄せ、またいくつかの海岸では(事実われわれはこの国のことをそれ以上には知らないのだが)、この大陸の高地から低地へと押し寄せた未開民族のことが噂されている。ヤッガ人(76)は正真正銘の人喰い人間として有名であり、カフィル人(77)やモノモタパ(78)より上方に住む民族は、野蛮さにおいてはヤッガ人にひけをとらない。要するに、この大陸の内奥部を広く占める月の山脈においても、他のどことも同じように、この地球種族つまり人類の原初の粗暴さが宿っているように思われる。

　アメリカに人が住みついたのがどれほど昔あるいは最近のことであれ、最も高いコルディレラ山系のまさに麓にこの大陸の最高度に形成された国家があった。ペルーである。

しかしそれは山の麓の温暖で美しい谷キト[79]においてだけのことだった。チリの山脈に沿ってパタゴニア[80]に至るまで、未開民族は南下して広がってゆく。他の山脈連鎖は言うにおよばず、大陸の内部全体もわれわれにはほとんど知られていない。とはいえ、それらは次の命題、すなわち、山々のあいだには昔ながらの習俗、原初の未開さ、自由が宿っているという命題がいたるところで証明されていることを理解するためであれば、十分に知られていると言える。実際これら民族の大部分はまだスペイン人によって征服されておらず、そのためスペイン人は彼らに**勇猛な者たち(los bravos)**という名を与えざるをえなかった。北アメリカの寒冷な地域は、アジアの場合と同じように、風土やそこに住む民族の生活様式からすると広大な高山と見なされうる。

こうして自然は、自ら育てた山脈、ならびに流出させた河川によって、人間史全体とその変革のいわば粗削りではあるが確固とした輪郭を描いた。諸民族がここかしこで障害をものともせずどのようにして生れ出て、より広大な土地を発見していったのか。彼らが河川に沿ってどのように移動し、実り豊かな場所に住居や村落や都市を築いていったのか。彼らが山と砂漠のあいだに、たとえば河を真中にして、どのようにいわば砦を築き、自然と慣習によって境界づけられた地域を**自分たちのもの**と名づけたのか。それから地域の性状に従ってそれぞれ異なる生活様式が、そしてついにはいくつかの世界がどのようにして成立し、人類がやっと岸辺を見つけ、さらには不毛な岸辺から海に出て、そこから食物を得るようになったのか。――これらのことはどれもみな地球の自然史に属するのみならず、自然に即して進展する人類史にも属する[81]。狩猟民族を育て上げた高地はそれゆえ野性を維持し、かつ必要なものとした。また別のずっと広大で温和な高地は牧畜民族に草原を与え、温和な動物を彼らの仲間とした。さらには農耕を容易かつ必然のものとした高地もあれば、偶然に遊泳や漁労と遭遇し、ついには交易を行うに至った高地もある。――人類のこうした時期や状態は、いずれも地球の構造がその自然上の差異と変転の中で必然たらしめたものばかりである。したがって、習俗や生活様式が何千年にもわたって維持された地域も少なくないが、ほとんどの地域は外的要因によって変化させられた。もっともこれは、変化の原因となった土地のみならず、変化が生じてそれによって作用を及ぼされた土地との関係に応じてのことである。海、山脈連鎖、河川は、土地だけでなく民族、生活様式、言語、領土をも最も自然に分離させる存在なのだ。しかもそれらは人間に関する事象の最大の諸変革にあっても世界史を方向づける輪郭、あるいは境界であった。もし山脈が別の形で走り、河川が別の形で流れ、海が別の形の岸辺を作っていたならば、人類は諸民族のこれらの活動の場でどれほど無限に異なる形で広がっていたことか！

海岸線については二言三言だけ述べておきたい。陸地の眺望が多様で壮大であるのと同じように、海という舞台も広大である。何がアジアを習俗や先入見の点でこれほど相互に結びつけ、しかもまさに文字どおり諸民族の最初の教育所と形成場にしたのか？それはまず何よりアジアが非常に広大な陸地であり、そこではいくつもの民族が容易に遠くまで展開するのみならず、好むと好まざるとにかかわらず、絶えず常に互いに関わらざるをえなかったからである。大きな山脈がアジアを北と南に分けているが、この大きな地域が海によって分けられることはない。唯一の例外であるカスピ海は、かつての大洋の名残としてコーカサス山脈[82]の麓にとどまっている。こうして伝承はこの地でかくも容易に伝えられ[83]、同地もしくは他の地域からの新たな伝承によって強固なものとなりえた。こうしてすべてがこの地でかくも深く根づいた。宗教、祖先崇拝、専制政治がそうだ！　アジアに近づけば近づくほど、これらの事象は古来の永遠の習俗として行われており、個々の国家のどんな差異にもかかわらず、南アジア全域に広がっている。山脈という高い壁によって南アジアから分け隔てられた北アジアは、その多くの国々においてそれぞれ違う形で、しかし民族間のあらゆる差異にもかかわらず、まさにきわめて一様な基盤に向けて自己を形成した。地球で最も広大な地域であるタタール[84]は多様な出自を持つ民族に満ち溢れているが、彼らはそれでもほとんどみな同一の文化段階にいる。

なぜなら、一つの海として彼らを分け隔てていないからだ。北方に傾斜した大きな大地の上を彼らはみなあちこち活発に動き回っている。

これに対してあの小さな紅海は、どれほど違いを産み出していることか！　エチオピア人はアラブ民族の一つであり、エジプト人はアジア民族の一つだ(85)。これら二つのあいだでは習俗や生活方法の何と異なる世界が築かれたことか！　アジアの最下端部でも同様のことが明らかになる。あの小さなペルシア湾。それはアラビアとペルシアをどれほど分け隔てていることか！　あの小さなマレーシア湾(86)。それはマレーシアとカンボジアを互いにどれほど区分していることか！　言うまでもなく、アフリカでは居住民の習俗に違いはないが、それは彼らが海や湾によってではなく、砂漠によってのみ互いに分け隔てられているからだろう。したがってまた他地域の民族もこの大陸にはそれほど影響を及ぼすことができなかった。あらゆるところをくまなく這い回ってきたわれわれにとって、この巨大なアフリカ大陸は知られていないも同然だ。それはもっぱらこの大陸が、海という深い切込みを持っていないことと、近づきがたい黄金の国のように茫漠と広がっていることによる。他方アメリカは河川、湖沼、山脈によって南北に分けられ、切り刻まれているため、あれほど多くの小民族で満ち溢れているのだろう。位置から見れば、アメリカは外から最も近づきやすい土地である。というのも、アメリカは二つの半島から成り、それらは狭い地峡のみによって結びつき、しかもその地峡では深い入江がさらに島嶼に満ちた多島海を形作っているからだ。言うなればアメリカは全体が岸なのだ。だからこそアメリカはヨーロッパのほとんどあらゆる海軍国の所有物ともなり、戦争が起きるたびに争いの種となる。こうした地形はわれわれヨーロッパの盗賊(87)には好都合だが、内部が切り刻まれている状態は、古くからの居住民の形成には不都合だった。彼らは海や河川、あるいは突然に途切れる高地や低地によって互いにあまりにも隔てられて生活していたので、一つの地域の文化、すなわち先祖伝来の古い格言(88)が、広大なアジアにおいてのように、定着したり広まったりすることがなかった。

どうしてヨーロッパだけが際立って民族も多彩で、習俗や技術も成熟し、そして何よりも世界のあらゆる地域に影響を及ぼしてきたのか(89)? いくつもの原因が複合していることは分かるが、それをここで一つひとつ解きほぐすことはできない。ただ、自然から見て否定できないのは、いくつもの地域に分け隔てられて形態の変化にも富むヨーロッパという土地が、同時にまた前述のことを誘発し促進する原因の一つであったことだ。さまざまな道を経て、さまざまな時代にアジアの諸民族がヨーロッパへ移動してきたとき、彼らはこの地でどのような湾や入江を、さまざまに流れるどんなに多くの河川を、どれほど変化に富む小さな山脈を見出したことか! 彼らはまとまって、あるいは離れて生活することもできたし、互いに影響を及ぼし、また平和のうちに暮らすこともできた。こうして、多様に区切られたこの小さな大陸は、地球のあらゆる民族が群がり集う市場の縮図となった。あの比類なき地中海。それはどれほどヨーロッパ全体の運命を左右したことか！　この海だけが古代と中世のあらゆる文化の伝播と発展を促進したと言ってもまったく過言ではない。バルト海は地中海にとても及ばないが、それは前者がより北方にあって、苛酷な気象条件の国々と不毛な土地のあいだに、つまりいわば世界市場の脇道に位置しているからだ。とはいえ、バルト海もまた北ヨーロッパ全体の眼である。この海がなかったら、それに接する国々のほとんどは未開で、寒冷で、居住不可能であっただろう。これと同じことがスペインとフランスのあいだの山地(90)、フランスとイギリスのあいだの海峡、イギリスやイタリアや古代ギリシアの形態についても言える。これらの国々の国境を変え、海峡を取り去り、あるいは通路を閉鎖してみるがよい。そうすると世界の形成と荒廃、すべての民族と大陸の運命は、何世紀にもわたって異なる道を歩むことになろう。

第二。われわれの知る四大陸(91)のほかに、五番目の大陸がどうしてあの巨大な海洋に、しかもきっとそこにあると長いあいだ考えられてきたその海洋に存在しないのか、と問うならば、現在その答えはいくつかの事実によってかなり明白である。この海洋の底には、大きな陸地が形成されるような高い原山脈が存在しなかったからだ。アジアの山脈は、セイロン島[92]ではアダム山[93]によって、スマトラ島とボルネオ島ではマレー半島とシャム[94]からの山脈によって区切られている。これと同じくアフリカの山脈は喜望峰で、アメリカの山脈はフエゴ島[95]で区切られている。ちなみに陸地の支柱である花崗岩[96]は今や地底深く沈み、長い距離を昇ってどこかの海上に姿を現すことはもはやない。あの大きなオーストラリアには第一級の山脈連鎖がない。フィリピン、マラッカ[97]、それにあちこちに散在する他の島嶼はどれもみな火山活動によるもので、それらの多くには現在もなお火山がある。それゆえ、たしかにここでは硫黄と硫化鉱が火山活動の遂行と世界の香辛料園の形成に手を貸すことができた。しかもおそらく火山は、この香辛料園を地中の灼熱でもって自然の温室としても維持している。珊瑚などの花虫類動物も自分のなしうることを行い[*4]、海洋に多く点在する島々を何千年もかけて作り出すのだろう。しかしこの南方地域の諸力はそれ以上には広がらなかった。自然はこの広大な地域を大きな海峡と定めていた。なぜなら、海峡もまた人の住む陸地には不可欠だったからだ。いつかこの地球の原山脈および陸地の形態の自然に即した形成法則が発見されれば、南極がこのような山脈、つまり五番目の大陸を持てなかった原因も、その法則の中に示されるだろう。もっともこの大陸が存在するとしても、それは現在の地球大気の性質からすれば、人も住まないまま、氷塊やサンドウィッチ諸島(98)のようにアザラシやペンギンの世襲財産として役立つのがせいぜいではないだろうか？

第三。地球を人間史の舞台と見なすわれわれにとって、これまで述べてきたことから明らかに素晴らしいと思われるのは、創造主が山脈形成を球体運動に依存させずに、われわれによってまだ発見されていない別の法則を確立したことである。もし赤道ならびにその下での地球最大の運動が山脈成立の原因であるならば、陸地はその幅においても赤道下で最も大きく広がり、また現在は大部分が海によって冷やされている熱帯地域を領土とせざるをえなかっただろう。それゆえ、たとえ別の形で地球という自然全体の現在の特性がなお生じなければならないとしても、まさにここに、つまり身体および精神上の諸力にとって最も不活発なこの地域に人類の中心点があったことになろう。太陽の炎熱、帯電物質や風の激烈きわまりない爆発、天候の激変のもとで、人類は生誕および最初の形成の場所を取り、それからこの熱帯地域に密接する寒冷な南方地帯ならびに北方の地域へと広がらざるをえなかっただろう。だが世界の父はわれわれの発祥のためにこれよりも良い形成の場を選んでくれた。温和な地帯に父は古代世界の山脈の根幹を持ち込んだ。その麓には最も良く形成された人間諸民族が住んでいる。ここで父は人類に、より穏やかな地域、より温和な自然、より多面的な教育の場を与え、そこから人間諸民族を確固と形成し、十分に強健なものとした後に順次、より熱い地域や、より寒い地域へと移動させた。かの温和な地帯に最初の人類はまず落ち着いて住むことができた。それから彼らは山脈や河川を利用して徐々に降り下り、より苛酷な地域に慣れることができた。各人は周囲のわずかな土地を耕し、それをあたかも全世界であるかのように利用した。そして幸福も不幸も限りなく広がりはしなかったが、それは赤道下にあるはずの、つまりアジアの原山脈よりも高い一つの山脈連鎖が、北方および南方世界全体をあたかも眼下に見降ろすような形で存在しなかったからである。こうして世界の創造主は、われわれが彼に書いて示すことができないほど上手にすべてを整えてくれた。われわれの地球の不規則な形態は、これより大きな規則正しさではとても達成しえなかったような目的を達成したのだ。

＊4　フォルスター(99)の『所見』一二六頁以下を参照。

七　山脈の広がりによってわれわれの両半球は特殊このうえない差異と変化の舞台となった

ここでも続けて世界地図の全体に目を向けよう。アジアでは山脈が東西に最も大きく延びており、多分その中央に山脈の結び目がある。これが南半球ではまったく違って南北に最も大きく延びていると誰がいったい考えようか？　だが実際そうなのだ。このことからだけでも両半球の著しい差異が明らかになる。シベリアの北部地域は寒冷な北風と北東風にさらされているだけでなく、根雪が覆う原山脈によって温暖な南風からも遮断されているため、(特にしばしば塩分を含む土地がこれに加わって)南部の少なからぬ地域においても、われわれが種々の記録から知っているように、驚くほど寒くならざるをえなかった。ただ、ここかしこで原山脈の別の並びがこの地域をそれ以上の寒風から守り、いくらか温和な谷あいの地域を形成することができた。しかしこの山脈のすぐ下、つまりアジアの中央には何と美しい地域が広がったことか！　これらの地域はあの原山脈という壁によって、身をこわばらせる北風から守られ、この北風から爽快にしてくれる風だけを手に入れた。自然はそれゆえ南部でも山脈の走り具合を変え、ヒンドスタン[100]の二つの半島であるマラッカとセイロン島などに沿って風を南下させた。これによって自然はこれらの土地の両側にまったく異なる季節と規則正しい変化を与え、そうしてまたこれらの土地を世界で最も恵まれた地域にした。アフリカにおける山脈の連なりについてはほとんど何も知られていないが、この大陸も東西と南北に区切られ、おそらくそのためにその中央では同じようにきわめて冷え込んでいることが分かっている。これに対してアメリカではどんなに違っていることか！　北アメリカでは寒冷な北風と北東風が一つの山脈によっても遮（さえぎ）られることなく長い距離を南に向かって吹き渡る。これらの風は広大な氷原から吹き来るのだが、それはこれまであらゆる者の通過を拒んできたゆえに、それこそ本来の意味で未知の氷域と呼ばれるべきものだろう。その後これらの風は、凍りついた土地の広大な地域を越えて吹き渡り、そしてブルーマウンテン山脈[101]のもとで初めてこの土地はいくらか温和なものになる。しかしなおこの大陸には他の大陸に見られないような寒暖の突然の変化が常にある。おそらくそれはこの北の半島全体に、全体を統括する堅固な山脈の壁が、それも風や天候を誘導し、より確固とした支配権をこれらに与えるような壁が存在しないからだ。——これとは逆に、下の南アメリカでは風が南極の氷原から吹いているが、またしても見られるのは風を遮る防風屋根ではなく、むしろ風を南から北へと導く山脈連鎖なのだ。それゆえ、南アメリカ中部の居住民は、たとえこの土地が本来は恵まれた地帯であるにせよ、もし山か海からの微風が彼らの土地を冷やして爽快なものにしてくれなければ、これら両方の相反する力に挟まれながら、湿気が多くて暑い不活発さの中でしばしばあえぎ苦しまねばならない。

　これにこの土地とその一様な尾根に付属する険しい高地を追加すれば、南北両アメリカの差異がさらに際立ち、かつ明瞭なものとなろう。コルディレラ山系は世界最高の山脈であり、スイスのアルプスはせいぜいその半分にすぎない。コルディレラ山系の麓にはシエラ山脈[102]が長く連なって南に広がっているが、これは海面や深い谷底のところでさえなお高い山脈である。[*5] これを越えて旅するだけでも人間や動物は気分の悪さや突然の衰弱といった症状を呈するが、こうした症状は旧世界のどんなに高い山脈でも未知の現象である。この山脈の麓においてようやく本来の大陸が始まる。この大陸はそのほとんどが何と平坦で、何と突然に山脈から見放されていることか！　コルディレラ山系の東の麓にはアマゾン河の他に類例のない大きな平地が広がっており、それはちょうどペルーの山脈[103]が独自のものであるのと同じことだ。最後には海となるアマゾン河は一〇〇〇フィートの距離を流れて傾斜が五分の二インチにも満たないため、われわれはドイツの国土の最も長い距離を端から端まで旅しても海抜を一フィートすら超えられない。[*6] ラプラタ河[104]のマルドナド山地[105]は、コルディレラ山系に比べれば物の数にも入らない。このように、南アメリカの東側全体は大きな平地と見なすことができる。しかもそれは何世紀にもわたって洪水や湿地、そして地球の最も低い陸地に固有のあらゆる不快な現象にさらされねばならなかったし、一部は今もそうである。それゆえここでは巨人と小人が並んで立っている。つまり、地球の陸地が許容する最も荒々しい高地が、最も低い低地と相接しているのだ。北アメリカの南部でも状況はまったく変わらない。ルイジアナはこの地に接する海底と同じくらい海抜が低く、これはずっと陸地にも入り込んでいる。大きな湖、巨大な瀑布、身を切るカナダの寒さなどが示しているのは、北部地域も高地であるに違いないことと、ここでもまた南アメリカほどでないにせよ、両極端のものが並存していることだ。これらすべてが、果実や動物や人間に対してどのような影響を与えているかはいずれ明らかにされるだろう。

自然はわれわれの北半球ではこれと違うやり方で仕事に取りかかり、この半球の人間と動物に最初の居住地を与えようとした。自然は縦横に山脈を引きめぐらし、それらをいくつもの枝の形で展開させた。そのため三大陸[106]すべてが結びつくことができ、地域や土地の差異にもかかわらず、移行はどこでも比較的穏やかなものとなった。これらの大陸ではどの地帯も永劫に及ぶ洪水に浸かっている必要はなく、ましてやアメリカに群がった夥しい数の昆虫、両棲類、頑強な陸棲動物、他の海の族も自己形成の必要がなかった。唯一ゴビ砂漠を除いて(月の山脈についてわれわれはまだ知らない)、広大な砂漠の高地が雲に聳えるまでになって、その峡谷で怪物を産み育てることもない。というのも、帯電した太陽はここでは南半球より乾燥して穏やかに混和された土壌から、より洗練された香辛料、より刺激性の少ない食物、より成熟した有機体の産出を人間やあらゆる動物のもとでも促進することができたからだ。

　手元に山岳地図あるいはむしろ山岳図解書があればよいのだが。それも地球のこれらの支柱が人類史の要求する多種多様な観点において掲載され、解説されているような山岳図解書が。多くの地域に関しては山岳の配列や高さがかなり精確に確定されている。また土地の海抜、土地の表面の性状、河川の勾配、風の方向、羅針盤の偏差、寒暖の程度は他の図解書でも注記されてきたし、いくつかはまたすでに個々の地図上に表示されている。今は論文や旅行記に分散して載っているこれらの記述のいくつかでも、注意深く集められ、何冊かの地図にまとめて記載されるならば、人類の自然ならびに歴史の研究者もそれによって何と素晴らしく、かつ有益な**地球の自然地理学**を概観できることか！　これは**ヴァレニウス**[107]、**ルロフス**[108]、**ベリマン**[109]による傑出した業績へのきわめて豊かな寄与となろう。もちろんわれわれはここでもまた出発点にいるにすぎないが、フェルバー[110]、パラス[111]、ソシュール[112]、スラヴィエ[113]などのような人物が個々の地域について明らかにしてくれる情報を収集すれば、それらは豊かな実りとなって、多分いつかペルーの山脈を(これはより壮大な自然史にとってはおそらく最も興味深い地域だろう)一つの精確なものへともたらすことだろう。

＊5　ウリョーア[114]の『アメリカに関する報告』(ライプツィヒ、一七八〇年)を参照。J・G・シュナイダー[115]による貴重な補遺は、この書物の価値を倍増させている。

＊6　ライステ[116]の『カデナ[117]によるポルトガル領アメリカの記述』(ブラウンシュヴァイク、一七八〇年、七九―八〇頁)を参照。

第二巻

一　われわれの地球という球体は、きわめて多様な存在物を有機組織化するための大きな作業場である

地球全体の最初の構成を概観できないわれわれには、地球の臓腑ではすべてがまだ混沌であり、瓦礫であるように思われる。それでもわれわれはどんなに小さく粗野に見えるものの中にさえ、非常に明確な存在を、そして人間の恣意によって変わることのない永遠の法則に従う形態化と形成を認める。ただ、これらの法則や形は目にとまるが、それらの内面の諸力は知られていない。またこれに関してたとえば連関、延長、親和性、

重さといったいくつかの一般的な言葉で表示されるものは外面の関係しか伝えようとしないため、われわれは内面の本質にまったく近づけない。

しかし、どのような種類の石や土にも与えられているのは、確かにこの地球のあらゆる被造物の一般的法則なのだ。この法則とは**形成**、特定の**形態**、固有の**存在**である。いかなる存在物からもこの法則を奪い取ることはできない。なぜなら、存在物のあらゆる特性と活動がこの法則に基づいているからである。無限の連鎖[1]は、創造主から下って砂粒の萌芽にまで達している。というのも、この砂粒もまた特定の形態を有し、その中で最も美しい結晶体に近づくことも稀でないからだ。最も混合された存在であっても、それらの部分においては同一の法則に従う。それはもっぱら次の理由、すなわち、非常に多くのさまざまな力が、それらの部分において作用を及ぼしても、最後には一つの全体が、それもどれほど多種多様な構成要素を持つにせよ、それでもやはり普遍的な単一性に仕える全体が作り上げられねばならない、という理由による。こうして種々の過渡的なもの、混合物、さまざまに異なる形が生れた。われわれの地球の核である花崗岩が存在すると同時に、光も存在した。この光は、地球が混沌状態であったとき、濃い煙霧の中でおそらくまだ火として作用を及ぼしていたのだろう。そこでは現在われわれが享受しているよりも粗くて強力な大気や、混合度が高く、比重の大きな水が存在し、花崗岩に作用を及ぼしていた。浸透する酸は花崗岩を溶解させ、他の種類の石に変えた。われわれの地球という物体の大量の砂は、多分この風化した花崗岩の粉末にすぎない。大気中の燃素は砂利を促して石灰質土に変えたのだろう。そして自然全体にあっては、有機組織化された生きた形よりも、物質が先に現れるため、この石灰質土の中で海の最初の生きもの、すなわち、殻を持った被造物が自己を有機組織化した。さらには火と寒気の、より強力で純粋な作用が結晶化のために必要とされ、しかも結晶化は砂利からできた貝殻の形ではなく、すでに稜角のある幾何学的な形を好む。こうした稜角のある形もまたそれぞれの被造物の構成要素に従って変化し、半金属や金属となって、ついには植物の発芽にまで近づく。近年きわめて熱心に行われている化学(2)は、これに関心のある人に、この地下の自然界において多種多様な第二の創造を開示してくれる。そして多分この第二の創造は、物質のみならず地上で形成されたすべてのものについてのいくつかの根本法則と鍵を含んでいるだろう。われわれが常にどこでも目にするのは、自然は破壊せざるをえない場合でも再建を行い、分離させざるをえない場合でも新たに統一を行っていることだ。自然は粗野な形態からと同じように、単純な法則から、より複雑なもの、技巧的なもの、精緻なものへと進む。われわれに事物の原形態や最初の萌芽を見てとる感覚があれば、多分どんなに小さな点にも創造全体の進展が認められるだろう。――

しかしこの種の考察はここでの目的ではない。われわれとしてはただ一つ、熟考された混合(3)を考察することにしよう。というのも、これによってわれわれの地球はその植物を、したがってまた動物と人間をも有機組織化できたからだ。鉄が現在いたるところに、それも水中、地面、植物、動物、人間において見られるのと同じように、もし地球上に他の金属が散在していたとすれば、あるいはまた、現在は砂や粘土、そして何より良質で肥沃な土が見られるのと同じように、もし地球上にアスファルトや硫黄が多量に見出されたとすれば、どれほど異なる被造物が地球上で生きていたに違いないことか！ それも、より苛酷な条件の混合に支配される被造物が。しかし、もしこれが現在であれば、万有の父はわれわれを養育する植物の構成要素を、より穏やかな塩や油にするだろう。そのためにこそ粗い砂、固い陶土、苔を含む泥炭が次第に準備されている。それに原生の鉄土や硬質岩でさえもこれに適するに違いない。この硬質岩は時とともに風化し、乾燥した樹木や少なくとも干からびた苔に場所を提供する。これに対して原生の鉄土は、金属のうちでも植物の生育や養育に最も適した土であったのみならず、最も扱いやすい土でもあった。大気と露(つゆ)、雨と雪、水と風は土に自ずと肥料を施す。この土に混ぜられたカリウム的石灰質(4)は土の肥沃さを人為的に改善はするが、これを最も促進するのは植物や動物の死なのだ。治癒力のある母よ、汝の円環は何と無駄がなく代償的であることか![5] すべての死が新たな生となり、存在を失う腐敗でさえもが健康と若々しい諸力を準備する。

人間が地球の土地を耕作せずに内奥へと突き進み、健康や平安を失いながら、有毒な煙霧のもとで自己の虚栄心や所有欲や支配欲を満たしてくれる金属を探し求めるというのは昔からの嘆きだ[6]。この嘆きがほとんど真実であることは、こうした金属が地上で惹き起こした結果はもちろん、さらには幽閉されたミイラさながらに冥界の神プルートの支配領域を掘り返す青白い顔によっても示されている。それにしても地中の空気は金属を養うと同時に人間や動物の生命を奪うというように、どうしてまったく異なる相貌を呈するのか? なぜ創造主はわれわれの地球を金やダイヤモンドで覆わずに、現在のように死と生によって地球を肥沃な土で豊かにする法則をあらゆる存在物に与えたのか? 理由は明らかだ。それはわれわれが金を食べることができなかったからであり、またダイヤモンド、エメラルド、アメシスト、サファイアと呼ばれるどんなに高価な小石よりも、たとえどれほど小さくとも食用植物のほうがわれわれにとって有用であるのみならず、その性質からして有機的で貴重だからでもある。――とはいえ、この点でも度を越してはならない。人類のさまざまな時期、それも創造主が予見し、自らこれらを地球の構造に従って促進しているようにも見える時期においては、人間が自分の足元を掘り、空中を飛ぶことを学んだ状況もあった。創造主はさまざまな金属をまったく純良なまま、人間のすぐ眼の前に置いた。河川は地球の土台を露出させ、人間に地球の財宝を示さずにはいなかった。どんなに未開の民族でも銅の有用性を知っていた。また磁力によって地球という物体全体を統治しているように見える鉄を使用することで、人類はほとんど独力で生活様式の段階を向上させた。人間が自分の住居である地球を利用すべきであれば、それについてまた知らねばならなかった。すなわち、われわれを統御する自然は、われわれがこの住居を探求し、模倣し、形成し、変えられるくらいの狭さに限界を定めたのだ。

とにかく真実なのは、われわれがとりわけこの地球の表面を蛆虫のように這い回り、そこに定住し、そこで短い生涯を終えるように定められていることである。偉大な人間が自然という領域では、いかに卑小なものであるかは、肥沃な土の薄い層から知られるのだが、その薄い層だけが本来は人間の世界なのだ。靴の長さで数足分をさらに深く掘ってみると、人間はいくつかのものに出会うが、それらの上には何も育たないし、そこから雑草が生えるだけでもかなりの年月や季節が必要とされる。そしてなお掘り進むと、人間はしばしば思いがけないところで肥沃な土を再び見出すが、それはかつて地球の表面だったのだ。万物を変転させる自然は、その絶え間なく進む諸時期の中で、肥沃な土をも容赦しなかった。貝やカタツムリは山で見られ、魚や陸棲動物は化石となって片岩の中に見られる。また化石化した木や花の痕跡がおよそ一五〇〇フィートの深さにあることも稀ではない。哀れな人間よ、おまえが歩いているのは地球の床ではなく、地球という家の屋根の上なのだ。しかもその家は、幾多の洪水をくぐり抜けて、ようやく現在おまえにとってあるようなものになることができた。そこではおまえのためにいくつかの草や木は育つが、それらの母をおまえのところに押し流したのはいわば偶然であり、しかもおまえは草や木によってカゲロウのように生きているのだ。(7)

二　人間史との関係におけるわれわれの地球の植物界

植物界は地中のどの形成物よりも高度な有機組織であり、壮大な広がりを有している。そのため、植物界は地中の形成物に紛れ込むのみならず、さまざまの段階や類似物において動物界にも近づいていく。植物には一種の生と年齢とともに性別と受粉、誕生と死がある。地球の表面は動物や人間よりもむしろ植物のためにあった。植物はどこでも動物や人間より幅を利かせ、生きものにはこれっぽっちも住居を与えない不毛な岩石にも、さまざまな種類の草、カビ、苔の形で寄生している。たった一粒のもろい土がその種子を受け取り、太陽の一差しがこれを暖めさえできれば植物は生長し、そして花粉が他の植物のより良い母体のために役立つという形で、実り豊かな死を迎える。こうして岩石には草が生え、花が咲く。こうして沼沢地は時とともに草と花の繁茂する野原となる。枯れた原生植物という被造物は、自然が生きものの有機組織化と地球のさらなる耕作のために絶えず活動し続ける温室なのだ。

＊

明らかに人間の生は、それが生長であるかぎり、植物とも運命を共にしている。植物と同じく、人間と動物は種子から生れ、その種子がまた将来の木の芽として母胎を要求する。人間の最初の形成物は、母胎の中で植物のように発育する。そればかりか、母胎外でもわれわれの繊維構造(8)は、最初の段階や諸力において、およそ眠り草に似ていないだろうか？　われわれの年齢は植物の年齢なのだ。われわれは発芽し、生長し、花咲き、萎れ、枯れて死ぬ。われわれは自分の意志によらず生へと呼び出され、そして誰一人として、どちらの性別でありたいか？　どの両親から芽を出したいか？　どの土壌で貧相に、あるいは繁茂して育ちたいか？　どの偶然によって最後に内部から、あるいは外部から滅びようとするのか？　と尋ねられることはない。これらすべての点で人間は、より高次の法則に従わねばならない。ただ、人間は植物と同じように、これらの法則についてはおよそ何も知らないし、それどころか、ほとんど意志に反して、いくつかの強烈な本能(9)をもって、これらのために貢献している。人間が生長し、体液が内部で若返るかぎり、世界は人間にとって何と広大で喜ばしいものに思われることか！　彼は周囲に枝を伸ばし、天までとどくほど大きくなると信じている。こうして自然は人間を生へと誘い、人間は敏活な諸力と不断の活動によってあらゆる能力を身につけ、今度は自分でそれらを、野原であれ花壇であれ、自然が自分を置いてくれたところで完成させようとした。そして最終的に人間が自然の目的を達すると、自然は徐々に人間のもとを去る。春とわれわれの青春という花盛りの時期に、自然はどこにおいても何という豊かさを持っていることか！　思うに自然は、この花の世界をもって新たな創造の種蒔きをしたがっているのだ。しかし数カ月後にはすべてがどれほど違ったものになっていることか！　ほとんどの花は散り落ち、干からびたわずかの果実が実をつける。木の苦労と努力によって実は熟すが、たちまち葉が枯れはじめる。木は自分のもとを去った愛する子どもたちに、生気を失った自分の髪を振りかける。葉を落としたまま、木は立っている。嵐が木から干からびた枝を奪い去り、とうとう木はまるごと大地に倒れ、中にあったわずかの可燃物も分解されて自然の魂となる。——人間を植物と見なすならば、以上のことは人間についてと、どこが違うのか？　どれほど多くの希望、展望、活動本能が陰に陽に人間の若々しい魂を満たしていることか！　人間は何にでも自信を持つ。また自信があるからこそ成功する。なぜなら、幸福は若々しさの花嫁なのだから。わずか数年後には自分の周囲ではすべてが変化するが、それは自分が変化するからにすぎない。なるほど、人間は自分の欲するごくわずかしか成し遂げなかったが、もはや時宜を得ない今に、成し遂げようとせずに、穏やかに老いるならば幸福なのだ。より高次の存在の目から見れば、地球上でのわれわれの活動は、樹木の行為や企てと同じくらい重要であり、また少なくとも確かに同じように規定され限定されている。樹木は自分が生長させうるものを生長させ、所有できるものの支配者に自分を仕立てる。樹木は芽を吹き、若枝を出し、実をつけ、苗木の種を蒔く。しかし樹木は自分が自然によって置かれた場所を決して離れることはない。それに樹木は自分に植えつけられていない力を、決して取り入れることはできない。

人間が自ら愛と呼び、本当に勝手に扱う甘美な本能をもって、植物とほとんど同じくらい盲目的に自然の法則に従うことは、私にはとりわけ人間の自尊心を傷つけることであるように思われる。アザミでも花が咲くと美しいと言われる。しかもわれわれは植物にあっては開花期が愛の時期であることを知っている。花の萼(がく)は寝床で、花冠はカーテンである。他の部分は生殖の道具であり、自然はこれらをこの無垢な被造物に露出したまま与えたが、できるかぎり華麗に装わせた。愛の花萼を自然はソロモンの花嫁の寝床(10)にして、他の被造物にとっても優美さの萼にした。自然はなぜこのようなことを行ったのか？　そして人間にあっても自然はなぜ美神の帯(11)の中に見出される最も素晴らしい魅力を、愛の絆と結びつけたのか？　自然は、自分がこれほど美しく飾り立てた官能的な被造物の小さな目的だけでなく、自分の大きな目的を達成したいと考えたのだ。この目的とは生殖、すなわち種の保存にほかならない。自然は芽を、それも限りなく多くの芽を必要とする。なぜなら、自然はその壮大な歩みに従って、無数の目的を一度に促進するからだ。こうしてすべてのものが一緒に押し込められる。しかしどれ一つとして自己を完全に発展させるための場所を見出さないため、自然はまた損失をも計算に入れざるをえなかった。ただ、この見かけの浪費にもかかわらず、自然は本質的なものと生命力[12]の最初のみずみずしさが存在物に欠けることのないように、そしてまたかくも押し込められた存在物の進展におけるあらゆる幸不幸に対して、存在物が自らこのみずみずしさとともに姿を現さざるをえなくするために、愛の時期を青春の時期とし、存在物自らが天と地のあわいに見出すことのできた極めて良質で作用力のある炎によって、この青春の情熱に火をつけた。幼年期にはまったく知らなかった未知の衝動が目を覚ます。青年の目は活気を帯び、声は低くなり、乙女の頬は赤らむ。二つの被造物は互いを求め合うが、自分が何を求めているのか分からない。彼らは合一をあえぎ求めるものの、分け隔てる自然によってこれを拒まれたために、惑いという海の中を泳ぎ回る。甘美にも欺かれた被造物よ[13]、汝らの時間を享受するがよい。だがまた汝らがそれによって自分の卑小な夢ではなく、自然最大の構想を促進するよう快く仕向けられていることを知るがよい。

自然は種の最初の雌雄において、その種すべてを世代から世代へと植えつけたいと考えた。それゆえ自然は、生れ出る芽を、生の最も溌剌とした瞬間、つまり相愛の瞬間から選んだのだ。そして自然は生きた存在物からその存在の幾ばくかを奪うが、それを少なくともできるだけ穏やかに行おうと考えた。自然は種を確保した瞬間から、個体の力を次第に低下させる。交尾期が過ぎるやいなやシカはその立派な角を失い、鳥はその歌と美しさの大半を、魚はその美味を、花はその最上の色を失う。チョウは羽を失い、息も絶え絶えとなる。チョウが衰弱せずに独力で生きられるのは半年だ。若い草木は花をつけないあいだは冬の寒さに打ち勝つが、あまりに早く花をつけると真っ先に死んでしまう。ムサと呼ばれるバショウ科の植物は時に一〇〇年も生きたが、いったん開花期を迎えると、いかなる経験や技術をもってしても、その壮麗な幹が翌年には枯れてしまうのを防ぐことはできないだろう。ヤシ科のビロウと呼ばれる植物は、三五年で二一メートルの高さに生長し、それから四カ月のあいだにさらに九メートル生長する。すると花が咲き、実を結ぶが、その年のうちに死んでしまう。これが存在物相互の発展における自然の歩みなのだ。一つの波が他の波のうちに消えながらも、流れは進む。

*

植物の繁殖や衰退に見られる類似性は、植物より上の被造物にも適用されうるし、自然の構想や法則の基盤ともなっている。どの植物も固有の風土を必要とするが、それには大地や土地の性質だけでなく、その地域の標高、大気や水や温度の特性も含まれる。地中ではすべてがまだ混乱状態にあった。そしてこの地中でもまた、どの種類の岩石、結晶、金属も、それが育った土地から自己の性質を得て、その後きわめて特色ある差異を産み出す。しかしそれにもかかわらず、花と豊饒と春の女神フローラの美しい国に比べると、プルートの支配するこの冥界では、いまだに**一般的な地理学上の概観**や分類原則を得るには至っていない。植物を土地の標高や性質、大気、水、温度に従って分類する**植物哲学**[*7]は、それゆえ動物と人間の分類における類似の哲学への確実な案内者である。

すべての植物は世界各地で自生している。人為的に栽培される植物も大自然の懐から生れたものであり、この大自然にあってこれらの栽培植物はその風土の中で最大の完全性をもって生育している。動物と人間についても事情は変わらない。なぜなら、どのような人間もそれぞれの地域において最も自然な方法で自己を有機組織化しているからだ。どの土地も、どの山地も、どの類似した大気域も同じ程度の寒さ暑さに従って自らの植物を育てる。ラップランド(14)の岩山をはじめ、アルプスやピレネー山脈(15)では互いに離れているにもかかわらず、同一あるいは類似の草が生育する。北アメリカやタタールの高地も同じ子どもを育て上げる。風が植物を荒々しく揺らし、夏が比較的短いこのような高地では、植物はなるほど小さいが、無数の種子に満ちている。しかしこれらの植物を庭に植え替えると、背は高く葉も大きくなるが、実はあまりつけない。動物と人間に対して一貫する類似性は誰の目にも明らかだ。どの植物も屋外の空気を好み、温室にあってはたとえ孔を通って行かねばならなくても、光のあたる場所に行きたがる。密室の温度のもとではどの植物も細長く蔓状になるが、同時にまた青白くなり実を結ばず、突然それから日光にさらされると葉を落としてしまう。甘やかされて、あるいは無理強いをして育てられた人間と動物についても事情は同じではないだろうか？　土壌や大気の多様性は、植物の場合と同じく動物や人間においても変種を作る。植物は装飾的要素や葉の形や花柄の数が多くなればなるほど、自らの場所での生殖能力を失うが、動物や人間においても(それらのいっそう多様な本性の強力さを別にすれば)事情は同じではないだろうか？　温暖な土地では樹木の高さにまで育つ植物は、寒冷な土地では小さく曲がったままである。海に適するように創られた植物もあれば、湿地あるいは泉や湖に適するように創られた植物もある。雪を好む植物もあれば、熱帯の洪水のような雨を好む植物もある。これらすべてのことが、それぞれの植物の形態や形姿を特徴づけている。これらすべてのことが、われわれが植物であるかぎり、人間の有機的構造という点においても同じ変化をわれわれのために準備しているのではないだろうか？

とりわけ心地よいのは、植物が季節のみならず一日の時刻にも順応し、異なる風土に次第に慣れる様子を目にすることだ。極地に近づくほど植物の生長は遅れるが、成熟はいっそう早くなる。というのも、他の地域に比べて夏の訪れは遅いが、その作用はずっと強力だからである。南方の大陸で生育してヨーロッパに移された植物は、一年目はずっと遅くなって生長した。なぜなら、これらの植物は依然として自分が生れ育った風土の太陽を期待していたからだ。しかしもう次の夏にはこの地帯にも慣れ、徐々に早く熟すようになった。ヨーロッパでたとえ五〇年ものあいだ温室の人工的な温度の中にいた植物でも、まだそれぞれの祖国の季節を保持していた。[16] 喜望峰の植物は冬に花が咲いた。こちらの冬はそれらの祖国では夏なのだ。オシロイバナは夜に花を咲かせる。推測するに、それは（リンネの言うには）こちらの夜がこの植物の祖国アメリカでは昼だからだ。このようにどの植物も自分の季節や時間を有し、その中で閉じたり開いたりする。「これらの事情は温度や水以上の何かが植物の生長には必要であることを示しているようだ」と、この植物哲学者は述べている。[*8] たしかにわれわれも人類の有機的差異や異なる風土への順応に関して、特に南半球を問題にするときには、暑さや寒さ以外の何かもっと別の要素に目を向けなければならない。

＊

最後に、植物はどのようにして人間界に加わるのかということ。これはもし探究できるならば、何と注目すべき事象に満ちた領域であることか！　そして幸運にも次のことが明らかにされた。[＊9]すなわちそれは、なるほど植物もわれわれと同じく純粋な大気によって生きることはできないが、しかしまさに植物の吸収する燃素が動物を死に至らしめるとともに、あらゆる動物性の物体において腐敗を促進するということと、大気を純化するというこの有用な仕事を植物が熱ではなく光を介して行い、しかもこの光を冷たい月の光に至るまで吸収するということである。治癒力ある地上の子、汝ら植物よ！　われわれを殺すもの、われわれが毒として吐き出すものを汝らは引き取ってくれる。きわめて精緻な媒質がこれらのものを汝らと結合させるに違いない。そして汝らはそれらを純化して返すのだ。汝らは自分を滅ぼす被造物の健康を維持してくれる。汝らは死んでもなお有益なのだ。汝らは大地をより健康なものとし、これを汝らと同類の新しい被造物のためにより豊饒なものとするのだから。

植物がこのためにしか役立たないとしても、その静かな存在は動物と人間の世界に何と見事に織り込まれていることか！　しかし植物は同時にまた動物の最も豊かな食物であり、とりわけ人類の生活様式の歴史においては、各民族がそれぞれの地域で食物として利用できるどのような植物や動物を見出したかが非常に重要であった。実際この歴史は、自然界の歴史にいかに多様かつ斬新に編み込まれていることか。最もおとなしく、またこう言ってよければ、最も人間的な動物は植物を食べて生きている。さらに、ほかでもないこれらの食物を少なくとも日に何度か摂取する民族には、まさにこうした健康な落ち着きと快活な大らかさが見られた。それに対して、すべての肉食動物はその本性からしてずっと凶暴である。これらの中間にある人間は、少なくとも歯の構造から見ても断じて肉食動物であるはずがない。一部の地球民族はほとんどまだ乳と植物を摂取して生きており、以前はもっと多くの民族がこのようなものによって生きていた。自然は彼らのためにその土地で生育する植物の髄、液汁、果実、それればかりか樹皮や枝までも何と豊かに分け与えたことか。しかもそこでは一本の木が家族全員を養っていることも稀ではないのだ！　驚嘆すべきことに、どの地域にも独自のものが存在し、しかもそれはその地域が提供するものの中だけでなく、自分のもとに引き寄せたり奪ったりするもののの中にも存在する。実際に植物は大気中の燃素という一部はわれわれにとって有害な気体によって生きており、そのため植物の抗毒素もそれぞれの土地の特性に従って自己を有機組織化する。こうして植物は、絶えず腐敗へと進む動物的身体のために、いたるところでその地域の病気に適した薬を用意している。それゆえ人間は、自然の中には有毒植物も存在するという苦情をあまり呈するべきではない。元来これらは毒の捌け口にすぎないのだから。しかしそれゆえにこそ、地域全体の健康のために最も有益なものなのだ。そしてそれらは人間の手によって、また一部はすでに自然の手によって最も有効な抗毒素となる。われわれはさまざまな地域で植物と動物の種を絶滅させたがために、その地域全体の居住可能性に対しても、あっという間にきわめて明白な不利益を招いたことも一度や二度ではない。しかしいずれにせよ自然は、あらゆる種の動物のために、また幾分は人間のために有益な植物を探し出すとともに、有害な植物を拒絶するための感覚と器官を十分に与えてくれたのではないだろうか？

　われわれが植物の有用性とそれが人間界と動物界に及ぼす作用というこれら偉大な自然法則を、地球のさまざまな地域を通じて追究するならば、それは木々と植物のあいだを通り抜ける心地よい散歩となるに違いないだろう。だがわれわれはこの測りがたく広大な野原で、たとえ機会があってもほんの二、三本の花を手折(たお)ることで満足し、**人間史のための一般植物地理学**への願望は、本来の愛好家や識者に委ねざるをえない。

＊7　リンネ[17]の『植物哲学』はいろいろな学問にとって第一級の模範である。もしわれわれが簡潔さと多方面にわたる精確さをもって書かれたこの種の「人間哲学」を有していれば、それはこれから付け加えられるべき所見が従いうる導きの糸となろう。スラヴィエ司祭は『南フランスの博物誌』（第二部第一巻）において植物界の一般自然地理学の構想を提示し、動物と人間についても同じ構想を約束している。

＊8　『スウェーデン科学アカデミー論集』第一巻、六頁以下を参照。

＊9　インゲンホウス[18]『植物論』（ライプツィヒ、一七八〇年）四九頁。

三　人間史との関係における動物界

人間の先達は動物である[19]。人間が存在する以前から動物は存在した。実際どの土地においても人類という新参者は、その地域が少なくともいくつかの境域[20]においてすでに占領されていることを知った。しかしいったいその境域の一つである植物を別にすれば何によってこの新参者に生きろと言うのか？　それゆえ、この関係の考察を欠いた人間史はどれも不十分で、一面的なものにならざるをえない。もちろん地球は人間に与えられているのだが人間にだけ与えられているのでもなければ、人間に真っ先に与えられたわけでもない。だからこそ、どの境域においても動物は人間の単独支配に異議を唱えたのだ。この動物という種属を人間は手なずけねばならず、そのためにはこの種属と長いあいだ闘わねばならなかった。いくつかの動物は人間の支配から逃れたが、他の動物は人間と永遠の闘いを展開しながら生きている。言うなれば、それぞれの種が器用さ、知恵、勇気、力を発揮すればするほど、それだけその種は地球上で所有地を得た。

したがって、人間は理性を持っているか？　とか、動物は理性を持っていないのか？　ということは、ここではまだ問題とならない。動物は理性を持っていないにしても、自分の利益となる何か別のものを所有している。なぜなら、自然はその子どもを誰一人として見捨てなかったからだ。被造物全体が闘いの中にあり、激しく拮抗する諸力がこれほど接近しているというのに、自然が一つでも被造物を見捨てるならば、誰がいったいその面倒をみるのか？　神に等しい人間はヘビに追われ、害虫につきまとわれる。かと思えば、トラに食べられ、サメの餌食にもなる。すべての被造物は互いに闘っている。どの被造物もそれ自身が窮迫しているからだ。だからどの被造物も必死で自分の身を護り、自分の生命を心配しなければならない。

なぜ自然はこのようなことを行ったのか？　なぜ被造物をこのようにひしめき合わせるのか？　それは自然が最小の空間で最大数の生きものを創ろうとしたうえに、一つの被造物が他の被造物を打ち負かし、力の均衡によってのみ、被造物のあいだに平和が生れるようにしたからだ。どの類も自分があたかも唯一のものであるかのように、自分のことしか気にかけない。しかし傍らにはその活動を制約する他の類がいる。敵対する種のこうした関係の中にのみ、自然という創造主は全体を維持する手段を見出した。この創造主は諸力を考量し、構成要素を数え、それぞれの種の本能を互いに定めたうえで、地球が担える範囲のものを地球に担わせた。

それゆえ、大きな種の動物が滅びたかどうかは私には関わりのないことだ。マンモスが滅びたなら、巨人[21]も滅びた。これらが存在した頃は、種のあいだに現在と異なる関係があった。現在の状況においては、地球全体のみならず個々の大陸や土地においてさえも明白な均衡が見られる。文化は動物を駆逐できるが、絶滅させることは容易でないし、実際このようなことをいかなる大陸においてもまだ実行したことはない。とすれば、文化はそれが駆逐した野獣に代えて、飼い馴らされた動物をより広範囲に飼育せざるをえないのではないか？　地球の現在の性状にあっては、どの種もまだ滅びていない。もっとも私は、地球の性質が現在と異なっていたときには他の種の動物も存在しえたし、地球の性状が人為あるいは自然によって一度にまったく変わってしまうようになれば、生きものたちの関係もまた異なったものになることを疑っていない。

要するに、人間はすでに居住の場となっていた地球に足を踏み入れたのだ。どの境域、湿地や河川、砂地や空も被造物で満杯であったか、あるいは被造物で満たされつつあった。そのため人間は、策略と権力という神々の技によって自己の支配地を手に入れなければならなかった。人間がこれをどのように遂行したかということが人間の文化の、それも最も未開の民族も加わる文化の歴史[22]であり、人間史の最も興味深い部分なのだ。私がここで一つだけ述べておきたいのは、人間は次第に動物に対する支配権を獲得するのと並行して、大部分のことを動物自身から学んだということである。動物は神の知性の生きた火花であり、そこから人間は食物、生活様式、衣服、知恵、技術、本能の点で大小を問わず、あらゆる範囲でこの火花の光線を自分の方へと集めた。人間はこれを頻繁かつ聡明に行い、より知恵のある動物を見出して自分に馴らし、これらと戦争時にも平和時にも親しく暮らせば暮らすほど、それだけ人間の形成は豊かなものとなった。したがって人間の文化の歴史は、大部分が動物学的で地理学的なものとなる。

*

第二。われわれの地球上では気候や土地、岩石や植物の多様性がきわめて大きいため、地球に本来居住する生きものの差異も、さらに何と大きなものとなることか！　ただこれらの生きものは地上に限定されてはならない。なぜなら、大気や水、それに植物の内部でさえ生命に満ち溢れているからだ。世界は人間のためにだけでなく、無数の生命のために作られている！[23]　地球の活気ある表面よ、汝の上では太陽が深く広く届くほど、すべてのものが享受と活動と生の中にあるのだ。

私としては、次の一般的命題には立ち入りたくはない。その命題とは、どの動物も自らの境域、風土、固有の居住地を有し、活動の場を広げる動物もいれば、広げない動物もいるが、人間ほど活動の場を広げた動物の種はほとんどいなかった、というものである。これに関してはツィンマーマン(24)の『人間および広く棲息する四足動物の地理学的歴史』という、よく考え抜かれ学問的熱心さをもってまとめられた書物がある。*10 私がここで取り立てて述べることは、若干の特別な所見であるが、それらは人間史にあっても実証されていることが明らかとなろう。

1　地球上のほとんどいたるところに棲息する種も、おおよそ風土ごとに異なった形態をとる。イヌはラップランドでは不格好で小さい。シベリアではより形姿のよいものとなるが、耳は相変わらず硬く、体の大きさもさほどではない。しかしビュフォンの言うには、(25) 形姿の最も美しい人間が住んでいる地方のイヌは、形姿もきわめて美しくて大きい。イヌは南北両回帰線のあいだでは声を失い、野生状態ではジャッカルに似てくる。マダガスカル島(26)の雄ウシは五〇ポンドの重さの隆肉を背に持ち、棲息地が広くなるにつれて小さくなる。こうしてこの雄ウシという種は色、大きさ、力、勇気の点でほとんど地球すべての地域によって異なっている。ヨーロッパ大陸のヒツジは喜望峰では一九ポンドの尻尾が生えたし、アイスランドでは角が五本も生える。さらにイギリスのオックスフォードではロバの大きさにまで育ち、トルコでは虎毛になっている。このように、差異はあらゆる動物において広がっていく。とすれば、人間もまた筋肉と神経構造において大部分が動物であるからには、風土とともに変化しないことがあろうか？　自然の類比からすると、人間が変化しないでいるということは奇蹟であろう。

2　飼い馴らされた動物はどれもかつては野生であり、それらの大部分は特にアジアの山地、それも少なくともわれわれの北半球ではおそらく人間とその文化の祖国であった、まさにその場所でなお野生の原形が見出されている。この地方から遠ざかれば遠ざかるほど、なかでも移動がより困難だったところでは、飼い馴らされた動物の種は減少し、ニューギニア、ニュージーランド、南洋諸島[27]に至っては、ブタとイヌとネコが動物財産のすべてだった。

3　アメリカはそのほとんどの地域で固有の動物を有していた。それらはアメリカという地方に適したものであり、長いあいだ洪水に見舞われていた低地と広大な高地から形成されているこの地方が持たざるをえなかったものだ。大きな陸棲動物は僅かしかおらず、飼い馴らせるか、あるいは飼い馴らされた陸棲動物はさらに少なかった。しかしその分だけ多かった種もあり、コウモリ、アルマジロ、大小のネズミ、フタユビナマケモノ、ミユビナマケモノ、大量の昆虫、両棲類、ヒキガエル、トカゲなどがそうだ。このことが人間史にどのような影響を及ぼすかは誰の目にも明らかだろう。

4　自然の諸力が最も作用を及ぼし、太陽の熱が季節風、ひどい洪水、帯電物質の激しい噴出といった、要するに生命に作用を及ぼし、生きることを促すあらゆるものと一体となる地方では、香りと味のきわめて豊かな植物のみならず、強く大きく元気このうえない動物が存在する。アフリカではゾウ、シマウマ、雄ジカ、サル、スイギュウがそれぞれ群れをなし、またライオン、トラ、ワニ、カバは完全な臨戦態勢で現れる。また驚くほど高い木が天に聳(そび)え、それらは汁液に満ちた有用な果実で飾り立てられている。アジアの植物界と動物界の豊かな資源は、あまねく知られており、それらの大部分は太陽と大気と地球の電気力(28)が最大の交流をなす地域に集まる。これに比べて、電気力自体が弱くて不規則にしか作用を及ぼさない寒冷な土地、あるいはまた電気力が水やアルカリ性の塩や湿った樹脂の中で弱められ固定されるところでは、被造物もまったく育たないように思われる。というのも、そうした土地には形成のための電気の全体的活動が不足しているからだ。不活性の熱は湿気と混ざり合うと、昆虫と両棲類の大群を産み出すが、旧世界における素晴らしい形姿の被造物、つまり全体が活性の火によって熱せられている素晴らしい形姿の被造物を産み出すことはない。ライオンの筋力、トラの跳躍と眼差し、ゾウの精緻な理解力、ガゼル(29)の温和な気質、アフリカもしくはアジアのサルの狡猾な悪意は、新世界のどの動物にも見られない。これら新世界の動物は、苦労していわば温かい泥から身をもぎ離して出てきたのだ。歯のないものもいれば、足や爪のないものもいるし、尻尾のないものもいる。しかもこれらのほとんどには大きさと勇気と弾性(30)が欠けている。これらは山地では活発な種のものになるが、それでもまだ旧世界の動物には及ばない。これら新世界のほとんどの動物が明らかにしているのは、このような強靭で鱗状の体質には電気流(31)が欠けているということだ。

5　最後に、われわれが植物において見てきたことは、動物にあってはおそらくもっと特異な現象を示してくれるだろう。すなわちそれは、動物と、そしてしばしば現れる動物の変種が異国の、それも地球の正反対側の風土に次第に慣れることである。リンネの記述によれば[*11]、アメリカのクマはスウェーデンにおいてもアメリカの昼と夜の時間を守った。そのクマは真夜中から正午まで眠り、正午から真夜中までのんびりと歩き回ったが、それはまるでアメリカの一日のようだった。そのクマは他の本能についても祖国の時間尺度を維持した。いったいこの所見が地球の他の地帯、つまり東および南半球で生れたいくつもの動物にもあてはまらないことがあろうか？　そしてもしこの差異が動物についてあてはまるとすれば、いったい人類はその特有の性格を損なわずに、まったく何の影響も受けないで済むということがあろうか？

＊10　ライプツィヒ、一七七八―八三年。精確で緻密な動物世界地図付の三巻本。

＊11　『スウェーデン科学アカデミー論集』第九巻、三〇〇頁。(32)

四　人間は地球の動物の中で中位の被造物である

1　リンネは哺乳動物を二三〇種に分類したとき、それらの中にすでに哺乳水棲動物も含めており、さらに九四六種の鳥、二九二種の両棲類、四〇四種の魚、三〇六〇種の昆虫、一二〇五種の虫を数えていた。それゆえ明らかに陸棲動物の数が最も少なく、これに最も近い両棲類が続いた。大気、水、湿地、砂の中で類と種は増えた。思うに、類と種はさらに発見されるにつれて、常におそらく同じ割合で増えるだろう。リンネの死後にも哺乳動物の種は四五〇に達した。ビュフォンは二〇〇〇種の鳥を数え、フォルスター[33]は南洋諸島での短い滞在中に単独で一〇九の新しい種の哺乳動物を発見したが、これらの中に新たな陸棲動物は一つも発見できなかった。この割合で進めば、たとえ未探検のアフリカに多くの陸棲動物がいたとしても、将来的には陸棲動物のまったく新たな類にもまして多くの新たな昆虫、鳥、虫が知られるだろう。それゆえ、われわれはかなりの確率で次の命題、すなわち、**被造物の部門は、それが人間から遠く離れれば離れる**

ほど拡大し、また人間に近づけば近づくほど、いわゆる高等動物の類は少なくなるという命題を受け入れることができる。

2　すると否定できないのは、地球の生きもののあらゆる差異にもかかわらず、いたるところで構造の或る種の一様性、いわば一つの主要型[34]が支配しているように見え、しかもそれはきわめて豊かな差異の中で変化するということだ。陸棲動物の骨格が互いに類似していることは一目瞭然であり、頭部、胴、両手両足は、どの陸棲動物にあっても主要部分である。陸棲動物の骨格の最も重要な部分でさえ一つの原型[35]に従って形成され、しかもいわば無限に変化させられている。動物の内部構造はこうした事情をいっそう明白なものにしてくれる。動物の形態は少なからず粗雑であるが、主要部分の内部においては人間にきわめて似ている。両棲類はこの主要像から、もうかなり離れている。鳥、魚、昆虫、水中被造物に至ってはなおさらであり、この最後の水中被造物は植物界あるいは鉱物界へと姿を消してしまう。われわれの目はここから先へは届かないが、しかしこれらの移行からして大いにありうるのは次のこと、すなわち、海棲被造物や植物、それどころか場合によっては、死物とさえ呼ばれるものの中にも有機組織化の同一の素質が、ただ限りなく粗雑かつ混然とではあるが、支配しているかもしれないということだ。すべてを一つの連関において見る永遠の存在の眼差しの中では、自らを産出する氷の断片と、これによって自らを形成する雪片は、母胎における胎児の形成とおそらく今なお類比的関係を有している。——とすれば、われわれは次の第二主要命題を、すなわち、**すべての被造物は、人間に近づけば近づくほど、その主要型において多少とも人間と類似性を持ち、自然は自らの愛する無限の変化の中で、われわれ地球のすべての生きものを有機組織の一つの原形質**(36)**に従って形成したように思われる**、という命題を受け入れることができる。

3　かくして自ずと明らかになるのは、この主要型が類、種、目的、境域に従って常に変化せざるをえなかったゆえに、**一つの個体は他の個体を説明する**ということである。自然は或る被造物にあって副次的所産として投げ捨てたものを、他の被造物にあってはいわば主要作品として仕上げた。つまり自然は、自分が投げ捨てたものを明るみに出して拡大する一方で、常にきわめて熟考された調和の中で、他の部分を今やこの投げ捨てた部分に奉仕させたのだ。しかしまた別のところでは、これらの奉仕する部分が再び支配する。それゆえ、有機的創造による存在は、どれもみな**詩人の切り刻まれた四肢**(37)**として現れる**。これを研究しようとする者は、一を他のうちに研究しなければならない(38)。或る部分が覆い隠され、無視されているように見えても、その部分は自然が完成させ、目に見える形で提示した別の被造物を指し示しているのだ。この命題もまた、分散する存在物のすべての現象においてその正しさが実証される。

4　いずれにしても、人間は地球動物の中で精緻な中位被造物であるように思われる。人間にあってはその使命の単一性が許した限りにおいて、この被造物と類似した形態の最も多くの、かつ精緻な美点が集まっている。しかし人間はすべてを同じ割合で自分の中に包括できなかったので、或る被造物には感覚の精緻さで、また或る被造物には筋力で、そしてまた或る被造物には繊維の弾性で劣らざるをえなかった。それでも統合されうるものは可能なかぎり人間の中で統合された。人間はその体の部分、本能、感覚、能力、技術をすべての陸棲動物と共有している。これらのものは、受け継がれない場合は習得されるし、完成されない場合は素質として存在する。人間に近い種の動物を人間と比較した場合、あえてこう言ってもよいだろう。人間に近い種の動物は、人間という像からの屈折した光線、それも反射鏡[39]を通じて拡散された光線である、と。そこでわれわれは次の第四命題を、すなわち、**人間は動物の中で中位の被造物、それも手の込んだ形であって、そこでは人間を取り巻くすべての類の特徴が最も精緻な総体となって集まっている**、という命題を受け入れることができる。

私が人間と動物のあいだに指摘するこうした類似性を、次のような想像の戯れ、すなわち、植物のみならず岩石においてさえ人間の身体の外的部分を見つけだし、その上に体系を築くという想像の戯れと混同しないでほしい。分別のある人なら誰でもこうした戯れを一笑に付すが、それは、形成する自然がまさに外部の形態をもってして構造内部の類似点を仮面で覆い隠したからだ。外面上はわれわれとまったく似ていないように見える多くの動物がその内部や骨格において、そのきわめて傑出した生命や感受部分において、さらにはその生命活動において、どれほど著しくわれわれと似ていることか！ドーバントン(40)、ペロー(41)、パラス(42)、それに他の学者の解剖研究に目を通してみるがよい。そうすればこのことは一見して明らかになる。青少年のための博物誌(43)であれば、目と記憶を補助するために外形の個々の差異で満足せざるをえないが、大人向けの哲学的博物誌は、動物の構造を内面と外面から探究することで、その構造を動物の生活様式と比較し、この被造物の特性ならびに位置を見つけることを目的とする。植物においてこの方法は**自然に即した**方法と呼ばれてきたが、動物においては**比較解剖学**(44)がこれに一歩一歩近づかねばならない。この**自然に即した**方法によって人間は当然のことながら**自分自身**で導きの糸を、それも生きた被造物界という大迷宮の中を案内してくれる導きの糸を手に入れる。そしてもし何か或る方法によって次のように、すなわち、熟考し、多くを包括する**神の**知性についてわれわれの精神は思索する、と言うことができるとすれば、それはまさにこの方法によってなのだ。至高の芸術家である神が、ポリュクレイトスの規則[45]としてわれわれに人間の形で提示してくれた規則から外れることがあれば、そのつどわれわれは、なぜこの芸術家は或るところでは規則から外れ、また或るところではどのような目的のために違うように形作ったのかということの原因を尋ねるよう指示される。それゆえわれわれにとっては、大地、大気、水、それに最下等の生きものまでもが神の思想と案出の貯蔵庫であり、これらはみな技術と叡智の一つの主要像に向かおうとし、また到達する。

われわれに似ている存在物や似ていない存在物の歴史を概観することによって、何と壮大で豊かな展望が得られることか！　これによって自然の諸界と被造物の部門はそれぞれの境域に従って区分されると同時に、互いに結びつけられる。最もかけ離れたところでも、同一の中心から長く引かれた放射線は見えるのだ。空や海から、高地や低地から動物たちが、かつて人類の祖先のもとへやって来た[46]のと同じように、人間のもとへやって来て、一歩一歩その形態に近づくのが見える。鳥は空中を飛んでいるが、鳥の形と陸棲動物の構造の差異は、どれも鳥の境域から説明できる。鳥はまた不格好な中間的な類となって大地に触れただけでも(コウモリや吸血コウモリに見られるように)人間の骨格に似てくる。魚は水中を泳いでいるが、その足と手が、鰭(ひれ)と尾とに変形しているだけで、体の部分はまだそれほど分節化されていない。しかし魚も大地に触れるやいなや、マナティー(47)のように少なくとも前足を発達させ、雌には乳房ができる。オットセイやトドは四つの足をすでに目に見える形で持っているが、後足はまだ使うことができず、五本の足指を鰭の断片として相変わらず後に引いている。それでもオットセイやトドは、太陽光線で温まるためにできるだけ静かに這い寄ってくることからも分かるように、不格好なアザラシの鈍重さからどうにか僅かに脱したのだ。こうして、ちり粒のような虫から、貝の殻から、昆虫の繭から、より分節化された高次の有機体へと次第に進んでいく。両棲類を経て陸棲動物へと上昇するなかで、後者にあっては三本の指と二個の乳房を持つあのおぞましいフタユビナマケモノ(48)においてさえも、われわれ人間の形態により近い類比的なものが見られる。いまや自然は自由に動き回り、人間を中心として、きわめて多種多様な素質や有機体の中で活動する。自然は生活様式や本能を配分し、類同士を互いに敵対するように形成したが、それはこれらすべての外見上の矛盾が一つの目標に到達するためである。それゆえ、われわれ地球の生きもの全体を通じて、**一つの有機体**の類比的なものが支配しているということは、解剖学的に見ても生理学的に見ても真実なのだ。ただ人間から遠ざかれば遠ざかるほど、また被造物の生活の境域が人間から離れていればいるほど、それ自身まったく変わらない自然は、そのさまざまな有機体の中でも主要像から離れざるをえなかった。逆に人間に近づけば近づくほど、自然は種々の部門と放射線を集結させ、地球創造の神聖な中心点たる人間の中で可能なかぎり多くのものを統合した。おお人間よ、汝の地位を喜ぶがよい。そして高貴な中位被造物である汝をその周囲に生きるすべてのものの中で研究するがよい！

第三巻

一　人間の有機組織を考慮した植物と動物の構造比較

われわれの目が動物を識別する最初の特徴は口である。植物は、こう言ってよければ、まだ全体が口であり、根、葉、管によって養分を吸収する。植物は未発達の幼児のように母親の懐(ふところ)と乳房に抱かれたままである。生きものは自らを動物へと有機組織化するとすぐに、まだ頭部が識別されないうちに口が認められる。ポリプ(1)の腕は口である。体内部分がまだ僅かにしか識別できない蛆虫にあっては食物溝が見られ、さらにいくつかの甲殻類にあっては食物溝の入口が、あたかもまだ根であるかのように、この動物の下部にある。このように、自然は生きものに最初にこの溝を形作ってやり、これを最も有機組織化された存在物に至るまで保持している。昆虫は幼虫の状態ではほとんど口と胃と臓腑ばかりであるし、魚や両棲類の形態はもちろん、鳥や陸棲動物の形態も、胴体が水平に位置することによって、これらの部分のために形成されている。ただ高等動物になればなるほど、それらの部分はいっそう多様な配列をとる。口は狭まり、胃と臓腑はより低い位置を占める。そして最後に人間の直立姿勢において、動物の頭部ではやはりまだ前に突き出た部分であった口が、外面的にもまた顔面といういっそう高次の有機組織の下方に後退する。より高等な部分が胸部を満たし、生命維持の器官はそれより下方へと配置される。高等な生きものは、口腹の欲ばかりに仕えてはならないのだ。これより下位の被造物のどの部門においても、腹部の支配が非常に広範囲に及ぶ大きなものであったのは、それら被造物の身体部分や生命活動に起因している。

このように、とにかく生きものの本能が仕える第一の主要法則は**個体維持**(2)である。動物は本能を植物と共有している。なぜなら、動物の構造のうち、食物を吸収し消化する部分は液体を出し、組織上も植物の性質を有しているからだ。自然が動物に与えた、より精緻な有機組織と、生命を司る液体の、より多くの混合や純化や加工だけが、部門や種に従って次第に、より精緻な流れを促進し、その流れは自然が低次な部分を限定した分だけ高等な部分に多くゆきわたる。誇り高き人間よ、汝の同胞である生きものたちの最初の貧弱な素質に回顧の眼差しを向けるがよい。汝はその貧弱な素質を今なお引きずっている。汝は低次の同胞と同じ食物溝なのだ。

ただ、自然はわれわれをこれら同胞に比べて限りなく高貴なものにした。歯は昆虫や他の動物にあっては獲物をしっかりと持ち、これを引き裂くための手でなければならないし、顎は魚や肉食動物にあっては驚くべき力を発揮する。しかし人間にあって歯や顎は何と高貴な形で退化し、それらになお内在している強度も和らげられていることか。[*12]胃は低次の生きものでは複数個あるが、人間、あるいは内部の形態が人間に近い陸棲動物にあっては一つに圧縮されている。そして何と言っても、人間の口は神々の至純の贈り物である言語能力[(3)]によって神聖なものとなっている。蛆虫、昆虫、魚、それに大多数の両棲類は口があっても言葉が話せない。鳥も喉で音を出すだけだ。どの陸棲動物も、自由になる音声をほとんど持たず、持っているのは自分の類を保持するのに必要な音声のみである。人間だけが真の言語器官を、味覚と食欲の器官と一致させる形で所有している。つまり、最も高貴なものが最も低次な欲求のしるしとともに配置されているのだ。[(4)]人間は口で低次の肉体のために食物を消化するとともに、言葉という形で観念という栄養をも消化する。

生きものの第二の使命は**生殖**である。この使命はすでに植物の構造の中に見てとれる。根と幹、枝と葉は何の役に立つのか？　自然は何のために最上の場所もしくは少なくとも最も選りすぐりの場所を空けておいたのか？　それは**花と花冠**のためだった。われわれはそれらが植物の生殖部であることを見てきた。(5) それらはこの被造物の最も美しい主要部として作られている。この部分の完成を当て込んで、植物の生活も仕事も楽しみも、それどころか植物の外見上唯一の恣意的な運動も行われる。この運動とはつまり**植物の睡眠**である。子房が十分保護されている植物は眠らないし、受粉後の植物もそれ以上は眠らない。要するに植物は、花の内部を荒々しい天候から守るために、**母の役目を果たす**と同時に自ら閉じてしまったのだ。このように、植物にあっては個体維持や生長と同じように、すべてが生殖と受粉を目的としている。実際この活動以外の目的のために、植物は力を有していなかった。

　動物の場合はそうではない。生殖器官が頂上に置かれていないのだ。（ただ、きわめて下等な動物の若干のものだけは生殖器官を頭部近くに持っている。）それらはむしろこの生きものの使命に従って、高貴な部分より下に置かれている。心臓と肺が胸部を占め、頭部はずっと精緻な感覚に捧げられ、繊維組織は、そもそも全体の構造に従ってその豊潤な結実力とともに、筋肉の鋭敏な駆動機構と感受する神経構造の支配下にある。

このような被造物の生命の営みは、明らかに自らの構造の精神に従うべきものである。動物の有機組織が活発なものになればなるほど、自発的運動、作用を及ぼす活動、感受と欲動が動物の主要な仕事となる。ほとんどの類の動物では性欲がごく短い期間に限定されており、それらの動物は残りの期間を、若干の低級な人間に比べて、この衝動にとらわれないで生きている。こういう人間はとかく植物の状態に戻りたがるものだ。彼らは当然また植物の運命を甘受する。すべての高尚な欲望だけでなく、筋肉の、感受の、精神の、そして意志の力が衰弱するのだ。こうして彼らは生を送り、早すぎる植物死を遂げる。

　動物の中で植物に最も近いものは、構造の配置と同じように、使命や目的においても前述の形成原理に常に忠実である。それは植虫類と昆虫である。ポリプは構造からすれば幼い頭足類の生きた有機的な管にほかならない。珊瑚樹は珊瑚虫の有機的家屋である。最後に昆虫は、すでに、より精緻な媒体の中に棲息するという理由から、ポリプや珊瑚樹よりずっと上位にいるが、それでもその有機組織のみならず、生活においても植物における生殖という使命に近接している。昆虫の頭部は小さくて脳がない。若干の必要な感覚器官のためにすら頭部には場所がなかったのだ。そのため昆虫は感覚器官を触角に着けて前方に差し出す。昆虫の胸部は小さい。そのため昆虫には肺がなく、多くの昆虫には心臓の極小の類比物さえ欠けている。しかし植物状の環節を有する腹部は、何と大きくて幅広いことか！　それはなおもこの動物の主導的部分であり、[*13]その主要な使命は個体維持と大量繁殖である。

前述のように、高等動物にあって自然は、あたかも自分が生殖を恥ずかしく思いはじめたかのように、生殖器官を低い位置に下げた。自然は一つの部分にいくつもの、それもはなはだ異なった仕事を与えることで、幅広い胸部に高貴な部分のための余地を獲得した。これらの部分に達すべき神経さえも、自然は頭部からずっと離れた下方の幹から発生させ、付随する筋肉や繊維とともに大部分を魂の意志から遠ざけた。この下方の幹において生殖の液体が植物の性質を持ったまま作り出され、幼い果実である胎児も植物として育てられる。これらの部分や本能の力が、植物の性質を持つものとして最初に衰えを見せるのは、心臓がおそらくずっと速く脈打ち、頭脳がより明晰に思考するときである。マルティネ(6)の精確な観察によれば、[*14]人体の各部位の生長は上半身よりも下半身で盛んであり、それはあたかも人間が幹の下方で生長する木であるかのようだ。要するに、われわれの身体の構造はたしかに複雑ではあるが、それでも明白なのは、動物としての生命維持と生殖にしか役立たない部分は、それらの有機組織から見ても、動物の、ましてや人間の使命を主導する部分に決してなるはずはなく、実際またなりえなかったということである。

それではいったい自然はどの部分をこうした主導部分に選んだのか？　自然の構造を内面と外面から追ってみよう。

＊

すべての生ある地球存在物の系列を通じて、以下のような秩序がゆきわたっている。
1　両棲類や魚のように心臓が一個の心房と一個の心室しか持たない動物は、冷血質である。
2　昆虫や蛆虫のように心房がなく、一個の心室しか持たない動物は、血液の代わりに白い液体しか持たない。しかし
3　鳥や哺乳動物のように四房からなる心臓を持つ動物は、温血質である。
同様に以下のことが認められる。
1　前二項の動物には呼吸のための、そして血液循環を生じさせるための肺が欠けている。しかし
2　四房からなる心臓を持つ動物には肺がある。生きものを高等化させるために、こ

れらの単純な相違から、何と大きな変化が起こるかは信じられないほどである。

すなわち、

第一。心臓の形成は、どれほど不完全な形態の心臓であっても、**いくつかの内面部分の有機的構造**を必要とするが、その構造にはどの植物も到達しない。昆虫や蛆虫においても、すでに血管や他の分泌器官が見られ、部分的には筋肉や神経さえも見られる。これらは植物にあってはなお管によって、また植物動物[7]にあっては管に似た構造物によって代用されていた。より完成された生きものにおいては、生命を維持し、支える**液体と熱のいっそう精緻な加工**が促進された。こうして生命の木は植物性の液体から動物の白い液体へと育ち、より赤い血液を経て、ついには有機的存在物のいっそう完全な熱に達する。この熱が上がれば上がるほど目につくのは、内面の有機組織もそれだけ際立ち、多様化することと、循環がいっそう完全なものとなることである。ちなみにこの循環という運動によって、おそらく有機的存在物のいっそう完全な熱がひとりでに生じえたのだろう。自然においては生命のただ一つの原理が支配しているように思われる。それは**エーテル[8]の流れ、もしくは電気流**という原理である。この流れが植物の管や動物の血管ならびに筋肉の中で、そればかりか神経構造の中でもますます精緻に加工され、ついには驚嘆すべき本能や魂の諸力のすべてを惹き起こし、その作用にはわれわれも驚き、目を見張るほどである。植物の生長は、その生命液が無生命の自然の中に現れる電気力よりずっと有機的で精緻であるにもかかわらず、やはり電気によって促進される。さらには動物や人間に対してもこの流れは作用を及ぼす。それもたとえば動物や人間の機構の粗雑な部分だけでなく、これらの機構が魂に近接する場所でも作用を及ぼす。神経は或る存在者によって生命を与えられるが、この存在者は一種の遍在によって作用を及ぼすため、その法則もほとんどすでに物質を超え出ている。しかしそれでも神経は身体における電気力によって触れることができる。要するに、自然は自分の生きた子どもたちに授けうる最良のもの、すなわち**有機組織として自然自身の創造力に類似したものとしての生命賦与熱**(9)を授けた。あれこれの器官によって生きものは、死んだ植物生活からは生きた刺激を産み出し、そしてこの刺激の総体から、精緻な溝によって純化されて、この感受の媒体を自分のために産み出す。刺激の結果は本能となり、感受の結果は観念となる。(10)これが有機的創造の永遠の進展であり、それはすべての生きものの中に組み込まれたものなのだ。これら生きものの有機組織としての熱とともに(ちなみにこれはわれわれの粗雑な人工器具でもって外から感じとれるようなものではないが)、その生きものの類としての完全性も、そしてまたそれゆえおそらく幸福という素晴らしい感情に到達する能力も増大するだろう。こうして幸福というすべてにゆきわたる感情の流れの中で、すべてを温め、すべてに生命を与え、すべてを享受する母は自分自身を感じとる。

第二。被造物内部の有機組織が、より精緻な生命熱に向かって多様化すればするほど、被造物が**生きたものを身ごもり、産む**力を得る様子がいっそう見えてくる。ここでもまた同じ大きな生命の木の若枝が、被造物のすべての類にゆきわたっている。[*15]

周知のように、大部分の植物はそれ自身で受粉し、また生殖を司る部分が別々であっても、雌雄同花や雑花性のものも多く見られる。これと同様に明らかなのは、動物の下等な種である植物動物やカタツムリや昆虫にあっては、動物としての生殖部がまだないにもかかわらず、植物のような被造物がとにかく次から次へと生れるように見えることと、もしくはそれらの下等な動物にあっては両性具有体、雌雄同体、それに若干の奇形が存在するということである。ただしここではこうした特殊なものは列挙しない。動物の有機組織が多様なものになればなるほど、両性はいっそう明確に分離する。この点で自然はもはや植物としての萌芽に満足できなかった。かくも多種多様で形態の変化に富む部分を有する存在物の形成は、もし偶然が有機的形式を弄(もてあそ)ぶようなことをしていたならば、苦境に陥っていただろう。かくして賢明な母は両性を区別し分離した。しかしこの母は、二つの被造物が一体となり、その真中に第三のものが生成するような有機組織を発見する術(すべ)を心得ていた。その第三のものとは、二つの被造物が最も緊密で有機的な生命熱に達した瞬間の刻印なのだ。

この熱の中で生命を得た新しい存在物は、その熱によって単独で形成を続ける。母体の熱がこれを包み、完成させる。肺はまだ呼吸しておらず、大きめの乳腺で養分を吸収する。人間においてさえ右心室がまだないように見え、血液に代わって白い液体が血管を流れている。しかし母体の熱がこの新しい存在物の内部熱をまた上昇させればさせるほど、心臓はいっそう形成され、血液は赤くなり、肺にはまだ触れられないものの、力強く循環しはじめる。この被造物は大きな心音を立てて動きだし、最終的には完全に形成されて生れ出る。すなわち、この被造物は自己運動と感受のためのあらゆる本能を身につけて生れてくるのであり、しかもこれらの本能に向けては、この種の生きた被造物という形でなければ有機組織化されえなかった。すぐさまこの被造物は、空気、乳、食物、それに苦痛やあらゆる欲求が動機となって無数の方法で熱を吸収し、これに繊維や筋肉や神経によって手を加え、その熱を自分より低次の有機体では仕立て上げられないような存在にする。この被造物が生長して一定の年齢に達すると、それはあり余る生命熱の中で自己をさらに形成し、多様化に努める。こうして有機的な生命循環が新たに始まる。——

以上のようにして自然は仕事を進めたが、それは生きものを胎生という形で産み出せる被造物においてのことであり、すべての被造物が胎生という形で出産できたわけではなかった。冷血動物がそうだ。そこで太陽がこれらの動物に加勢して、もう一人の母とならざるをえなかった。太陽は生れていないものを孵化させる。このことが明らかに証拠立てているのは、創造にあってはすべての有機的な熱が同一であり、ただ無数の溝によってますます精緻に上に向かって純化されることである。地上の動物より温かい血液を持つ鳥でさえ、おそらくは地上より冷たいその境域、もしくはその生活様式と目的全体ゆえに胎生はできなかった。自然はこれらの身軽でまたたく間に飛んでゆく被造物に、雛をそれが生れるまで孕んでいることを免れさせたのみならず、授乳の労をも免れさせた。しかし鳥はたとえ不格好な中間類においてだけのことであるにせよ、大地に足をつけるやいなや授乳を行う(11)。また海棲動物も、胎生するのに十分な温かい血液と有機組織を手にしたその瞬間に、生れた子に乳を与えるという労苦を課せられた。

こうして自然は類の完成にどれほど貢献したことか。またたく間に飛んでゆく鳥は卵を孵化することしかできない。しかし両性のいかに美しい本能が、すでにその小さな家庭生活から生れることか！　夫婦の愛は巣を築き、母の愛はそれを温める。父の愛は巣を見張るとともに、それを温める手伝いをする。母鳥はいかに雛を守ることか！　夫婦となった両性において夫婦愛はいかに貞潔なものか！　——地上の動物にあってこの絆が生じるとすれば、それはもっと強いものであるべきだろう。だからこそ母親は胎児を胸に抱き、自分の最も柔らかな部分でこれを養った。自分の子を喰うのは粗雑な有機組織を持つブタだけであり、自分の卵を砂か湿地に渡すのは冷たい両棲類だけだ。どの哺乳類も情愛をもって子の世話をする。サルの愛は諺（ことわざ）にまでなった(12)が、他のどの類もサルには多分ひけをとらないだろう。海棲動物でさえその仲間に加わるし、事実、マナティーは信じられないほどの夫婦愛と母性愛の典型である。世界の家政を司る情愛深い自然よ、汝はかくも単純にして有機的な絆に、必要このうえない関係のみならず、汝の子どもたちの最も美しい本能をも結びつけた。動物が強力で精緻な熱によって生活したこと。胎生し授乳したこと。生殖本能より細やかな本能である家族生活と子への愛情に、それどころか、いくつかの類にあっては夫婦の愛にさえ向かったこと。これらのことは、心房および呼吸を行う肺の存在があればこそなのだ。血液という、より大きな熱、すなわち、普遍的な世界霊(13)のこの流れの中で、汝は松明（たいまつ）に火をつけた。しかもその松明でもって汝はまた人間の心情の最も細やかな動きにも熱を与えてくれる。

　最後に私は動物形成の最高の部分としての頭部について語るべきだろう。しかしそのためにはまず動物の外部の形状や部分についての考察とは別の考察が必要だ。

＊12　これらの部分の力についてはハラー[14]『生理学要綱』第六部、一四―一五頁を参照。

＊13　これらの生きものの多くは、なおも腹部によって呼吸する。その上には心臓に代わって動脈が走っている。これらの生きものは腹部を使って穴を掘る、等々。

＊14　マルティネ『自然の教理問答書』第一巻、三一六頁を参照。そこでは銅版画を使って、生長がそれぞれの時期に従って示されている。

＊15　ポリプや若干のカタツムリ、それにアリマキまでが生きたものを産むからといって非難しないでほしい。こうした方法では植物もまた芽を出すことによって生きものを産む。ここで問題にしているのは胎生の哺乳動物である。

二　動物の中で活動する種々の有機的諸力の比較

かの不滅のハラーは、動物の身体において、生理学の観点から現れるさまざまな力、すなわち繊維の弾性、筋肉の刺激反応性、そして神経構造の感受性を精確に区分した。[15] しかもこの精確さは全体においてまったく異論の余地がないだけでなく、人間以外の身体においても、生理学に即した心理学へのきわめて豊かな適用を可能にするものと言えよう。

さて次のこと、すなわち、これら三つの非常に異なる現象は根本においては同一の力であって、それが繊維や筋肉や神経構造の中でそれぞれ違う形で現れるのではないか、ということは問わないでおこう。自然においてはすべてが結びついており、これら三つの活動も、生きた身体の中ではきわめて密接かつ多様に結合されているため、前述のことはほとんど疑いの余地がない。繊維と筋肉がともに境を接しているのと同じように、弾性と刺激反応性は互いに隣接している。筋肉が繊維の編み合わされた精巧な形成物でしかないのと同じように、刺激反応性もおそらくまた緊密な方法で無限に増大させられた弾性にほかならない。しかもその弾性は、多くの部分の有機的な組合せの中で、生命を持たない繊維触覚から、動物に見られる自己刺激へと高められたものなのだ。とすれば、神経系の感受性は同一の力の、より高次な第三のもの、すなわち弾性と刺激反応性という有機的諸力の結果ということになろう。というのも、神経の根としての脳を精緻な液体で、それも感受の媒体と見なされる場合には、筋肉の諸力や繊維の諸力よりずっと優れた液体で潤ませるためには血液とそれに従属するあらゆる脈管全体の循環が必要であると思われるからだ。

　しかしいずれにせよ、創造主は無限の叡智をもって動物身体のそれぞれ異なる有機体の中でこれらの力を結合し、低次の諸力を次第に高次のものに従属させたいと考えた。すべてのものの基礎組織は、人間の身体においても繊維である。これらの上に人間は花咲いている。リンパ管と乳糜管(にゅうびかん)(16)がこの機械(17)全体のための液体を作る。筋肉の諸力がこの機構を動かしているのは、作用を外に向けて及ぼすためだけではない。すなわち、筋肉は心臓として血液という液体の最初の駆動機構になる。非常に多くの液体の一つであるこの血液は、全身を温めるのみならず頭部にまで昇り、そこからまた新たに調合されて神経に生命を与える。神経は天上の植物のように上方の根から下方へと広がる。しかし神経はどのように広がるのか？　どのくらい精緻なのか？　どの部分のために使用されるのか？　どの程度の刺激があちこちで筋肉と編み合わされるのか？　どの液体を植物性の管は作るのか？　どの熱がこれらの管の相互関係全体では優勢なのか？　神経はどの感覚に属するのか？　どの生活様式に作用を及ぼすのか？　どの構造において、どの形態において有機組織化されているのか？――もしこれらの問題の精確な探究によって個々の被造物、とりわけ人間に近い被造物においてその本能や形質、類相互の関係、そして何より動物に対する人間の優位の原因が明らかにされないならば、私には自然に即した解明をどこから得てよいのかが分からないだろう。しかし幸いにも今日ではカンパー(18)、ヴリスベルク(19)、ヴォルフ(20)、ゼンメリング(21)のような人々や、他の多くの解剖学者が、こうした精神と生理学に即した方法で、いくつかの類をその有機的生命の器官の有する諸力において比較することを進めている。――私は自分の目的に従っていくつかの主要原理を前提としているが、それらは種々の存在、なかでも人間に内在する有機的諸力についての以下の所見を導き出してくれるだろう。なぜなら、これらなしには人間本性をその欠点や完全性において徹底して概観できないからだ。

*

1　**自然の中に活動が見られる場合、活動する力が存在しなければならない。刺激が運動、あるいは痙攣となって現れる場合でさえ、刺激もまた内部から感じとられねばならない。**もし万一これらの命題が妥当しないならば、ここで述べられる所見のあらゆる連関、自然のすべての類比が途切れてしまう。

2　**目に見える活動が内在的な力の証拠でありうることと、その活動がもはやそうした証拠でないとされることとのあいだには、何人も境界線を引きえない。**われわれは一緒に生活している動物に感情や観念があると思っている。というのも、われわれはそれらの日常の慣習を目のあたりにしているからだ。しかしわれわれがそれら以外の動物のことを身近に十分に知らないからといって、あるいはまたそうした動物の活動があまり技術的に見えないからといって、われわれはこれらに感情や観念がないことまでは否定できない。なぜなら、われわれの無知や技術の欠如は、生きもののあらゆる技術観念と技術感情を判断する絶対的尺度ではないからだ。

3　すなわち、**技術が実行される場合、それを行う技術感覚が存在する。**被造物が自然の出来事を予知していることを、それらから逃れようとする行為によって示す場合、この被造物はこうした予知の内的感覚、器官、媒体を持っていなければならない。これはわれわれが理解できるとか、できないとかには関係がない。自然の諸力はそれゆえ変えられない。

4　**被造物の中には多くの媒体が存在する可能性がある。しかしわれわれにはそれらに対応する器官がないため、それらについてまったく知らない。**それどころか、われわれの有機組織からは説明できない活動が、ほとんどすべての被造物に見られることからすると、このような媒体は多数存在するにちがいない。

5　被造物界は無限に大きい。そこでは無数の被造物が、それぞれ独自の感覚や本能をもって固有の世界を享受し、固有の活動を行っている。このような被造物界は、不注意な人間が自分の鈍い五感だけで触知しなければならない砂漠のような世界と違って、無限に大きい。

6　感覚と技術と生命に富む自然の尊厳と威力をいくらかでも感じとる者は、自分の有機組織が含有するものを感謝の念とともに受け入れるだろうし、それゆえまた自然の他のあらゆる活動における精神を、自然に面と向かって否定することもないだろう。被造物界全体が徹底して享受され、すみずみまで感じとられ、あますところなく研究されるべきだろうし、そのためにこそ新たな地点ごとに、被造物界全体を享受する生きもの、被造物界全体を感受する器官、場所に応じて被造物界全体に生命を与える力が存在しなければならなかった。カイマン、ハチドリ、コンドル、コモリガエル、これらが互いに共有するものは何だろうか？　しかしこれらはそれぞれが自分の境域に適するように有機組織化されており、実際また自分の境域の中で生きて活動している。被造物界のどの点として享受、器官、居住者のないところはない。**どの被造物も、それゆえ自分固有の一つの新たな世界を持っている。**

自然よ、私がこうした無数の実例に取り巻かれ、それらの印象に心を奪われて、汝の神聖な殿堂に足を踏み入れるとき、無限の感情が私を包み込む。汝はどの被造物をも見過ごさず、自身をあますところなく被造物に分かち与えたため、被造物は自己の有機組織の中で汝を完全にとらえることができたのだ。汝はその作品のいずれをも一つのもの、完全なものとし、ただ汝自身とのみ同じものとした。汝はどの作品をも内から外へと作り上げ、もし何かを拒絶せざるをえない場合は、万物の母である汝が代償できるかぎり代償した。(22)——さて次に、多様な有機体において活動する種々の力の、均衡のとれたこれらの関係のいくつかに目を向けることにしよう。それによって生理学から見た人間の立場へ通じる道が切り拓かれよう。

＊

1　植物は生長と結実のために存在する。一見これは従属的な目的であるようだが、被造物界全体においては他のすべてのものにとっての基礎なのだ。この目的を植物は次のようにして完全に遂行する。すなわち、植物が他の目的に加担していることが少なければ少ないほど、植物はそれだけ不断にこの目的に向かって活動する。これが可能な場合、植物は出来上がった胚の中に存在し、新しい芽や蕾(つぼみ)を出す。一本の枝も木全体を表す。早速そこで前述の命題の一つに助けを求めよう。そうすれば自然のあらゆる類比に従って、明らかに次のように言うことができる。**活動が見られる場合には力が、そして新たな生命が見られる場合には新たな生命の原理が存在しなければならない。**どの植物性の被造物にも、この原理は最大の活動の中で見出されねばならない。植物の生長を説明するために取り入れられた胚の理論[23]は、そもそも何ひとつ明らかにしない。なぜなら、胚はすでに一つの形成物であり、これが存在するところには、これを形成する有機的な力[24]が存在しなければならないからである。被造物の最初の種子の中に将来のすべての胚を発見した解剖学者は一人もいない。このような胚は、植物がそれ自身の完全な力に達するまではわれわれの目に見えるようにならないが、われわれはいかなる経験を通じても、植物自身の有機的な力以外のものにそれらの胚を帰することはできない。実際この有機的な力は、ひそかな緊密さをもってそれらの胚に作用を及ぼす。自然は自分が与えることのできるものをこの被造物に与え、これから取り上げざるをえなかった種々のものを、その被造物の中で活動する一つの力の緊密さによって代償した。植物は自分の場所から動けないというのに、いったい動物の運動力を持つ植物とは何ものなのか？いったい植物はなぜ自分の周囲にある他の植物を認識できるのか？こうした認識は植物にとって苦痛だろう。しかし植物は大気、光、自己の生命維持の液体を引き寄せ、植物としてそれらを享受する。生長し、開花し、生殖を行うという本能を、植物は他の被造物には見られないいくらい忠実かつ不断に行使する。

2　これまで発見された数多くの植物動物への植物の移行は、このことをいっそう明確に示している。個体を維持するための器官は、植物動物にあってはすでに分化している。これら植物動物は、動物的な感覚と随意運動とに類似したものを有しているが、それらの最も重要な有機的な力とは、依然として個体維持と生殖である。ポリプはたとえば哲学者の冷酷な解剖用メスに備えて前成されているような胚の貯蔵庫ではなく、植物自身が有機的な生命であったのと同じように、ポリプもまた有機的な生命なのだ。ポリプは植物と同じように若芽を出すが、解剖学者のメスはこれらの諸力をただ呼び起こし、刺激することしかできない。刺激され、あるいは切断された筋肉が力をより多く表すのと同じように、苦痛を与えられたポリプは、自分の持てるすべてを表して自己を代償し完全なものとする。ポリプは自分の力の許すかぎり、また人工の道具がポリプの本性を完全に破壊しないかぎり、体の部分を動かす。ただ若干の部分や方向において、その部分があまりにも小さすぎて力も衰弱すると、もはや動かすことはできない。もし、どの点にも前成された胚が準備されているなら、このようなことはまったく起こらないだろう。われわれは植物の駆動機構と同じようにポリプにおいて、それどころかさらに下って、もっと弱い不明瞭な初発生状態において活動しているものを目にするが、これこそ力強い有機的諸力なのだ。

3　甲殻類は有機的な被造物であり、その境域である殻の中で集積かつ有機組織化されえたかぎりの生命に満ちている。われわれはこの殻を触覚と呼ばざるをえない。というのも、これ以外の言葉ではこの殻を表現できないからだ。ただこれはカタツムリの、もしくは海の触覚であり、僅かな身体部分を除いて非常に不明瞭な生命諸力の混沌である。精緻な触角、視神経の代役を努める筋肉、脈打つ心臓の発端である開いた口を見るがよい。その特異な再生力は何と驚嘆すべきものか！　この動物は頭、角、下顎、眼を自ら再生する。またこの動物は精巧な殻を作り、それをこすって磨くだけでなく、まさにその精巧な殻を有する生きものをも産み出す。しかもこの類の多くは同時に雌雄同体である。この動物の中にはそれゆえ有機的諸力の世界があり、雌雄に別れた体であれば不可能であったことが、それ以前の段階においてこれらの力によってこの動物には可能となる。そして実際これらの力の中では強靭な粘液物が、よりいっそう緊密かつ不断に活動している。

4　昆虫はその活動においてきわめて技巧に富んだ被造物であるが、構造においてこそまさに技巧に富んだものとなっている。昆虫の有機的諸力は、昆虫の構造はもちろん、個々の部分をとっても一様である。そもそも昆虫にはごく僅かな脳と極端に細い神経を容れる余地しかなかった。筋肉もまだ非常に柔らかいため、堅固な覆いが外から鎧のように包まねばならない。より大きな陸棲動物の循環のためのしかるべき場所を、昆虫の有機組織は持つことがなかった。しかし昆虫の頭、眼、触角、足、甲、羽を見るがよい。一匹の甲虫、ハエ、アリの運ぶ途方もなく大きな荷物や、怒ったスズメバチの示す力に注目するがよい。モグリガの幼虫の中にリヨネ[25]が数え上げた五〇〇〇もの筋肉を見るがよい。力の強い人間でも、せいぜい四五〇の筋肉しか持っていないというのに。そして何よりこれらの昆虫が感覚器官と身体部分によって行う技術活動に目を向け、それぞれの身体部分に内在しながら活動する諸力の有機的な充溢を推し量るがよい。いったいクモやハエの引きちぎられても震えている足を見て、それが胴体から離れていても、生きた刺激の何と多くの力がその足に宿っているかを認めない者があろうか？　生活上のあらゆる刺激を自分の中に集めるには、これらの動物の頭部は小さすぎたのだ。そこで豊饒な自然は、これらの刺激を最も精緻な部分も含め、すべての部分に拡散させた。これらの動物の触角は感覚器官であり、精緻な足は筋肉と腕であり、各神経節は小さめの脳であり、敏感な繊維はどれもがほとんど脈打つ心臓である。こうして精緻な技術活動は完成されることができた。これらの類のいくつかは、このような技術活動へと余すところなく作られている。つまり、有機組織化と必要とがそれらをこのような技術活動へと駆り立てる。クモやカイコの糸は何と精緻な弾性を持っていることか！　クモやカイコという技術者は、この糸を自分自身の中から引き出した。このことが明確に示しているように、クモやカイコ自身がことごとく弾性と刺激なのであり、それゆえ自己の本能や技術活動においても真の技術者、すなわち、この有機体において活動を行う**小さな世界霊**なのだ。

5　冷血動物においても同じような**刺激の優位**が見られる。カメは頭部を失った後でもずっと永く激しく動いている。マムシの引きちぎられた頭部は三日、八日、一二日たった後も致命傷を与えるほど噛みついた。死んだワニの噛み合わさった顎は、不注意な人の指を食いちぎることができたが、これは昆虫にあってハチの引きちぎられた針がなおも刺そうとするのと同じことだ。――交尾中のカエルを見るがよい。雄を雌から引き離すよりも足や他の部分を引きちぎるほうが簡単だ。痛めつけられたサンショウウオを見るがよい。手、指、足、大腿を失っても再び自分で補う。これら冷血動物における**有機的な生命力**はかくも強大であり、こう言ってよければ、十全このうえない。要するに、被造物が未熟であればあるほど、つまり被造物の刺激と筋肉の有機的な力が、精緻な神経諸力へと純化されて高められることが少なければ少ないほど、そして、より大きな脳に従属させられることが少なければ少ないほど、有機的な生命力は、拡散された**有機的な全能**の中に、それも生命を維持もしくは代償する全能の中に、それだけいっそう多く現れる。

6　温血動物においてさえ次のことが観察されている。すなわち、これらの動物の筋肉は、神経と結合していれば動きも不活発だが、その動物が死ぬと臓腑は刺激のより激しい活動を示す。その動物が死ぬと、感受性が減少する分だけ痙攣が激しくなり、そして刺激反応性をすでに失った筋肉は、細かく切り刻まれると再びこれを取り戻す。それゆえこの動物は、神経が豊富であればあるほど、容易には死に果てない強靭な生命力をますます失うように見える。個々の身体部分、ましてや頭部、手、足のようなずっと複雑な部分の再生力は、いわゆる高等動物にあっては失われている。それらにあっては一定の年齢に達すると、歯を一本でも補うことはもちろん、骨折や負傷の治療もほとんど望めなくなる。これに対して感受や表象は高等動物において著しく向上し、ついには人間の中で、地球という有機体にとって最も精緻かつ高度な方法で理性へと集められる。

＊

以上の帰納的推理はさらに詳述可能だが、ここでいくつかの結論にまとめるとすれば、次のようになろう。

1　どの生きものにあっても、有機的諸力の圏域はまったく完全であるように見える。ただ、この圏域はそれぞれの生きものにおいて違った形に変えられて配分されている。この圏域がまだ**植物の生長**に近い生きものにあっては、この圏域がその生きもの自らの生殖と再生に非常な力を発揮する。他方、これらの有機的諸力が、より精巧な部分、より精緻な器官や感覚に配分されればされるほど、それらの力の衰える生きものもある。

2　植物の生長の力強い諸力を超えて、**生きた筋肉刺激**が活動しはじめる。これらの刺激は、あの生長し、芽を出し、再生する動物性の繊維構造と似ているが、もっぱら精巧に編み合わされた形で、生命活動の、より限定され特定された目的のために現れる。

どの筋肉もすでに他の多くの筋肉と相互的な動きのうちにある。したがってまたどの筋肉も、繊維の諸力のみならず自己の諸力、すなわち作用を及ぼす運動の中での生きた刺激をも明瞭に示すであろう。シビレエイ[26]はトカゲ、カエル、ポリプのように身体部分を再生しないし、これら再生する動物にあっても、筋肉の諸力が圧迫されている部分はいわば生えはじめた部分と同じようには再生しない。ザリガニは新たに足を産み出せるが、尻尾は産み出せない。精巧に編み合わされた運動諸力の中で植物のように生長する有機体の領域は、それゆえ次第に途絶えるか、あるいはむしろ、より精巧な形の中に保持され、より緊密な有機組織化という目的全体のために適用される。

3　筋肉の諸力が神経の領域に入り込めば入り込むほど、それだけまた神経という有機組織にとらえられ、**感受の諸目的**に向けて屈服させられる。動物が多くの精緻な神経を持てば持つほど、またこれらの神経が互いに多様な形で出会い、精巧に強化され、高次の身体部分や感覚のために使用されればされるほど、そして最後にあらゆる感受の集合場所である脳が大きく精緻であればあるほど、これらの有機組織を持つ類は、それだけいっそう知力と精緻さを備えたものとなる。それとは逆に、刺激が感受に、筋肉の諸力が神経構造に打ち勝ち、神経構造が低次の活動や本能のために使用され、特にすべての本能の中で最初にして最も重荷となる飢餓が全体を支配せざるをえないような動物にあっては、その類はわれわれの尺度に従えば、体格が不格好であったり、生活振りも粗野であったりする。――

　或る哲学的な解剖学者が、[*16] 被造物の有機組織全体の連関の中で経験によって区別され確認されたこれらの諸力に従って、特に人間に近い若干の動物の比較生理学(27)を著すことを引き受けてくれるならば、何と喜ばしいことだろうか。自然はわれわれに自分の作品を提示するが、それは外から見れば隠蔽された形態であり、覆いをかけられた内的諸力の容器なのだ。目に見えるのは、自然による作品の生活の様子であり、われわれはその作品の顔面の相貌やその作品の諸部分の連関から、その内部で起こっていることのおそらく幾ばくかを推測する。しかしこの内部においてこそ有機的諸力自身の道具や素地が提示されている。そして人間に近づけば近づくほど、比較の手段もそれだけ多くなる。解剖学者でない私としては、偉大な解剖学者たちの発見の跡をいくつかの実例の中に敢えて追い求めたい。それらはわれわれに人間の構造と生理学上の本性を探究する準備をしてくれるだろう。

＊16　私はこの分野における有名な著作以外にも、世代はいくらか古いが『アレクサンダー・モンロー(28)著作集』(エディンバラ、一七八一年)の中に『比較解剖学論集』を見出す。この論

集は翻訳に値するだろう。それはチェセルデン[29]の『骨学』(ロンドン、一七八三年)における素晴らしい動物骨格図が翻刻に値するのと同じことであるが、しかしドイツでは原本の精確さを写すのは困難であろう。

三　いくつかの動物の生理学的構造の実例

ゾウ[*17]はとても不格好に見えるが、現存のあらゆる動物に対する長所、それも人間にきわめて類似した長所についての生理学上の根拠を十分に示してくれる。なるほど、ゾウの脳はこの動物の大きさからすれば過大なものでないが、くぼみと全体の構造は人間の脳にきわめて類似している。カンパーはこう言っている[30]。「私はこの動物と人間の松果腺、および四丘体の非常な類似性を人間の脳の中に見つけて驚嘆した。もしどこかに共通感覚中枢[31]が存在しうるとすれば、それはこれらの部分にこそ探し求められねばならない」と。ゾウの頭部において頭蓋の占める割合は小さい。というのも、鼻腔が脳のずっと上部に伸びており、前頭洞だけでなく――他のくぼみ[*18]をも空気で満たしているからだ。すなわち、重い下顎を動かすためには強力な筋肉と大きな顔面が必要とされ、それゆえ、形成する母なる自然は、この被造物に耐えられない重さを免れさせようとして顔面を空気で満たしたのだ。大脳は小脳の上にないので、重さで小脳を押しつぶすことはない。

両者を分ける膜は垂直に位置している。この動物の数多くの神経は、大部分がより精緻な感覚器官に変わっており、その長い鼻だけで巨体の全身に備わるのと同じくらいの数の感覚を授かっている。この長い鼻を動かす筋肉は額から出ている。この長い鼻には軟骨がまったくない。つまりゾウの鼻は、精緻な触覚、繊細な嗅覚、それに軽快このうえない運動の器官なのだ。このように、ここではいくつもの感覚が統合され、互いに補正しあっている。ゾウの利口な眼は（その下まぶたも他の動物と違って人間に似て睫毛(まつげ)と柔らかな筋肉運動を有している）、そのためいくつかの、より精緻な触覚的感覚に近接しているが、これらの感覚は普通だと動物の心を奪う味覚からは分離されている。他の動物、なかでも肉食動物にあって顔の主要部分をなす口は、ゾウにあっては突き出た額と高い位置にある長い鼻の下の奥深くにあってほとんど隠されている。舌にいたってはさらに小さい。すなわち、ゾウが口の中に持っている防御用の武器は、栄養摂取用の道具と区別されている。すなわち、ゾウは荒々しい食欲に向けて形成されていない。腸は大きなものでなければならなかったが、胃は単純で小さい。それゆえゾウは、おそらく肉食動物のように激しい空腹に苦しめられることもないのだろう。ゾウは穏やかに整然と草を拾う。嗅覚と口が離れているのでゾウはこの作業のために、より多くの慎重さと時間を必要とする。まさにこの慎重さに適するように、自然はゾウを水の飲み方と重い身体構造の点で形成した。そのため、この慎重さは交尾にまで及んでいる。性欲がゾウを粗暴にすることはない。なぜなら、雌のゾウは人間と同じく九カ月のあいだ子を孕み、前方の乳房で授乳するからだ。成長し、開花し、死ぬというゾウの年齢関係も人間と同じだ。自然は何と上品に動物性の切歯を牙に変えたことか！　ゾウは人間の話すことを命令と感情とに細かく区分して理解するのだから、その聴覚器官はどれほど精緻なものでなければならないことか。ゾウの耳は他の動物のそれよりも大きく、そのうえ薄くて、あらゆる方向に広がっている。耳の孔は上方にある。この動物の小さい後頭部全体は反響の空洞となっており、空気で満たされている。こうして自然はこの被造物の重さを軽減し、きわめて強大な筋力を、神経の精緻このうえない配置と組み合わせる術を心得ていた。賢い落ち着きと分別ある感覚の純粋性という点で、ゾウは動物の王なのだ。

これに対して**ライオン**[*19]は動物の何と異なった王だろうか！　王であるということを自然はライオンにあっては筋肉に向け、温和さや細かな思慮には向けなかった。自然はライオンの脳を小さくし、神経もその比率からすればネコの神経よりも弱いものにしたが、これとは逆に筋肉は太く強くし、これを骨に付着させ、なるほど多様で精緻な運動こそまったく生れないが、その分だけ多くの力が生れるようにした。頭を持ち上げる独特の大きな筋肉、しっかり捕まえるのに役立つ前足の筋肉、そして鉤爪に密接した足関節がライオンに天賦のものとなった。ちなみにライオンの鉤爪は大きくて曲がっており、先端が決して地面に触れないので鈍くなることがまったくない。ライオンの胃は長くて極度に湾曲している。その摩擦とこれによって生じる空腹感は恐ろしいものであるに違いない。心臓は小さいが心房は柔らかくて広く、人間のそれよりもずっと長くて幅がある。心臓の隔壁も半分の薄さで、動脈も半分の太さしかないため、ライオンの血液は心臓から出るやいなや人間におけるよりもすでに四倍の速さで、また一五番目の分枝においては一〇〇倍の速さで流れる。これに比べてゾウの心臓は、ほとんど冷血動物におけるように穏やかに脈打つ。ライオンは胆嚢もまた大きくて黒ずんでいる。舌は幅広く先が丸くなっており、何本もの棘(とげ)で覆われているが、それらは一インチ半の長さで舌の前方部の真中に位置し、先端を後方に向けている。そのためライオンに皮膚を舐められることは危険であり、それはただちに出血につながり、ライオンは血への渇望に襲われる。しかもこの激しい渇望は自分の恩人や仲間の血にも向けられる。一度人間の血を味わったライオンは、この獲物を容易に放さない。というのも、その溝のある上顎がこの飲み物を渇望するからだ。また雌のライオンは数匹の子を産み、それらはゆっくりと育つ。そのため雌のライオンはこれらの子を、時間をかけて養わねばならず、自分の空腹に加えて母親としての本能が略奪欲を刺激する。ライオンの味覚は敏感で、激しい空腹は喉の渇きであるため、腐肉がライオンの食欲をそそらないのは当然である。自分で相手を絞め殺し、その新鮮な血を吸い尽くすことこそが王者の嗜好なのだから。そしてライオンが意外にも相手を驚異の眼差しで見るならば、それは往々にして王者ライオンの寛大さにほかならない。ライオンの眠りは静かである。その血が温かで循環が速いからだ。ライオンは満腹になると怠惰になるが、それはライオンが腐敗した蓄えを必要としないし、蓄えようとも考えないからだ。つまり、ライオンを勇敢な行動へと駆り立てるのは目下の空腹だけなのだ。慈悲深くも自然はライオンの感覚を鈍らせた。眼は太陽の輝きにも耐えられないくらいだから、火も恐れる。嗅覚も鋭くない。というのも、ライオンは筋肉の配置からしても、走ることではなく力強く跳躍することにだけ適するように作られ、腐敗もまたライオンの食欲を刺激しないからだ。隠れていて皺（しわ）のある額は、顔の下部である顎骨と咀嚼筋に比べて小さい。鼻は不格好で長い。首筋と前足は鉄のようだ。たてがみと尻尾の筋肉は見事だが、後半身は弱々しくて華奢である。自然はその恐ろしい力を消費してしまったので、ライオンが血への渇望に苦しまないときには、これを類の中で穏やかで気品ある動物にした。以上が生理学的に見たこの被造物の特性と精神的特質である。

第三の実例はフタユビナマケモノだろう。これは外見からすると四足動物の最下級にして形成の最も遅れた動物で、泥の塊が動物としての有機組織へと高められたものだ。頭部は小さくて丸く、他の身体部分もすべて丸くて太っており、不格好でむくんでいる。首は柔軟さを欠き、頭部といわば一体化している。頭の毛は背中の毛と出会い、それはまるで自然がこの動物を二通りの方向で形作ったものの、どちらの方向を選んだものか決めかねているかのようだ。けっきょく自然は腹部と臀部を主要部に選び、そのため哀れな頭部は、これらの部分に位置、形態、生活方法全体の点でも奉仕するだけとなっている。雌の生殖部分は肛門にある。胃と腸がこの動物の内部を満たしている。心臓、肺、肝臓は十分に形成されておらず、胆嚢もまだまったく存在しないように見える。血液は冷たく、この点で両棲類に近い。えぐり取られた心臓や臓腑がなおずっと脈打ち、この動物が心臓をなくしても足をぴくつかせ、また眠っているかのようでもあるのはこのためだ。このように、ここでもわれわれは自然による代償を目のあたりにする。すなわち、自然は敏感な神経ばかりか活発な筋力さえも拒絶せざるをえなかった場合には、それだけいっそう心をこめて強靭な刺激を広めて分かち与えたのだ。それゆえこの上品な動物は、実際よりも不幸に見えるかもしれない。この動物は温かさと、のんびりとした休息を好み、これら両方の中で泥のように心地よく感じる。温かさが得られないと眠る。そして横になることさえもが苦痛であるかのように、一方の鋭く曲がった爪で木にぶらさがり、もう一方の鋭く曲がった爪で食べながら、吊した袋のように温かな太陽光線を浴びて、毛虫のような生活を楽しんでいる。足の不格好さもまた自然の慈悲である。この柔らかな動物は、その奇妙な体格のために、手のひらや足の裏のふくらみで体を支えるのではなく、車の輪のように爪の凸面で体を支え、そうしてゆったりと、のんびりと押し進む。他の四足動物には見られない四六個の肋骨は、長いトンネルの形をした食料貯蔵庫であり、こう言ってよければ、葉っぱをむさぼり食う袋であるカイコの環節が固まって椎骨になったようなものだ。

実例はもう十分だろう。これらから明らかになるのは、われわれが生理学と経験に従うならば、動物の魂と動物の本能という概念がどこに置かれるべきか、ということだ。すなわち動物の魂は、有機組織の中で活動するあらゆる生きた力の総体であり結果である。動物の本能は、自然が前述の力全体に与えた方向であって、しかも自然はこれをそれぞれ特定の体温の中に入れることによって、そしてそれぞれ特定の構造に向けて有機組織化することによって与えた。

＊17　ビュフォン、ドーバントン、カンパー、また一部は誕生前のゾウについてのツィンマーマンによる記述[32]による。

＊18　上顎洞の腔や洞など[33]。

＊19　特にヴォルフの『ペテルスブルク科学アカデミー新報告集』第十五部、第十六部[34]。この方法に従って、私もいくつかの動物を生理学的、解剖学的見地から記述したいと思う。

四　動物の本能について

動物の本能についてはライマールス[*20][35]の名著がある。これは自然宗教についての著作と同じく、この著者の探究精神と徹底した真理愛の永遠の記念碑といえよう。さまざまな種類の動物本能を学問的に秩序立てながら考察することによって、彼は動物本能をその機構、感覚、内的感受の長所から説明しようとする。しかも彼は特に技術本能については、特別の**決定された自然力と自然に生れついた能力**[36]という、それ以上の説明を許さないものを仮定しなければならないと考えている。しかし私は、**自然に生れついた能力**というものを信じない。なぜなら、機構全体とそれぞれ特定の自然力や感覚や表象や感受との組合せ、要するに**被造物自身という有機組織**は、自然が自分の作品に刻み込むことのできた**最も確実な方向、最も完全な決定**だったからである。

創造主は植物を構成し、これに光や大気を吸収し変化させる部分と力を授けたのみならず、大気中や水中から押し寄せてくる他の精緻な存在物をも吸収し変化させる部分と力をも授けた。そして最後に植物をその境域に、つまり植物の各部分がそれ自身にとって本質的な力を自ずと発現するような場所に植え置いた。この段階で創造主としては、生長に向けての新たな盲目的な本能をこの被造物に与える必要がなくなったと思われる。生きた力を持つそれぞれの部分が自己の為すべきことを行えば、その現象全体において諸力の成果が、それもまさにこうした結合の中で自らを明示できた成果が目に見えるものとなる。自然の活動する諸力は、どれもみなそれぞれの特性の中で生きている。これら諸力の内部には外部からの作用に対応する何か[37]が存在しなければならない。それはライプニッツも想定したものであり、類比全体がわれわれに教えてくれるようにも見える。われわれが植物のこの内部の状態に対応する名称を、あるいはさらに植物のもとで活動する諸力に対応する名称を持っていないことは、われわれの言語の欠陥である。なぜなら、感受という言葉は、神経系がわれわれに与える内部の状態にしか用いられないからだ。しかしそこには蒙昧とした類比物が存在するかもしれないし、もし存在しなければ、新たな本能は、つまり植物全体に認められる生長という力は、われわれに何一つ教えてくれないだろう。

ところで植物にあってはすでに二つの本能が見られる。個体維持と生殖である。そしてその成果は、生きた技術昆虫の仕事も容易に到達しえない技術作品としての胚と花である。自然は、植物あるいは鉱物を動物界に移すやいなや、有機的諸力の本能がどのようなものであるかをいっそう明瞭に示してくれるのではないだろうか？　ポリプは植物のように開花するが動物であり、動物類として食物を探し、味わう。ポリプはいくつもの若芽を出すが、これらも生きた動物なのだ。ポリプは可能であれば自己を代償する。――これはかつて被造物の遂行した最大の技術活動である。カタツムリの家ほど精巧なものがあろうか？　ハチの巣はこれに劣るにちがいないし、毛虫やカイコの繭は精巧な花に席を譲るにちがいない。しかし何によって自然はあのカタツムリの家を作り上げたのか？　それはカタツムリの体にあってまだほとんど分化しないで一つの塊の状態にあった内部の有機的諸力によってである。そしてこれらの力は錯綜しながらも、大部分は太陽の運行に従ってこの均整のとれた形成物を作った。クモが糸をその後半身から引き出すのと同じように、カタツムリの内から出た部分が基盤を作った。だから大気はこれよりも硬い部分か粗雑な部分を加えて作りさえすればよかった。思うにこれらの過程は、この最も技術的な動物の技術本能も含めたすべてが、何に基づいているかを十分に教えてくれる。すなわちこれらはどれも、**それぞれ特定の量で、それぞれ特定の部分に従って活動する有機的諸力**に基づいているのだ。感受は多いのか、それとも少ないのか？　これはその被造物の神経に左右される。しかし神経のほかにも、生長し再生する植物生活に満ちた筋肉の活発な諸力と繊維がある。そして神経に依存しないこれら二種類の力は、脳と神経においてその被造物に欠けているものを十分に補っている。

こうして自然は、いくつかの昆虫においてとりわけ認められがちな技術本能にわれわれを自ら導いてくれる。その理由はほかでもなく、われわれが自然の技術活動を比較的狭い範囲でしか目に留めないのと、この活動をもっぱら人間の活動と比べてしまうことにある。器官が被造物の中で分化されていればいるほど、また被造物の刺激が活発で精緻になればなるほど、種々の活動を認めることは、それだけいっそう身近なものとなる。しかし構造がより粗雑で個々の部分の刺激反応性がそれほど鋭くない動物は、たとえ他の点で長所を持っていたとしても、これらの活動にはもはや適していない。というのも、技術は被造物のあらゆる感受、活動、刺激の成果にほかならないからだ。

実例がここでもまた最良の説明となろう。スワンメルダム[38]、レオミュール[39]、リヨネ、レーゼル[40]などのような人々の忠実な丁寧さは、いくつもの実例をわれわれの眼前にきわめて見事に描き出してくれた。毛虫が繭を作ることは、これより精巧にではないが、他の非常に多くの被造物が脱皮という形で行うものとどこが異なるのか。ヘビは皮を脱ぎ捨て、鳥は羽根を振り落とし、多くの陸棲動物は毛を生え変わらせる。これらの生きものはそれによって若返り、その諸力を補う。毛虫も若返るが、ただずっと精緻で繊細で精巧な方法で若返る。毛虫は棘のある外皮を脱ぎ捨てるものの、数本の足は外皮にぶら下げたまま、ゆっくりとではあるが、他の生きものより速い移行によってまったく新たな状態に歩み入る。毛虫はそのための諸力を、自分が幼虫として個体維持にのみ仕えていた最初の年齢期に獲得した。しかし今や毛虫は種の保存にも仕えねばならない。そしてそのための形態に向けては、毛虫の環節が仕事をし、その形態を産み出す。こうして自然は、この被造物の有機組織化に際して、年齢と本能をただ遠く引き離して置いたのだ。そして自然はこれらをそれぞれの移行過程の中で有機的に準備させる。――つまりそれは、この被造物にとっては脱皮するヘビにとってと同じように、自分の意志で選び取ったものではない。

クモの巣、それはクモが獲物を手に入れるための**自我の延長**とどこが異なるのか？ポリプが獲物を捕まえるために腕を伸ばすように、クモは獲物を捕まえて放さないために爪を得たが、同様に糸いぼを持つようになり、それらのあいだから獲物を捕まえる網状の巣を引き出す。クモは、おおよそ自分の生活に足るだけの巣を作るのに必要なこの体液を授かったものの、巣がうまく作れなければ無理な手段で難を逃れるか、さもなければ死ぬしかない。クモの身体全体とそれに内在するすべての力を有機組織化した創造主は、このようにクモを、この網状の巣に向けて**有機的に**形成したのだ。

ハチの共和国[41]についてもまったく同じことが言える。ハチの種々異なる類は、それぞれ自己の目的に向けて形成されているが、どの類も他の類なしには生きられないため、共同生活を営んでいる。働きバチは蜜集めと巣作りに向けて有機組織化されている。どの動物も食物を探し求め、また生活様式が要求すれば食物を運び、集め、整理して蓄えるのと同じように、働きバチは蜜を集める。他の非常に多くの動物がそれぞれの方法で住居を作るのと同じように、働きバチは巣を作る。働きバチには性がないとはいえ、他の動物が子を育てるのと同じように、働きバチは巣にいる子を育てる。そしてどの動物も他の動物が自分の蓄えを奪い、自分の家の負担となればその動物を殺すのと同じように、働きバチは雄バチを殺す。これらのどれもが感覚と感情なしには起こりえないにもかかわらず、それはあくまでもハチの感覚とハチの感情であって、ビュフォンがハチにあると言った純然たる機構でもなければ、他の人々がハチにあると言った発達した数学的で政治的な理性でもない[42]。ハチの魂はこの有機組織の中に閉じ込められ、これと緊密に織り合わされている。それゆえハチの魂はこの有機組織に従って活動する。すなわち精巧かつ精緻にではあるが、しかし制限されて非常に小さな範囲の中で活動する。ハチの巣がハチの世界であり、創造主はハチの巣の仕事をさらに三重の有機組織によって三重に配分したのだ。

この有機的な技術がいくつかの被造物にあっては誕生直後に認められるからといって、われわれは**能力**[43]という言葉をも誤ったものにしてはならない。人間の能力は訓練から生じるが、それら被造物の能力はそうではない。それら被造物の有機組織が完成されていれば、それらの諸力も完全に活動している。誰がこの世界で最大の能力を持っているのか。落下する石と開花する花。前者が落下し、後者が開花するのはどちらも**自己の本性に従って**のことである。ハチが巣を作り、クモが巣を織るよりも技能的かつ規則正しく、結晶は自己を結晶化する。結晶の中にはただ有機的で盲目的な本能しかないが、これが存在しないことは決してありえない。これに対してハチやクモにあって本能はいくつかの器官や身体部分の使用に向けてすでに有機組織化されており、これら器官や部分は存在しないこともありうる。一つの目的に向けてのこれら器官や部分の健全で力強い一致は、被造物が完成されて存在するやいなや**能力**となる。

　こうしてまた明らかになるのは、被造物が高次なものになればなるほど、抑制しがたい本能だけでなく、誤りを免れた能力までがなぜ減退するのかということだ。すなわち自然の有機的原理は、あるときは**形成するもの**、あるときは**促進するもの**、あるときは**感受するもの**、またあるときは**技術によって構築するもの**と呼ばれるが、根本においては同一の有機的な力なのだ。しかしこの力が多くの器官や異なる身体部分に配分され、それらの中でそれぞれ固有の世界を持てば持つほど、それゆえまた固有の障害や誤りにさらされていればいるほど、本能はいっそう弱くなり、それだけいよいよ恣意の命令下に、つまり誤りの命令下に置かれる。種々異なる感受は互いに均衡を保つように量られ、それから初めて互いに結びつけられようとする。さあ、有無を言わせぬ本能と無誤謬の指導者よ、これでもう汝らともお別れだ。蒙昧とした刺激は、特定の範囲の中で他のあらゆる刺激から隔離されて一種の全知と全能を包蔵していたが、今や多くの大枝や小枝に分化している。習得能力のある被造物[44]は習得しなければならない。というのも、こうした被造物は、本性についてほとんど何も知らず、本性によってできることがほとんどないため、訓練しなければならないのだ。しかし他方でこうした被造物は、自ら前進することによって、つまり自己の諸力を精緻なものとし、それらを配分することによって、活動の新たな手段や、いくつかのより精緻な道具を手に入れた。しかもそれは感覚を互いに規定し、より優れた感覚を選ぶためだった。こうした被造物は、本能の強さの点で欠けているものを、拡散と、より精緻な調和によって補いながら獲得していった。こうした被造物には、より細やかな自己享受と、自己の諸力と身体部分の、より自由で多様な使用が可能になった。これらすべては、こう言ってよければ、被造物の有機的な魂が、その器官の中で、より多様に、かつ細かく分散させられたことによって可能となった。

そこで次に、被造物のきわめて素晴らしくて賢明な法則に目を向け、創造主がいかにして被造物を**いくつもの観念もしくは感情の結合に**、そしてまた**いくつもの感覚や身体部分の固有で、より自由な使用**に一歩ずつ次第に多く慣れさせていったかを見ることにしよう。

＊20　ライマールス『動物の本能に関する一般的考察』（ハンブルク、一七七三年）。同じく『動物の技術本能の特殊な性質に関する初歩的考察』。これらにはJ・A・H・ライマールスによって植物動物の本性に関する内容豊かで素晴らしい論文が付されている。

五　いくつもの観念の結合と、感覚や身体部分の固有で、より自由な使用に向けての被造物のさらなる形成

1　無機的な自然の中では、すべてがまだ蒙昧だが強力な本能のうちにある。部分は緊密な諸力とともに集結する。どの被造物も形態を獲得することに努め、自己を形作る。この本能の中になおすべてが閉じ込められており、しかもこの本能は存在物全体に破壊しがたく浸透している。結晶や塩はどんなに小さな部分をとっても結晶や塩である。それらの形成力はどんなに小さな断片にあっても全体におけるのと同じように、外部から分割されることも内部から破壊されることもなく活動する。

2　植物は管とその他の部分とに別々に導かれた。植物の本能は全体においてはまだ一様に活動するにもかかわらず、これらの部分では自己に従って変化しはじめる。根、幹、大枝は吸収するが、それは異なる方法、異なる経路、異なる存在物を通じて行われる。こうして全体の本能はそれらの部分とともに変化するが、全体としてはなおも同一

のものである。なぜなら、生殖は生長の開花にすぎないからだ。植物の本性に従えば、これら二つの本能は分離できない。

3　植物動物において、自然は個々の器官を、したがってまたこの動物に内在する諸力をひそかに分離しはじめる。個体維持の器官が目に見えるようになる。胎児はすでに母胎の中で離れるが、まだ植物としてその中で養われる。多くのポリプは一つの幹から派生する。自然はポリプをしかるべき場所に置いたが、それら固有の運動はまださせないでおいた。カタツムリも幅の広い足をまだもっており、この足で自分の家にくっついている。これらの被造物の感覚はそれ以上に分離しないで互いに曖昧に入り込んでいる。これらの被造物の本能はゆっくりと緊密に活動し、実際カタツムリの交尾は何日もかけて行われる。こうして自然は、生きた有機組織のこれら最初の段階を、多様なものによって煩わせることのないようにできるだけ努める一方、その代わりに多様なものを蒙昧とした単純な動きの中へとより奥深く隠して、これにいっそうしっかりと結びつけた。カタツムリの強靭な生命は、ほとんど破壊しえないものとなっている。

4　自然は、より高次なものへと進んだときも、まさに賢明な慎重さを忘れることなく、分離された感覚や本能の多様さに被造物を次第に慣れさせた。昆虫はその習うべきすべてのことを一度に習得できなかった。すなわち昆虫は、一方で毛虫として個体維持の本能を、また一方でチョウとして生殖の本能を満たすために、自己の形態と存在を変えることを余儀なくされているが、これら二つの本能を一つの形態において満たすことができなかった。或る種のハチは、この類の享受や生殖のために必要とされるすべてのことを遂行できなかった。そこで自然はハチを、仕事をするハチと生殖を担うハチと出産を行うハチとに分けた。どれも有機組織を少し変えることによってなされたが、それによってこの被造物全体の諸力は異なる方向をとった。自然は一つの型において完遂できなかったことを、どれもが互いに緊密な関係にある三つの型に分散させた。こうして自然は自らハチに課した活動を、三つの類のハチに教えたが、それは自然がチョウと他の昆虫に自ら与えた天職を二つの形態で教えたのと同じことである。

5　自然はさらに進んでいくつもの感覚の使用、つまり自らの意志による選択を増加させようとすればするほど、それだけいっそう不必要な身体部分を取り除き、構造を内部と外部から単純化した。毛虫の外皮は、チョウがもはや足を必要としなくなった時点で、足とともに脱ぎ捨てられた。昆虫の何本もの足、その多くの複雑な眼、触角や他の多彩な小さな武器は、より高次の被造物にあっては消失する。昆虫の頭部には、脳がわずかしかなかった。脳は脊髄の中をこれに沿って下に伸び、それぞれの神経節は感受の新たな中心点となった。この小さな技術被造物の魂は、こうしてその全身に広がった。

これに比べて、高次の被造物が自らの意志による選択と、知性に類似した能力の点で成長すればするほど、それだけ頭部は大きくて脳の多いものとなる。身体の三つの主要部分は昆虫や蛆虫などにあってまったく調和がとれなかったのに対して、高次の被造物にあっては互いにいっそう釣合いがとれるようになる。両棲類はまだ何と巨大な尻尾を引きずって陸に上がることか。その足は不格好に広がったままだ。自然がこの被造物を陸棲動物の中に取り立てると、足は長くなり、ますます引き寄せられる。脊椎が伸びたものである尻尾は、細く短くなる。陸棲動物の尻尾はワニの粗雑な筋力を失って、より柔軟で精緻なものとなり、高等動物にあっては毛のある尻尾にさえ変わる。そして自然は直立姿勢に近づくことによって、最終的には尻尾を完全に捨て去ってしまう。自然は尻尾の髄を高いところへ導き、より上級の部分に使用したのだ。

6　造形芸術家である自然は、こうして陸棲動物の均整を見出した。しかもそれはこれらの被造物がその中で或る種の感覚と諸力を一緒に習得することと、それらを観念や感受の一つの形式に統合することを学んだ最高の均整だった。それによって自然は、たしかに自分のためにそれぞれの類の使命や生活様式に従ってその類の形姿も変えたし、同じようにその部分や四肢からそれぞれの類のために全体の固有の調和と、したがってまた他のすべての類とは有機的に異なる固有の魂とを創った。しかしそれでも自然は、すべての類のあいだに一種の類似性を保持し、一つの主要目的を追求するように見えた。言うまでもなく、この主要目的とは、有機的な形式に近づくことであり、その中で明晰な観念の最大の統合と、異なる感覚と身体部分の最も多様で最も自由な使用が行われるようにすることである。そしてまさにこのことが動物を多少とも人間に類似させる。人間に類似しているということは、恣意の戯れではなく、多種多様な形式の結果であり、それらの形式は、自然がこれらを結びつけようとした目的、つまり観念、感覚、諸力、欲求をこの割合で行使するというまさにその目的に、これ以外にはありえない方法で結びつけられたものである。どの動物の身体部分も、その段階では互いに最も緊密な均整のうちにある。思うに、一つの生きものだけがこの地球上で育つことのできた形式はどれもみな使い果たされている。動物には四足歩行が割り当てられた。しかし四足歩行によって動物には姿勢、疾走、跳躍のみならず、動物としてのあらゆる感覚の使用がきわめて容易になった。動物の頭部はまだ地面の方へ垂れているが、それは動物が地面にある食物を探し求めるからである。ほとんどの動物にあっては嗅覚が支配的だが、それは嗅覚が本能を呼び起こし、あるいはこれを導かねばならないからだ。聴覚の鋭い動物もいれば、視覚の優れた動物もいる。こうして自然は、四足動物の形成全般にあたってだけでなく、それぞれの類の形成に際してもこの有機組織化の中で最もよく一緒に活動しうる諸力と感覚との均整を特に選んだ。これに従って自然は、身体部分を長くしたり短くしたりする一方、諸力を強めたり弱めたりした。どの被造物も大きな分母に対する分子であり、その分母とは自然自身である。事実また人間も全体の一断片にすぎず、まさにこの有機組織化の中で、多くの身体部分の共同援助によって一つの全体へと形成されるべき諸力の均整なのだ。

7　それゆえ、かくも熟慮された地球という有機体においては、**どの力も他の力を、またどの本能も他の本能を妨害してはならない**というのは必然のことだった。しかも自然がここで行った配慮は限りなく美しい。たいていの動物は**特定の風土**を持っている。これはまさに動物にとって個体維持や養育が最も容易になる場である。もしも自然が多くの地域の動物を、それらがこうした観点から何に耐えうるかを規定しないままに形成していたならば、いくつもの類はどれほど困窮しまた粗雑なものとなり、ついには滅亡したことだろうか！　このことはまた、人間に従ってあらゆる地域へ移動した順応性のある動物の類にも見られる。これらの類は、それぞれの地域で、それぞれ異なった形で自らを形成し、粗暴なイヌはまさに野生化されたがゆえに最も恐ろしい肉食動物となった。もしも**生殖本能**が限定されないまま放置されていたら、それは被造物をさらに混乱させざるをえなかっただろう。しかし形成する自然は、この本能をも制約した。この本能は特定の時期にだけ、つまり動物の有機組織としての熱が最も上昇するときにだけ目を覚ます。動物の熱は、生長と季節と最も豊かな栄養といった自然に即した変革によって最も上昇し、また親切な配慮を与える自然は、動物が身ごもる時期をこの熱に従って決めたので、これが親と子のための配慮となった。子は自力で育つことが可能となった時点で生れてくる。さもなければ、より親切な太陽によって目を覚まされるまで卵の中で不快な季節を過ごしかねない。親が生殖本能を感じるのは、この本能が他の何ごとにおいても親の邪魔をしないときに限られる。また両性におけるこの本能の強さと継続期間の関係も、これに従って調整されている。

自然がこのような方法で示す愛、すなわち、自然がそれぞれの生きものをその有機組織の枠に応じて活動、観念、長所に向けていわば教育し積極的に慣らしていく際に見られる母としての慈悲深い愛は、すべての表現を超えている。自然はこれらの諸力をそれぞれ特定の有機組織の中に置くことで、生きもののことを前もって考えていたのだ。だから自然は生きものに、この有機組織の中で見ること、欲すること、行動することを余儀なくさせ、前もって考えていたような形において、この有機組織という制限の中で欲求と諸力と場所を与えたのである。

人間の心におけるどの長所や本能にしても、それに類比したものが動物界のいたるところに見つからないことはない。つまり形成する母は、この類比したものに動物を有機組織として慣れさせるのだ。動物は自分のことを心配するとともに、自分の家族を愛することを学ばねばならない。たとえ群れをなしての旅のためだけであっても、困窮と季節が動物に群れを作ることを余儀なくさせる。本能によって愛に向かわされる動物もいれば、欲求によって結婚し、一種の共和国や群れという形の秩序を作る動物もいる。これらのことすべてがどれほど不明瞭に行われ、またそのいくつかがどれほど短くしか続かなくとも、その印象は動物の本性の中にある。われわれの見るところ、その印象はしっかりと残り、繰り返し現れ、それどころかこの被造物においては除去しがたく消し去りがたいものである。これらの印象が不明瞭であればあるほど、どれもみなそれだけいっそう緊密に活動する。観念が本能を結合することが少なければ少ないほど、また観念が本能を行使することが稀であればあるほど、それだけいっそう本能は強大であり、かつそれだけいっそう完全に活動する。このように、動物が訓練される行動様式の手本は、またいたるところで人間の手本ともなる。それゆえ、われわれが動物の神経構造や人間に類似した身体構造、そして人間に類似した欲求や生活様式を眼前にしながら、それでもなおこれらを機械と見なそうとするのは、やはり自然に対する何らかの罪なのだ。

したがって、或る類の動物が人間に類似したものになればなるほど、その機械としての技術がいっそう減少するのも驚くにはあたらない。なぜなら、明らかにこのような類はすでに人間の観念を習得する前の領域にいるからである。ビーバー(45)はまだミズハタネズミ(46)であるが、巣を精巧に構築する。キツネ、ハムスター、およびこれらに類似した動物は、地中に技術活動の場を持っている。イヌ、ウマ、ラクダ、ゾウはこれらの小技術をもはや必要としない。それらの動物は人間に類似した観念を有しており、形成する自然に強いられて人間に類似した本能を行使する。

六　動物と人間の有機組織上の差異

人間以外のあらゆる類の動物の力と能力のどれもが人間のうちに最高度に見出されると主張するならば、それは真実からとても遠い讃辞を人間に呈したことになる。この讃辞は実証不能なばかりか、それ自身が矛盾している。なぜなら、もし前述の主張が真実ならば、或る力が他の力を無効にすることは明らかであろうし、人間は自分という存在を享受することもまったくないだろうからだ。人間が花のように咲き、クモのように触知し、ハチのように巣を作り、チョウのように蜜を吸うことができ、しかも同時にライオンの筋力、ゾウの長い鼻、ビーバーの技術を所有することがどうして一緒に起こりえようか？　それに人間はこれらの諸力の一つでも、それぞれの被造物がこれらを享受し行使する際の緊密さとともに所有し、あるいは把握してさえもいるだろうか？

他方またわれわれは人間を動物にまで貶めた[47]とは私も言いたくはないが、類としての人間の特徴さえも人間から奪い去り、人間を退化した動物に、それもいっそう高次の完全性を追い求めながら、類としての特性をことごとく失ってしまった動物にしようとしてきた。しかしこのことは明らかに人間の自然史の真理と明証性にも反している。言うまでもなく、人間は動物にはない特性を有しており、それらは善きにつけ悪しきにつけ、人間にずっと固有の活動を産み出してきた。おいしそうだからといって自分の同類を食べる動物はいない。冷血な第三者の命令で自分の同族を殺す動物はいない。人間が言語を持っているのと同じように言語を持っている動物はいないし、さらには文字、伝承、宗教、自己の意志の選択による掟や法を持っている動物もいない。そして何よりも教育、衣服、住居、技芸、規定されない生活様式、束縛されない本能、変わりやすい意見は、おおよそ人間が自己を際立たせる特徴であるが、動物はこのようなものを持っていない。これらすべてが人間にとって利益であるか損失であるかはまだ詳しく調べていないが、いずれにせよ、どれも人間という類の特徴なのだ。どの動物も全体としてその類の性質に忠実でありつづけるのに、われわれ人間だけが必然性ではなく、われわれの女神たる自然に対して自らの意志による選択を選んだ(48)。そうである以上、人間と動物とのこの差異が明らかに事実であるからには、それは事実として詳しく調べられねばならない。それに比べてもう一方の問題、すなわち人間はどうしてこのような差異を持つに至ったのか？　この差異は人間にとって本来のものなのか？　それとも受け入れられて身についたものなのか？　という問題はまた別の、つまり、もっぱら歴史的な性質のものである。そしてここでもまた、いかなる動物も人間に倣ったことのない性質が、すなわち完全性へ向かう素質、もしくは堕落へ向かう素質[49]が、実際に人間という類を際立たせる特徴の一つであったに違いないだろう。それゆえわれわれとしては、あらゆる形而上学を脇へ押しやり、生理学と経験に頼ることにしたいと思う。

1　**人間の形態は直立である[50]。この点において人間は地球上で唯一[51]のものだ。**なぜなら、クマは幅の広い足を持ち、闘うときには立ち上がり、サルやピグミーも直立して歩いたり走ったりするが、それでも人間という類にとってのみ、こうした直立歩行が不変かつ自然なものだからである。人間の足はこれらの動物より安定していて幅も広い。サルには手の親指しかないが、人間にはそれより長くて大きな足の親指がある。また人間の踵は足底に引き寄せられている。こうした姿勢に適するように、すべての筋肉が活動している。ふくらはぎは大きくなり、骨盤は後方へ引かれ、腰部は伸ばされている。背中もほとんど曲がらず、胸部は広くなっている。そこに鎖骨と肩があり、手には精緻に感じとる指がある。とかく垂れ下がる頭部は、今や首の筋肉に支えられて体格の頂点へと高められている。人間は ανθρωπος、つまり自分の上と周囲を広く眺める被造物なのだ[52]。

ただ、ここで認められねばならないのは、この直立歩行が人間にとってそれほど本質的なものでないこと、つまり、直立歩行以外の歩行も、場合によっては人間にとって空を飛ぶことのように不可能なものとはならないだろうということだ。しかしこれと反対のことは、幼児が示しているだけでなく、動物の仲間になった人間も経験によって実証した。一一人から一二人のこうした人間が知られている[*21]。もちろんこれらすべてについて十分な観察と記述がなされたわけではないが、それでもいくつかの実例によって明示されているのは、人間にまったくふさわしくない歩行であっても、人間の柔軟な本性にとっては完全に不可能なものとはならないということだ。人間の頭部は下腹部と同じく比較的前方に位置しているため、うつらうつらしているとき頭部が垂れるのと同じように、身体もまた前方に傾く。死んだ身体はどれも直立できない。骨の折れる運動を何度も何度も繰り返してこそ、われわれの精巧な姿勢と歩行は可能になる。

それゆえまさに人間が動物のような歩行をすれば、人体の多くの部分はその形態と相互関係を変えざるをえないことも明白であり、実際それは野生化した人間の実例が示すとおりである。**テュルプ**の記述したアイルランドの子ども[(53)]は平らな額、突き出た後頭部、メーと鳴く大きな喉、上顎に癒着した厚い舌、それにひどく窪んだ鳩尾（みずおち）を持っていたが、それらはまさに四足歩行から生じざるをえなかったものである。まだ直立歩行していたオランダの少女は藁の前垂れで身を覆うほど女性らしさを保持していたが、皮膚は褐色で長い毛が密生し厚く、髪の毛は長く太かった。シャンパーニュのソンギで捕えられた少女は、[54] 顔が黒ずみ指は太く爪が長かった。とりわけその親指は、リスのように木から木へと飛びまわれるほど太くて長かった。彼女が速く歩く様子は、歩行ではなく飛ぶような小走りと滑走であり、それに速すぎてとても足が動いているようには見えなかった。音声は細く弱々しかったが、その叫び声は甲高くて恐ろしいものであり、また並外れた敏捷さと体力を持っていた。彼女は血のしたたる生肉や魚、それに木の葉や根といったそれまでの食物から離れられず、また離そうとすると、逃げようとしたのみならず、命に関わる病気にまでなった。この病気を治すには温かい生き血を吸わせるほかはなく、実際これは香油のバルサムのように彼女の全身に沁み渡り、そうして彼女は回復できた。また人間の食事に慣れさせようとしたが、歯と爪が抜け落ち、耐えがたい苦痛が彼女の胃と腸、そして特に乾ききった喉を引きつらせた。以上のことは、人間の柔軟な本性が、たとえそれが人間から生れ、一定のあいだ人間のもとで育てられたものであっても、不幸な偶然によって置かれた低次の動物状態にこれほどまでに慣らされうるということの何よりの証拠なのだ。

そこで私はまた次のようなおぞましい夢を想像することもできよう。すなわち、もし人類がこうした運命を余儀なくされ、四足動物の胎内で動物の胎児へと形成されたとしたら、人類はどのようなものにならねばならなかったのか？　あるいは、どの力がそれによって強まったり弱まったりせざるをえなかったのか？　その人間動物[55]の歩行、養育、生活様式、四肢の構造はどのようなものでなければならなかったのか？　などという夢を。だが消え去るがよい、不吉な忌まわしい幻像、自然な人間の不自然な醜い姿よ！　おまえは自然の中に実在もしなければ、私の絵具の一刷毛（ひとはけ）によって描き出されるべきものでもない。なぜなら、

2　人間の直立歩行は、人間にとって唯一自然なものだからである。それどころか、これは人間という類の全使命に向けられた有機組織化であり、人間を他の被造物と区別する特徴だからだ。

地球のどの民族として四足状態で発見されたものはない。どんなに野生の人間でも、それに彼らのかなりの者が形成や生活様式の点で動物にどれほど近づくにせよ、直立歩行をする。かのディオドロスのいう**感じとることのできない人間**[56]はもちろん、古代や中世の著作家の描く想像上の人間でさえ二本足で歩く。それゆえ私には、人類がもしかつてこうした低次の生活様式をその本性としていたとすれば、どのようにしてかくも必然性と技術に満ちた別の生活様式へと高められたのかが理解できない。発見された野生人

をわれわれの生活様式や食物に慣れさせるのに、どれほど苦労したことか！　しかも彼らはただ野生化したにすぎず、理性を持たない被造物のもとに、ほんの数年いたにすぎないのだ。あのエスキモーの少女は野生化する以前の状態をまだ分かっていたし、言葉の名残をとどめ、祖国へ向かう本能も持っていた。しかし彼女の理性は動物性にとらわれていた。彼女は自分の旅や自分が完全に野生の状態であったことについて何一つ記憶していなかった。他の野生化した人間たちは言語を持っていなかっただけでなく、その一部は人間の言語への道を永遠に閉ざされてもいた。――もしこの人間動物が永劫にわたってこうした低次の状態にあり、それも胎内ですでに四足歩行によってこうした状態に向けてまったく異なる状況に従って形成されていたとすれば、いったいこの人間動物はこうした状態から自発的に遠ざかり、直立していただろうか？　いったいこの人間動物が、自ら人間となるまえに、自らを永遠に引きずりおろす動物の力から抜け出して、人間の言語を案出したということがあったろうか？　もし人間が四足動物であったならば、そして何千年にもわたってそうであったならば、人間はきっと今でも四足動物だろう。それゆえ、もし新たな創造という奇蹟[58]が本当に起きなければ、人間は現在の人間へと、そしてすべての歴史と経験に従ってわれわれが知っている人間へと形成し直されることもなかっただろう。

そうだとすれば、われわれは証明されないどころか、まったく矛盾する逆説(59)をなぜ受け入れようとするのか？　人間の構造、人類の歴史、そして思うに、何よりも地球の有機組織の類比全体がわれわれを何かそれとは違うものへと導いてくれるというのに。われわれの知っているどの被造物として、自分の生来の有機組織を抜け出して、これに反する別の有機組織を作ったことはない。なぜなら、どの被造物も自分の有機組織の中にある諸力とともにのみ活動したからであり、また自然も自らが個々の生きものに指し示した位置に、それら生きものをしっかりと結びつけておく方法を十分に心得ていたからだ。人間にあってはすべてが人間の現在有している形態へと調整されている。この形態から人間の歴史においてはすべてが説明され、またこの形態なしには何ものも説明されない。そして動物形成のあらゆる形式もこの形態へ、つまり崇高で神々しい姿と地球の最も精巧な至上の美であるこの形態へと収斂しているように思われる。それにこの形態がなければ、人間の世界がない場合と同じように、地球はその装飾と支配のための王冠を奪われたままだろう。それなのになぜわれわれは自ら選んだこの王冠を塵(ちり)の中に投げようとし、あるいはすべての放射線が集合するように見える環の中心点にまったく目を向けようとしなかったのか。形成する母が自分の作品を完成させ、この地球で可能なすべての形式を使い果たしたとき、彼女は静かにたたずみ、自分の作品のことをゆっくりと考えた。そして地球のそれらすべての形式にあって地球の最も重要な装飾が、すなわち、地球の君主で第二の創造主がなお欠けていることに気づいたとき、見よ、自然は熟考し、すべての形態を寄せ集め、それらのすべてから自然の主要形成物、つまり人間という美を形作った。自然は母としての最後の精巧な被造物に手を差し伸べて言った。「大地から立ち上がるがよい！　汝を汝自身に任せておけば、汝は他の動物と同じように動物のままであろう。だが私の特別の恩寵と愛によって**直立して歩むがよい**。そして動物たちの神となるがよい！」と。さあ、この神聖な技術活動に、またわれわれの類を人類にしてくれた慈悲に、しばし感謝の眼差しを向けようではないか。そうすれば諸力のいかに新しい有機組織化が人類の直立した形態の中で始まり、どうして人間がこの形態によってのみ**人間**になったかを、われわれは驚きをもって見ることだろう。

＊21　これらはリンネの『自然の体系』(60)、マルティーニ(61)によるビュフォンへの補遺や他の著作(62)に載っている。

第四巻

一　人間は理性可能態[1]へと有機組織化されている

オランウータンは、内部においても外部においても人間に類似している。その脳は人間の脳の形態をしている。オランウータンは広い胸、平らな肩、われわれに類似した顔、われわれに類似した形態の頭蓋を持っている。心臓、肺、肝臓、脾臓、胃、腸は人間の場合と同様である。タイソン*22(2)はオランウータンが猿類よりも人類にずっと似ている四八の点を挙げた。オランウータンが行うとされる行動はもちろん、その愚行や悪習、またおそらく月経までもがオランウータンを人間に類似したものにしている。

それゆえ明らかにオランウータンの内部や魂の活動の中にも何か人間に類似したものが存在するにちがいない。とすれば、オランウータンを小さな技術動物以下のものに貶めようとする哲学者たち[3]は、比較の方法を誤っているのだと思う。ビーバーは巣を造るが、これは本能に即したものである。ビーバーの機構全体は巣を造ることに向けて調整されている。しかしビーバーはそれ以外に何もできない。ビーバーには人間と関わることも、人間の観念や情念を分有することもできない。これに対してサルは、決定された本能をもはや有していない。サルの思考力は理性にきわめて近いが、哀れなことに模倣とほぼ同じものである。サルは何でも模倣するので、感覚による観念を脳の中で多種多様に結合する能力を持っているにちがいない。このようなことは他の動物にはできない。事実また利口なゾウも、物覚えのよいイヌも、サルにできることができない。**サルは自分を完全なものにしようとする。**しかしサルにはそれができない。門戸が閉ざされているのだ。異なる表象を自分の表象と結びつけ、模倣したものをいわば自分の所有物にすることはサルの脳にとって不可能なのだ。**ボンティウス**[4]の記述した雌ザルは羞恥心を持っていて、見知らぬ者が近づくと手で前を覆い隠した。その雌ザルはため息をつき、泣き、そして人間のような行動をしているように見えた。バッテル[5]の記述したサルは群れをなして出かけ、棍棒で武装し、ゾウを自分の縄張りから追い出す。これらのサルは黒人[6]を襲い、火を囲んで座るものの、火を消さないようにするだけの知恵はない。ラブロッス[7]のサルは食卓に着いてナイフとフォークを使い、また怒ったり悲しんだりというふうに、人間のあらゆる感情を持っていた。子ザルに対する母ザルの愛情、子ザルを育て上げ、サルの生活様式の技術や悪知恵に慣らすこと、サルの共同体における秩序、あるいは集団での移動中の秩序、さらには秩序を破壊するサルに加えられる罰、たわいないずる賢さや意地悪さ。これらは他の一連の否定しがたい特徴とともに、サルがその外部の示すように内部においても人間に類似した被造物であることの十分な証拠である。ビュフォン[8]はその滔々たる雄弁を無駄に浪費しながら、これらの動物を論ずる際に、自然の有機体の内部と外部が同一の形式であることに疑問を呈している。しかし彼がこれらの動物について自ら集めた事実は、彼の言うことに対する十分な反証となっている。自然の有機体の内部と外部が同一の形式であることは、この有機体が正しく規定されるならば、生きもののすべての造形において見紛うべくもないのだ。

それでは、人間に類似したこのサルという被造物が、人間にならなかったのには何が欠けていたのか？　たとえば言語だけだろうか？　これまで少なからぬサルに教育を施す努力がなされた。それゆえ、もしこれらのサルに言語能力があれば、何でも模倣するこの被造物は、きっと最初に教えられることも待たずに言語を模倣しただろう。それでは言語器官にだけ原因があるのか？　そうでもない。なぜなら、サルは人間の言葉の内容は理解するが、どんなサルでもいつも身振りはするにもかかわらず、自分の主人と手真似で話し、身振りによって人間のように議論する能力を身につけたサルはいないからだ。とすれば、何かまったく別のところに原因があるにちがいない。それもこの悲しむべき被造物に対して人間理性への門戸を閉ざし、かくも人間に近いが人間には属さないという釈然としない感情を残した原因が。

この何かとはいったい何だったのか？　奇妙なことに、解剖の結果からはすべての差異は**歩行の部分**に起因しているように見える。サルはいくらか直立歩行できるように形成されており、それによって自分の同胞よりは人間に類似する結果となっている。しかしサルは完全に直立歩行に向けて形成されているわけではなく、この差異がサルからすべてを奪っているように思われる。そこでわれわれとしてはこの観点に注目しよう。そうすれば自然みずからがわれわれを、人間としての尊厳に向けての最初の素質が探し求められるべき道へと導いてくれるだろう。

オランウータン[*23]は長い腕、大きな手、短い大腿、長い指のある大きな足を持っている。しかし手の親指はともかく、足の親指は小さい。それゆえ、**ビュフォン**、あるいはそれ以前にすでに**タイソン**がこの猿類を四手類と呼んでいる。つまり、オランウータンにはこの小さな部分が原因で、人間の安定した直立への土台が明らかに欠けているのだ。オランウータンの後半身は痩せ細り、膝は人間のそれよりも幅は広いが、それほど低い位置にはない。膝を動かす筋肉は大腿骨の下方にあるため、オランウータンは完全に直立できず、膝を曲げて、いわば立つことを学ぶにすぎない。大腿骨頭は靭帯を伴わずに関節臼に接している。骨盤の骨は四足動物におけるのと同じような位置にある。五個の先端の頸椎は、長く鋭い突起を持っており、これらが頭を後ろへ反らすことを妨げている。このように、オランウータンは決して直立姿勢に向けて作られておらず、そこから恐ろしい帰結が生じる。つまりオランウータンの首は短く、鎖骨は長くなるので、頭部が肩のあいだに埋もれているように見えるのだ[*24]。したがって頭部は比較的大きな前部と突き出た下顎と扁平な鼻を持つことになり、両目は寄り合い、眼球は小さく、瞳の周囲に白い部分が見られない。これに対して、口は大きくなり、腹部は太り、乳房は長く、背中はまるで老衰したようになる。両耳は動物のように、ぴんと立っている。眼窩は密接して並び、頭部の関節面は、もはや人間におけるように頭部の基底面の中心にはなく、動物の場合のように後方にある。これに対して上顎は前方に出ており、その中に挿入されたサル固有の顎間骨(os intermaxillare)[(9)]は、人間の顔の究極の一片である[*25]。なぜならサルは、下方では前に突き出て後方で退く頭部のこうした造りや、首の上での頭部の位置や、これらに応じた脊椎の特徴全体から見れば——たとえ他の点で人間に類似しているにせよ——やはりただの動物のままだったからだ。

この結論に向けての準備をするために、次のような人間の顔を思い浮かべてみよう。つまり、動物からどれほど遠くにあっても、動物に近似しているように見える人間の顔を。これらの顔を動物のようにしているものは何か？　品位を奪うこうした粗野な外観をこれらに与えているものは何か？　それは前方へ突き出た顎、後方へ退いた頭部、要するに四足歩行に向けられた有機組織ときわめて類似したものである。重心が移動し、人間の頭蓋がそこに隆起した半球の形で置かれるやいなや、頭部は肩の上で固定されるように見える。歯列が飛び出し、鼻は平たく動物のように広がる。上部では眼窩が互いにいっそう接近し、額は後退し、サルの頭蓋と同じように両側から極度の圧迫を受ける。頭部は上と後ろで先が細くなる。頭蓋のくぼみの幅はより狭くなる。——これらすべてのことは、あの形の方向から、すなわち人間の直立歩行に向けられた頭部の美しくて自由な形成から逸脱して見えることから生じる。

この点を変えれば、造り全体が美しくて高貴なものとなる。思考の豊かな額は前に出て、頭蓋は崇高で落ち着いた尊厳を伴って隆起している。幅の広い動物の鼻は引締まり、より高く、より細く有機組織化される。後方に退いていた口は、より美しく覆われるようになり、どんな利口なサルにもない人間の唇がこうして形作られる。すると顎が下がるが、それは垂直な美しい楕円形の顔に丸みをつけるためだ。頬は柔らかに上がり、目は前に出た額の下で神聖な思考の殿堂から覗くようにこちらを見ている。それにしても、これらすべてのことは何によって生じるのか？　それは**直立の形態**に向けられた頭部の形成、つまり、頭部の内部と外部が**垂直な重心**[*26]に向けて有機組織化されることによってである。これに疑いをいだく者は、人間とサルの頭蓋を見るがよい[10]。そうすれば何の疑いの影すら残らないだろう。

自然のすべての外形は、その内部の活動の表出である。偉大なる母よ、かくしてわれわれは汝の地球創造の至聖なるもの、すなわち人間知性の活動の場へと歩み出る。

＊

人間の脳の大きさを他の動物類の脳の重量と比較し、そこから動物の身体と脳の重量の相互関係を考量するために、これまで非常に多くの努力がなされてきた。しかし以下の三つの理由から、この計量と計算は正しい結果を提示できない。

1　この関係の一方の項である身体の重量があまりにも不定であり、他方の緻密に測定される項の脳自身に対して純正な比例関係を示していない。身体の中で重量を有する物はそれぞれ何と異なっていることか！　しかも自然がそれらのあいだに確定した比例関係は、いかに多様なものになりうることか！　自然はゾウの重い身体や重い頭部さえも空気によってその重さを軽減してやる術（すべ）を心得ていた。そしてゾウは脳がさして大きくないにもかかわらず、動物の中で最も利口である。この動物の身体で最も重いものは何か？　それは骨である。しかし脳と骨とのあいだに何ら直接の比例関係はない。

2　言うまでもなく重要なのは、脳が身体にとって何のために使用されるか？　脳が神経をどの方向に、またどの生命活動に向けて送り出しているか？　ということである。それゆえ、脳と神経の構造の相互関係を考量したとしても、なるほど、いくらか精緻な比例関係は分かるだろうが、何ら純正な比例関係は提示されないだろう。なぜなら、どちらの重量も、神経の精緻さとその経路の目的をもまったく示していないからだ。

3　したがって結局すべては、**いっそう精緻な形成と部分相互の調和のとれた位置関係**、そして思うに、何よりも**広くて余裕のある集積場所**に左右される。というのも、この集積場所では、あらゆる神経の印象と感覚が最大の力、最も厳密な真理、そしてついにはまた多様性の最も自由な活動と結びつけられ、**思考**と呼ばれる未知の神的な一つのものへと力強く統合されるからである。これについて脳の大きさそれ自体は、われわれに何一つ明らかにしてくれない。

しかしそれでも数値に基づく情報[*27]は貴重なものであり、最終的な結果とはいかなくても、非常に有益で今後の導きとなる結果を与えてくれる。ここでもまた自然の歩みの、上昇する一様性を示すために、それらの結果のいくつかを敢えて例示しよう。

1　循環と有機組織としての熱がまだ不完全な小さめの動物においては、同じく小さめの脳と少なめの神経が見出される。つまり前述したように、自然はこれらの動物に緊密な、もしくは細かくゆきわたった刺激を通じて、感受の点で拒まざるをえなかったものを代償したのである。というのも、多分これら被造物の十分に活動する有機組織は、もっと大きな脳を産み出すことも維持することもできなかったからだ。

2　温血動物における脳の重量は、これらの動物のいっそう精巧な有機組織が発達するのに比例して増大する。しかしここでは同時に他の顧慮も加わり、それらは特に神経と、筋肉の諸力相互の関係を規定しているように見える。肉食動物における脳は小さめである。これらでは筋肉の諸力が支配し、神経も大部分が脳と動物的な刺激の従者である。草食のおとなしい動物にあっては、脳はその大部分がなおも諸感覚の神経という形で使用されているように見えるが、大きさは増す。鳥は大きめの脳を持っている。なぜなら、鳥はその比較的冷たい境域の中で、温かめの血液を持たざるをえなかったからだ。その循環器系は、鳥の身体がたいていい小さめであるため、またいっそう圧縮されている。

こうして盛りのついたスズメでは脳が頭部の全体を占め、全体重の五分の一にもなる。

3　脳は、成長した動物より、幼い動物においての方が大きい。それは明らかに後者の脳の方が液状で柔らかく、そのため、より広い場所を占めるが、重量はそれほど増えないからである。幼い動物の脳の中ではすべてがまだ柔らかく湿った状態で、生活のあらゆる仕事や内部の活動に備えて貯蔵されているが、これらの仕事や活動を通じて動物は幼いあいだに自ら技術を形作り、その結果として多量のものが費やされる。しかし成長するにつれて脳は乾いて固まる。技術が完成されているからだ。すると人間も動物と同じく、印象をもはやそれまでのように容易に心地よく短時間のうちに受け入れることができなくなる。要するに、脳の大きさは被造物にあっては必然的な付帯条件のように思われるが、そのいっそう大きな能力や知性行使のための唯一にして最初の条件ではない。古代の人々がすでに知っていたように[11]、あらゆる動物の中で人間は比率から見れば最も大きな脳を持っている。しかしこの点ではサルも人間に劣らないし、ロバもウマを凌駕している。

*

そうだとすれば、人間という被造物の、より精緻な思考力を生理学的に促進する何か別のものが加わらねばならない。それは、自然がわれわれの目前に展開した種々の有機体の段階的進展に従えば、**脳の構造**それ自体、脳の部分と液体[12]のより完全な**加工**、そして何よりも、最適な温度における知的な感覚と観念の受容に向けられた、脳のいっそう適切な**位置**と**比率**以外の何ものでありえようか。さあ、自然という書物を、それも自然がこれまでに書いた最も精緻な頁である脳という書き板そのものを繙こうではないか。なぜなら、自然の種々の有機体の目的は、被造物としての感受、安寧、幸福に置かれているからだ。だからこそ**頭部**は最終的に最も確実な文書館[13]とならざるをえないのだ。そしてこの中にわれわれは自然の次のような意図を見出す。

1　脳がようやくできはじめた被造物においては、脳はまだ非常に単純に見える。それは発芽を続ける脊椎の一つの芽、もしくは数個の芽のようであり、これらの芽は最も必要な感覚に神経を賦与しているにすぎない。ウィリス[14]の観察によれば、魚と鳥は脳の構造全体において類似性を有しており、隆起の数も五個、もしくはそれ以上に増加し、またいっそう明確に分離している。最後に温血動物において小脳と大脳が、目に見える形で区別される。後者の両翼はこの被造物の有機組織に従って別々に広がり、個々の部分はまさにその有機組織の目的との調和的関係に置かれる。すなわち自然は、その全被造物の形成に際してと同じように、それらの精華であり目的である脳にあっても**一つの**

主要原型[15]しか持っていない。自然は最も低次の蛆虫や昆虫についてもこの主要原型に狙いを定め、どの類の被造物にあっても、なるほどその多種多様な外部の有機組織に従って小規模に変えてはいるが、しかし変えながらも発展させ、拡大し、完成させ、人間において最終的に最も精巧なものに仕上げた。自然は大脳より先に小脳を完成させる。というのも、小脳はその起源から見て脊椎により近く、類似してもいるからだ。それゆえ、いくつかの類にあっては、大脳の形態がまだきわめて多様であっても、小脳は同じ形をしている。このこともまた驚くにはあたらない。なぜなら、動物の有機組織にとって大変重要な神経は、小脳から生じるのだから。そのため自然は最上級の思考力を完成させるにあたって、自らの道を後背部から前方の部分へと歩まねばならなかった。

2　大脳にあっては、より上級の部分で、両翼が一つ以上の方法で仕上げられる様子が見られる。大脳の皺が、より精巧で深いだけではない。人間は他のどのような被造物よりも多くの複雑な皺を持っている。脳の皮質が人間にあってはその身体部分の最も柔らかで精緻なもので、水分が抜けると二五分の一の重さになる[16]だけではない。この皮質が覆って自らの中に織り込んでいる宝である脳髄は、高等動物、とりわけ人間にあっては多くの部分を有し、輪郭も明瞭で、他のあらゆる被造物に比べても大きめである。人間にあっては大脳が小脳よりずっと重い。このことは大脳内部の充溢と複雑な加工を示している。

3　さて、世界で最も博学な生理学者ハラーのこれまで集めたすべての経験的知識から明らかになるのは次のこと、すなわち、観念形成という分割不可能な活動を、脳の個々の物質的部分において物質の側面から、かつ分散した状態で探究するのがほとんど不可能であるということだ。それどころか私の思うに、たとえこれらすべての知識がなかったとしても、観念形成それ自体の性質からしても同様の結論に到達せざるをえなかっただろう。われわれが思考力をその多様な関係に従って、想像力とか記憶力、あるいは機知とか知性と呼び、はたまた欲求衝動を純粋意志から分離し、ついには感受力や運動力を分けたところで何になろうか？　少しでも精確に考えてみれば明らかになるのは次のことだ。それは、これらの能力は、場所によって、つまり、あたかも脳のこの場所には知性が、あの場所には記憶力と想像力が、また別の場所には情念と感性的な力があるというふうに、相互に分離されては存在しえないということである。なぜなら、われわれの魂の思考は分割されておらず、これらの活動のどれもが魂の思考の所産だからである。それゆえ、抽象的な諸関係を一つの身体のように解剖しようとし、メデアが自分の弟の四肢を八つ裂きにして海に投げ込んだように[17]、魂をばらばらにして放り投げるのはまったく馬鹿げたことだろう。たとえどれほど粗雑な感覚にあってさえ、神経液[18]（これが存在するとしても）ときわめて異なる物である、感受の構成材料が見逃されるならば、あらゆる感覚と感受の精神的な結合も感受されることがどれだけまた少なくなることか。そうなればわれわれはこの結合を見ることや聴くことはもちろん、脳のさまざまな部分においても、まるでクラヴィコードを奏でるかのように、随意にこれを覚醒させることもできないだろう。このように予測することさえ私には程遠いものだ。

4　脳と神経の構造に目を向ければ向けるほど、このように抽象的に考えることが私にはますます場違いなものとなる。この点で自然の家政は、抽象的な心理学[19]が魂の感覚や諸力について考えているのとは何と違っていることか！　感覚の神経がこのように生じ、このように分離し結合するということを誰がいったい形而上学を基に察知するだろうか？　いずれにせよ神経というのは、その活動が明示されるという理由から、有機組織としての目的の点でわれわれの知っている唯一の領域なのだ。それゆえわれわれとしては、観念のこの神聖な活動の場を、つまり感覚が互いに近接している脳の内部を子宮と見なすこと、それも観念の果実が目に見えず、かつ分割もされないで形成される子宮と見なすこと以外に手立てはない。精緻に有機組織化された被造物が、理性という能力を持つようになるのは次のとき、すなわち、子宮が健康で元気であり、観念の果実に適切な知性の、そして生命の熱のみならず、これにふさわしい広い場所をも提供し、しかもその場所で感覚と全身体の感受が、目に見えない有機的な力によって、それもここですべてを織り合わせている力によってとらえられるときである。そしてもし比喩的に語ることが許されるならば、高次の内省と呼ばれる明るい点[20]に統合され、さらにはこれに教示と観念覚醒という外的事情が加わるときなのだ。それゆえ、こうした条件が揃わなければ、つまり脳に本質的な部分、あるいは、より精緻な液体が欠けていたり、あるいは、より粗雑な感覚がその場所を占めたり、脳がついには歪んで押しつぶされた状態にあれば、どのような結果になるだろうか？　それはもう観念が一緒に美しく輝くこともなく、その被造物が感覚の奴隷のままであるということに他ならない。

5　このことは、種々異なる動物の脳の形成を見れば明確になると思われる。そしてまさにこの形成を、動物の外部の有機組織や生活方法と比較すれば、われわれも次のことに、すなわち、どこにあっても一つの型を目ざす自然が、なぜ、いつもそれに到達できずに、あるときはこう、またあるときはこうと変化せざるをえなかったのかということに納得がゆくだろう。多くの被造物の主要感覚は嗅覚である。この感覚はそれらの被造物にとって生命維持のために最も必要なものであり、本能の導き手なのだ。動物の顔面において鼻がいかに前に突き出ているかを見るがよい。同じように動物の脳においても嗅神経[21]が前に突き出ているが、それはまるで嗅神経のためにだけ頭部の前方が作られているかのようだ。そこから嗅神経は幅広く空洞状に髄のように伸びているため、脳室の延長のように見える。いくつかの類にあっては前頭洞が嗅覚という感覚を強めるために、ずっと上に向かって伸びている。それゆえ動物の魂の大部分は、もしこう言ってよければ、**嗅覚の性質を帯びている**。視神経がこれに続く。というのも視覚は嗅覚に次いでこの被造物にとって最も必要な感覚だったからだ。視神経はすでに脳の中央寄りの部分に達しており、またいっそう精緻な感覚にも仕えている。その他の神経については述べ立てるつもりはないが、それらは外部および内部の有機組織が身体諸部分の連関を要求する度合いに応じて続いてくる。その結果、たとえば後頭部の神経と筋肉は口や顎などを支え、これに魂を吹き込む。すなわち、これらの神経と筋肉はいわば顔面を締めくくり、この外部の形成物を一つの全体へと作り上げている。それもこの全体が、内部の諸力の比例関係に従えば、内的な全体であったのと同じ関係においてである。ただこのことは顔だけにではなく、全身体にあてはまるものと考えていただきたい。多種多様な形態の多種多様な関係を比較しながら吟味し、自然がそれぞれの被造物に負わせた内部の重量について考えることは大変に気持のよいものだ。自然は自らが拒絶した場合には、その埋め合わせを行った。また有機的諸力を混ぜ合わせた場合でも賢明に、つまり被造物の外部の有機組織とその全体の生活様式との調和を考えながら混ぜ合わせた。しかし自然はいつも自らの原型を念頭に置いていて、それから離れようとはしなかった。というのも、一定の類比に基づく感受と認識がその主要目的であり、それに向けて自然は地球のすべての有機体を形成したいと考えたからだ。このことは鳥、魚、それにきわめて多種多様な陸棲動物において、一つの連続する類比という形で示されうる。

6　次に、脳の形成における人間の長所に目を向けたいが、これは何によるのか？それは言うまでもなく、人間の全体におけるいっそう完全な有機組織と、何よりも人間の直立姿勢による。どの動物の脳も頭部の形に従って作られているか、あるいはむしろ自然は内から外へと活動するので、頭部の形が脳に従って作られている。自然は被造物をどのような歩行に向けて、身体部分相互をどのような関係に向けて、そして何よりもどのような能力に向けて定めたのか。というのも、これらに従って自然はまた被造物の有機的諸力を混ぜ合わせ、配列したからである。こうして脳はその諸力の在り方や、どのような関係の中でそれらが互いに作用を及ぼし合うかに従って、大きくも小さくも、広くも狭くも、重くも軽くも、多様にも一様にもなった。被造物の感覚もこれに従い、強くも弱くも、支配的にも従属的にもなった。前頭部と後頭部の空洞と筋肉はリンパ液が重力で引き寄せられる方向に従って、つまり有機組織としての主要方向の角度に従って形成された。これについては数多くの実例がいろんな類や属から引き合いに出されうるだろうが、私としては二、三の例を挙げるにとどめたい。人間の頭部とサルの頭部の有機組織としての差異を作り出しているものは何か？　それは頭部の主要方向の角度である。サルは人間が持っている脳の部分はすべて持っている。しかしサルはそれらの部分を、頭蓋の形態に従って圧迫された状態で持っている。そしてこの状態は、サルの頭部が人間のそれとは異なる角度で形作られたことと、サルが直立歩行に向けて作られていないことに起因している。すべての有機的諸力はただちに異なる活動を行い、サルの頭部は人間の頭部ほどには高くも広くも長くもならなかった。低次の感覚は顔の下部とともに前に突き出た。そしてその顔は、後方へ押しやられた脳がずっとただの動物の脳にとどまったのと同じように、動物の顔になった。すなわち、サルはたとえ人間の脳のあらゆる部分を持っているとしても、それらを異なった位置関係や、異なった比率において持っている。パリの解剖学者たち(22)がサルの中に見出したのは、小脳の前部は人間と類似しているが内部はどれも比例関係において低い位置にあることと、松果腺（しょうかせん）は円錐形でその先端は後頭部の方を向いていることなどであった。――いずれもみな頭部の主要方向の角度に由来するサルの歩行、形態、生活様式との比例関係である。ブルーメンバッハ[*28]の解剖したサルは、おそらくより下等なものであったせいだろうが、人間よりもずっと動物に近かった。そのため小脳も大きく、他のサルには見られない欠陥がいくつもの非常に重要な部分に存在する。オランウータンにあってはこうした欠陥が無くなっている。というのも、オランウータンの頭部は後方へ屈曲することが少なく、脳もそれほど圧迫されていないからだ。しかしそれでもこの脳は、理性に即した観念形成の唯一の美しい作業部屋、つまり人間の高く丸く自由に湾曲した脳と比べるとずいぶんまだ圧迫されている。どうしてウマには他の動物のような奇網(rete mirabile)(23)がないのか？　それはウマの頭部が高い位置にあり、また頭部の血管もすでにいくらか人間のそれに類似し、頭部を垂れた動物に見られるような枯渇もなく隆起しているからだ。こうして熱が高くなった分だけ睡眠の少なくなったウマは、高等で敏捷で勇敢な動物になった。これに対して頭部を垂れた被造物にあっては、自然は脳の構造において他の非常に多くの安全対策を講じなければならなかったため、脳の主要部分を骨質の隔壁で仕切ったほどだった。このようにすべては方向次第であり、それに従って、またそれに向けて自然は頭部を身体すべての有機組織に応じて形作った。私はこれ以上の実例には言及しないが、願わくは探究心ある解剖学者たちが、とりわけ人間に類似した動物において、身体部分の内的比例関係に、**それら相互の位置と全身体に対する頭部の方向、それも頭部の有機組織における方向に従って**留意してほしいものだ。私の信ずるに、この点にこそ有機組織がこの本能あるいは別の本能に向けられるか、動物の魂あるいは人間の魂の活動に向けられるかの区別が存在する。なぜならどの被造物も、そのあらゆる部分において生きてともに活動する一つの全体であるからだ。

7　人間の均整のとれた形態もしくは奇形の有する角度でさえも、直立歩行に向けられた頭部の形成というこの単純で普遍的な法則に基づいて規定しうるように思われる。実際また頭部のこの形、広くて美しい半球形への脳の伸展、さらには理性と自由に向けての内部の形成[24]は、これらの部分自身の比例関係や重力、それらの熱の割合や血液循環の仕方が示すように、もっぱら直立形態に基づいてのみ可能だった。したがって、この内部の比例関係からはまた人間の均整のとれた形態以外の何ものも生成しえなかった。なぜギリシア人の上頭部の形は、こうも心地よく前に傾いているのか。それはこの形が自由な脳の最も広い場所を包み込み、そればかりか、美しく健やかな前頭洞をも若々しくて美しく、かつ純粋な人間思想の殿堂として示しているからである。これに比べて後頭部が小さいのは、動物の小脳が優位を占めてはならないからだ。顔面の他の部分についても同様である。それらは感覚器官として脳の感覚的諸力の最も美しい均整を明示しており、これを逸脱するものはどれも動物に近づく。これらの部分の調和に関する素晴らしい学問を、それもたんに推測するだけの観相学[25]だけからではほとんど得られないような学問を、いつか手にすることを私は確信している。内部には外部の根拠がある。なぜなら、有機的諸力を通じてすべては内から外へと形成されたからであり、どの被造物も、あたかも自然がそれ以外の何ものをも創らなかったかのように、自然のまったき形だからである。

おお、人間よ、天空を見上げるがよい！　そして身震いして汝の測りがたい長所を喜ぶがよい。その長所とは世界の創造主がきわめて単純な原理、すなわち汝の直立姿勢に結びつけたものなのだから[26]。汝が動物のように身をかがめて歩いているとすれば、汝の頭部はまさにむさぼり食う方に向けて口と鼻のために作られ、それに応じて四肢の構造も整えられていることだろう。もしそうなっていれば、汝の知性の高次の力、すなわち神性の姿は目に見えない形でどこに潜んでいるのか？　動物の仲間に入った哀れな人間は自ずとこの姿勢を失った。その頭部が奇形になるに従って内部の諸力も荒廃し、より粗雑になった感覚がこの被造物を地面に引きずりおろした。しかし汝の四肢が今や直立歩行に向けて形成されることによって、頭部は美しい位置と方向を得た。それとともにこの精緻でエーテル[27]のような天の植物ともいうべき脳も、十分な空間を得て四方に広がり、枝々を下方に投げかけた。額は思考が豊かになって隆起し、動物的な器官は後退した。人間の形ができたのだ。頭蓋が高く上がれば上がるほど、聴覚はいっそう下におりて視覚と仲良く組み合わされた。こうしてこれら二つの感覚は、観念形成の神聖な作業部屋の内部に足を踏み入れることとなった。背骨と感覚的生命力から芽吹いた花である小脳は、動物にあってはずっと支配的なものであったが、大脳に対して従属的で、より穏やかな関係に入った。驚くほど美しい縞模様のある線条体[28]は、人間にあってさらに模様がつけられ精緻なものになった。これの指し示しているものは、この中央部分で一緒に、そして分散して輝く精緻な光である。比喩を使って語ってよいならば、こうして花が形成されたのだ。この花は脊髄の延長の上に芽吹いたものにすぎないが、先端が湾曲して天上的な諸力に溢れた植物、それも上に向かおうとするこの木でのみ産み出されえた植物になっている[29]。

さらにまた言うならば、動物の有機的諸力の比例関係全体が、理性にとってまだ好都合ではないのだ。動物の形成においては筋力と生命の感覚的刺激が支配的であり、それらはこの被造物の目的に従って個々の有機組織へと固有に配分され、それぞれの類の支配的本能を形作っている。そこに人間の直立姿勢という一本の木が立っていた。その諸力は、それらの花および花冠としての脳に、最も精緻で豊かな液体を与えるべく調和が保たれている。脈が一度打つごとに、人体中の血液の六分の一以上がもっぱら頭部へと押し上げられる。血液の主流はまっすぐ上昇し、穏やかに曲線を描き、次第に分岐するが、それは頭部のどんな遠くの部分でも血液の主流や支流から養分と熱を得られるようにするためなのだ。自然はあらゆる技巧を駆使して頭部の血管を強化するとともに、血液の流れる力を弱めて細分化し、血液を脳内に永く保ち、その仕事が終わると、頭部から血液を穏やかに導き戻すようにした。血液は何本かの幹から生れたが、それらはまだ心臓の近くで最初の運動のあらゆる力とともに活動している。そして幼い心臓の力全体は、生命の最初の時点からこの最も敏感で高貴な頭部を目ざして活動する。外部の四肢はまだ形が定まらないが、それは最初に頭部と人体内部だけが、できるだけ精緻に作られるようにするためなのだ。われわれが驚嘆の念とともに目を向けるのは、それらの部分の恐ろしいほどの過剰さだけでなく、これらの部分が胎児の個々の感覚器官において有する精緻な構造でもある。それはあたかも自然という偉大な技術者が、胎児をもっぱら脳と体内の運動力に向けて作り上げようとしているかのようである。そして最終的にこの技術者は外部の四肢をも内部の器官および表現として順次あとから持ってくる。このように、人間はすでに母胎の中で直立姿勢とこれに依存するすべてのものに向けて形成される。人間は動物の垂れ下がった胎内では決して孕まれない。人間には基盤の安定したいっそう精巧な形成の場が用意されている。そこには小さな眠れる者がすわり、血液は頭部へと押し寄せ、最後に頭部は自分の重さで傾斜する。要するに、人間は自分があるべきもの(そしてこれに向けてすべての部分は活動する)、すなわち、上に向かって伸びる木であり、その頂きは、**より精緻な観念形成**というきわめて美しい樹冠によって飾られている。

＊22　タイソン『ピグミーの解剖学的構造。モンキー[30]、サル、人間の解剖学的構造と比較して』(ロンドン、一七五一年、九二—九四頁)。

＊23　**カンパー[31]**『種々のオランウータンに関する短い報告』(アムステルダム、一七八〇年)。私がこの報告を知ったのは『**ゲッティンゲン学芸時報**』(付録二十九号、一七八〇年)の豊富な抜粋からであるが、私としてはこの報告が『紀要』所収のサルの言語器官に関する論考とともに、この高名な解剖学者の『小論文集』(ライプツィヒ、一七八一年)に収録されることを望みたい。

＊24　**タイソン**による前後から見た悲しむべき姿の図[32]を参照。

＊25　この骨の模写図は**ブルーメンバッハ**[33]の『人類の自然的変異について』表1、図2を参照。しかしすべてのサルがこの顎間骨を同じ程度に持っているとは思われない。というのも、**タイソン**はその解剖報告において、この骨が存在しなかった例を明示しているからだ。

＊26　**ブルーメンバッハ**の引用している**ドーバントン**の論文『人間と動物における大後頭孔の位置の差異について』(パリのアカデミー紀要、一七六四年)を私はまだ読んでいない。それゆえ、私には彼の考えの方向、あるいは彼が考えをどこまで展開しているのかが分からない。

私の意見は目前にある動物および人間の頭蓋から得たものである。

＊27　ハラーの大生理学(34)においてはこうしたものが多量に集められている。望ましいのは、ヴリスベルク教授がハラーの小生理学への注で引き合いに出している自分の豊富な経験に基づく情報を公表してくれることだ。なぜなら、ヴリスベルク教授の調査した脳の固有の重量は、先行する諸計算において使用されたものよりも精緻な尺度であることがただちに判明するだろうからである。

＊28　ブルーメンバッハ『人類の自然的変異について』三二頁。

二　頭部が人間の頭部の形に近い低次の被造物を、人間の頭部の有機組織から再び見た場合

われわれがここまで辿ってきた道が正しかったとすれば、自然は常に一様に作用を及ぼすので、低次の被造物にあっても同一の類比が、それらの頭部と四肢の構造全体との比例関係の中で明瞭に見られねばならない。そして実際この類比は誰の目にも明らかな形で存在している。植物が花という作品をこの被造物の技術の精華として産み出すべく活動しているのと同じように、生きた被造物における四肢の構造全体も、頭部をその精華として養い育てるために活動している。そこでわれわれは次のように言うべきだろう。すなわち、自然は被造物の順序に従って自己の有機体をすべて使用しながら、さらに多くの、かついっそう精緻な脳を作り、それによって被造物のために種々の感覚と観念を一つの、より自由な中心点に集中させる、と。自然は上昇すればするほど、それだけ多くの活動を行う。つまり自然は、できるだけ被造物の頭部に負担をかけずに、また感覚

に基づく生命活動をも妨げずに、それらの活動を行うのである。この上昇する有機組織上の感覚の連鎖のいくつかの環を、**その頭部の外形と方向**においても注意して見ることにしよう。

1　頭部が身体とまだ水平の位置にある動物においては、脳の形成が最小限にしか行われない。自然はこうした動物の刺激や本能を低いところに分散させた。蛆虫、植物動物、昆虫、魚、両棲類がこれに属する。これらの有機体の連鎖の最下位にあるいくつかの生きものにおいては、頭部がまだほとんど見られないが、それ以外のものにおいては頭部が目のように現れている。頭部は昆虫においては小さく、魚においてはまだ身体と一つである。両棲類においては、這って進む全身とまだほとんど水平の位置を保っている。頭部がこうした位置から脱して高く位置すればするほど、被造物はそれだけいっそう動物としての鈍感な状態から目覚める。そしてそれだけまた歯列も後退し、もはや水平な身体の突出した力全体には見えない。いわば全身が口や歯列であるサメか、あるいはひと呑みにしながら這って進むワニを、より精緻な有機体と比較するがよい。そうすれば数多くの実例から次の命題が導かれるだろう。すなわち、**動物の頭部と身体が分離されないで水平な直線であればあるほど、その動物にあっては高次の脳のための空間が、それだけこの動物の活動の目的であることが少なく、また突出して固定した口が、それ**

だけ活動の目的であることが多い、という命題が。

2　動物は完全なものになればなるほど、いわば地面からそれだけいっそう立ち上がる。足が長くなり、頸椎はその動物の構造の有機組織に従って構成され、頭部は全体に応じて**位置と方向**を定める。ここでもまたアルマジロや有袋動物、ハリネズミ、イエネズミ、クズリなどの低次の動物を高等動物と比較するがよい。前者では足が短く、頭部は両肩のあいだに埋もれ、口は長くて前方に突き出ている。後者では歩調と頭部が軽くなり、首は関節を増し、口は短くなる。当然これによって脳も高くて広い場所を得る。そこでわれわれは次の第二の命題を立てることができる。すなわち、**身体が立ち上がり、頭部が上に向かって骨格から分離しようと努めれば努めるほど、被造物の形成はそれだけ精緻なものとなる**、という命題を。ただしこれは第一の命題と同じく、個々の身体部分からではなく、動物全体の比例関係および構造から理解されねばならない。

3　頭部の位置が高くなると、顔の下部は細くなるか後退する。それにつれて頭部の方向はいっそう高貴なものとなり、顔面も理知的になる。オオカミとイヌ、ネコとライオン、サイとゾウ、ウマとカバを比較するがよい。これとは反対に、顔の下部が広く、粗野で、垂れ下がったものであればあるほど頭部に占める頭蓋の割合は小さく、顔の上部も顔面ではなくなる。これによって動物の種類一般が区別されるだけでなく、同一種類の動物も風土に従って区別される。北方の白クマと温暖な地方のクマを、あるいはさまざまな種類のイヌ、シカ、ノロジカを観察するがよい。要するに、動物がいわば顎の部分が少なく、頭の部分が多いほど、動物の形成はいっそう理性に近づいたものとなる。この見解をより明瞭なものとするためには、動物の骨格の最後の頸椎から頭頂部の最も高い点、前頭骨の最前部、上顎骨の最先端に線を引くがよい。そうすればさまざまな角度において、種や類に従って多様な差異が見られるだろう。しかし同時にまたこれらは元来どれも多かれ少なかれ水平歩行に由来し、この歩行に役立つものであることも明らかになろう。

私はこの点でカンパーがサルと人間の形成に関して、そして人間のなかでは種々の民族の形成に関して提示した精緻な比率に同意する。[*29] すなわち彼は一本の直線を耳の孔を通して鼻底まで引き、もう一本の直線を前頭骨の最も高く突出した部分から上顎骨の一番突出した部分まできわめて鮮明な側面図において引いている。彼はこの角度の中に動物の差異のみならず、民族の差異も見出されると述べ、自然がこの角度を利用したのは動物のすべての差異を定め、それらをいわば段階的に、美しい人間の中で最も美しい角度へと高めるためであると考えている。カンパーは言う。「鳥は最も小さい角度を描く。動物が人間の形態に近づくに従ってこの角度は大きくなる。サルの頭部では四二度から五〇度にまで達し、後者の角度は人間に類似している。黒人やカルムイク人[35]は七〇度、ヨーロッパ人は八〇度の角度を持ち、ギリシア人はその理想を九〇度から一〇〇度までに美化した。この線を超えるものは化け物となる。それゆえこの線が最高のものであり、そこに古代人は自分たちの頭部の美しさを持ってきた。」この所見はいかにも奇抜なものだが、それでも私はこの所見が自然に即した根拠にまで還元されうることを大変うれしく思う。その根拠とは、**水平および垂直な頭部の位置と形成に対する被造物の比例関係**であり、究極的には、この位置と形成に脳の幸運な状態はもちろん、顔のあらゆる部分の美しさと調和も左右される。それゆえ、**カンパー**の提示した比率を完全なものとすると同時に、彼の論拠をも証明しようとするならば、耳の代わりに最後の頸椎を一点として、そこから後頭部の最後の点、頭頂部の最も高い点、前頭骨の最前部、上顎骨の最先端に線を引きさえすればよい。そうすれば、頭部形成それ自体の変化だけでなく、その原因も明らかになる。その原因とは、すべては**水平および垂直な歩行に向けたこれらの部分の作りと方向**、すなわち、被造物の特性全体に左右されるということと、単純な形成原理に従って最大の多様性の中に単一性がもたらされるということである。

おお、われらの時代の第二の**ガレノス**[36]が人体に関するこの古代人の書物を次のような目的、すなわち、直立歩行における人間の形態の完全性を、特にすべての比例関係と作用に従って明らかにする目的で書き改めてくれないだろうか！　そしてこの第二のガレノスが人間を、それも最初に姿を現した人間を、その動物としての仕事と知性に関わる仕事において、人間に最も近い動物と常に比較しながら追跡するとともに、すべての身体部分相互のいっそう精緻な調和において、この芽吹く樹木全体を最終的にその頂点である脳に至るまで追跡し、さらには種々の比較を通じて、こうした頂点がどのようにしてこの地球だけで芽吹くことができたかを示してくれないだろうか。直立姿勢は地球のあらゆる生きものにとって最も美しく最も自然なものだ。木が上に向かって生長し、植物が上に向かって開花するのと同じように、ここでもまた推察されるべきは、どの高貴な被造物も、この生長、この姿勢を持つべきであって、四本足に支えられ長々と横になった骨格のように自らを引きずって進むべきではないということだろう。しかしこの高貴な被造物も、横になった状態で地面に押しつけられていたこれら最初の時期にあっては、なお動物としての諸力を完成させねばならず、人間の、つまり最も自由で最も完成された姿勢に到達できるまでには感覚や本能を訓練することを学ばねばならなかった。動物は次第にこの姿勢に近づく。地を這う蛆虫は頭部を塵（ちり）の中からできるだけ高く擡（もた）げ、海棲動物は背を丸めて岸へと這い寄る。誇り高いシカや高貴な駿馬は長い首をもって立ち、飼い馴らされた動物は、もう本能が弱められる。その魂は、あらかじめ存在する観念によって養われる。ちなみに動物はたしかにこれらの観念を把握はできないが、それらを信じて受け入れ、いわば盲目的に自らをそれらに慣らす。これは形成を続ける自然が、その目に見えない有機的世界の中で出す指示なのだ。そして動物として下を向くことを余儀なくされていた身体は上を向く。背という木はまっすぐ伸び、美しく花を咲かせる。胸は弓なりに張り、腰は締まり、首は上に伸びた。五感は美しく調えられ、いっそう明晰な意識へと、それどころかついには神による唯一の知力[37]へと集まり輝く。しかしこれらすべては何によって起こりえたのか？　それはおそらく有機的諸力が十分に行使されることによってである。まさにそのとき創造の権威ある言葉がこう語った。**被造物よ、地面から立ち上がるのだ！**

＊29　カンパー『小論文集』[38]第一部一五頁以下を参照。私としてはこの論文が完全なものとなり、またこれに添付された二枚の銅版画も知られるようになることを願っている。

三　人間はより精緻な感覚に向けて、すなわち技術と言語に向けて有機組織化されている

地面の近くでは人間の感覚はどれもみな狭い領域しか持たなかった。そして野生化した人間の実例が示すように、低次の感覚が高次の感覚を凌駕していた。動物においてと同じように、嗅覚と味覚がこれらの人間を導く案内者だった。——しかし地面や草から身を起こすと、もはや嗅覚ではなく、目の支配するところとなる。目はその周囲にいっそう広い領域を持ち、幼少時から線や色彩のきわめて精緻な幾何学の訓練を行う。前に突き出た頭蓋の下部に奥まって置かれた耳は、観念収集の内部の作業部屋へといっそう近く達している。これに対して動物の耳は物音を聞き取るべく上に向かって立っており、たいていの場合、その外形からして尖らせながら音に耳を傾けている。

直立歩行とともに人間は技術被造物になった。なぜなら、人間は自ら学ぶ最初にしてかつ最も困難な技術である直立歩行によってすべてを学び、いわば生きた技術となるよ

うに聖別されるからだ。動物を見るがよい！　それは幾分すでに人間と同じように指を持っている。ただそれらは一方では蹄、他方では鉤爪というように、他の形成物の中に取り込まれ、硬皮によって台無しにされている。人間は直立歩行に向けて形成されることによって、自由で技術に適した手を獲得した。これはきわめて精緻な仕事の道具で、新しい明晰な観念を絶えず手探りしながら求める道具である。エルヴェシウスは、手が人間にとって理性の大きな補助手段であったと言うかぎりにおいて正しい(39)。しかしそれはゾウにとってその長い鼻がすでに何ものかになっていることと同じではないのか？たしかに手のこの柔らかな触感は人間の全身に広がり、手のない人間にあっては手が行えない技術行為を足の指が行うことも稀でなかった。小さな親指や大きな足指は、その筋肉の構造からしてもきわめて特別に形成されている。これらは軽視された部分のように思われるが、人間にとっては立ったり歩いたり摑んだりするためだけでなく、技術活動を行う魂のあらゆる仕事のために最も必要とされる助手なのだ。

よく言われてきたのは、人間は無防備に創られ、何もできないことが人間を他の類の被造物と区別する特徴であるということだ。しかしそうではない。人間はあらゆる被造物と同じように、防御のための武器を持っている。サルですら棍棒を使い、砂や石で身を護るし、木によじ登って最も厭わしい敵であるヘビから逃れる。サルはまた建物の屋根を剝がし、人間を殺すこともある。ソンギの野生の少女[40]は棍棒で自分の同胞の頭を殴ったし、腕力で劣っている部分は、木によじ登ったり走ったりすることで補った。それゆえ、野生化した人間もその有機組織から見れば無防備ではない。これに対して、たとえ直立して洗練されていても、いったいどのような動物が技術という多様な道具を、それも人間がその腕、手、身体の柔軟さ、そのすべての力という形で所有している道具を持っているだろうか？　技術こそが最強の防御手段であり、人間は全体が技術であるとともに、余すところなく有機組織化された武器なのだ。ただ人間には攻撃のための鉤爪や歯牙がないだけのことだ。それは人間が平和を好む温和な被造物たるべきでこそあれ、人間を喰うことに向けて形成されていないからである。

技術感情[41]の何という深みがそれぞれの人間の感覚の中に潜んでいることか。これらの感情はたいていどこでもただ困窮、欠乏、病気、他の感覚の欠如、奇形もしくは偶然によってのみ発見されるが、この世界に対して開かれていない他のどのような感覚が人間の中にありうるのかも予感させてくれる。何人かの盲人が触覚、聴覚、計算する理性[42]、記憶力を、通常の感覚の人間には信じられないと思われる程度にまで高めることができるならば、それは多様性や精緻さの未発見の世界が人間の他の感覚の中にあるにもかかわらず、われわれがそれらの感覚を自己の十分に有機組織化された機構において発展させていないだけなのかもしれない。目と耳がそれだ！　人間はこれらを通じてどのような精緻なものへと到達し、またいっそう高次の状態においてきっとさらに精緻なものへと到達するのだろうか。というのも、バークリ(43)の言うように、光は神の言葉であり、それを人間の感覚は無数の形態や色彩においてひたすら一字一字読むだけだからである。また人間の耳が感受し、技術がもっぱら発展させる美しい響きは、魂が聴覚を通じて蒙昧な状態で行う最も精確な測量術なのだ。同じように魂はまた目を通じて、つまり光線が目の上で活動することによって最も精確な幾何学を実際に示してくれる。人間が自分の存在の中で一歩進んで、十分に有機組織化された自らの素晴らしい機構において種々の感覚や諸力でもって蒙昧な状態で行ったことを、それも動物がその有機組織に従ってすでに前もって行っているように見える明瞭な形で目にするならば、われわれの驚きは限りないものだろう。

しかし脳、感覚、手といったこれらの技術道具は、創造主がそれらすべての活動の原動力を与えてくれなかったならば、たとえ直立姿勢であっても、どれ一つとして活動しないままであったろう。その原動力とは、**言語能力という神々しい贈り物**(44)であった。まどろむ理性(45)はこの言語能力によってのみ覚醒される。あるいはむしろ何も身につけていない能力は、それ自身によっては永遠に生命を持たないままだろうが、言語能力を通じて生きた力と活動になる。目と耳、それどころかすべての感覚器官の感覚はもっぱら言語能力を通じてのみ一つになり、そして創造する思考に向けて言語能力を通じて一体化される[46]。そしてそこでは手や他の身体部分の技術活動は、この創造する思考に従うのみである。生れつきの聾唖者の実例が示しているのは、人間は言語を持たなければ、たとえ人間のまっただ中にいても、理性の諸観念へと到達することがいかに少ないかということと、人間の本能がどれもいかに動物としての野生状態にとどまっているかということである。人間は、自分の目に映ることは善いことでも悪いことでも模倣する。しかもそれはサルよりもたちが悪い。というのは、人間には区別の内的基準はもちろん、自分の種属に対する共感すら欠けているからだ。生れつきの聾唖者が自分の同胞を殺したという実例がある[*30]。なぜならその聾唖者は、自分の同胞がブタを殺すのを見たからだ。その聾唖者は、ただ模倣ということのためだけに自分の同胞の臓腑を冷ややかな喜びをもって引っ掻き回した。称賛されている人間理性や、人間であるという感情が**それ自身だけでは**いかに無力なものかということのこれは恐ろしい証拠である。それゆえわれわれは精緻な言語器官を、人間の理性を導く方向舵と、そして言語能力を、人間の感覚や観念に徐々に火をつける天の火花と見なせるし、またそう見なさねばならない。

　動物にあっては言語能力に向けた予備作業が見られ、自然はここでもまた下から上に向かって仕事を行い、この技術を最終的に人間の中で完成させた。呼吸活動のためには骨と靭帯と筋肉を含む胸部全体、横隔膜、下腹部、頸部、首、上腕が必要とされる。そこで自然はこの大きな仕事のために脊椎という支柱全体を、これに付随する靭帯、肋骨、筋肉、血管とともに造った。自然はまた胸の諸部分に、呼吸活動に必要な堅牢さと可動性を与え、低次の被造物からいよいよ進んで、より完成度の高い肺と気管を形成した。生れたばかりの動物は、むさぼるように最初の息を吸い込む。実にその動物は、息を吸い込むことがまるで期待できないかのように最初の息をあえぎ求める。驚くほど多くの部分がこの活動のために造られている。なぜなら、身体のほとんどすべての部分が、その活動に適した成長のために空気を必要とするからだ。しかし、たとえあらゆるものが神のこの生きた息吹をどれほどあえぎ求めるにしても、すべての被造物が声と言語を持っているわけではない。これらは結局のところ、いくつかの小さな器官、気管の上端、数個の軟骨と筋肉、そして最後に舌という単純な部分を通じて発せられる。すべての素晴らしい神的な観念や言葉を担う万能の技術者である自然は、この舌というきわめて単純な形態で現れ、わずかの空気でもって狭い裂け目を通して人間の観念の全領域を活動させたのみならず、人間が地球上で行ってきたあらゆることに方向を与えた。自然の階梯を、すなわち、無声の魚、蛆虫、昆虫から始めて、被造物を次第に響きや声へと高めながら促進させる自然の階梯を観察するのは何と素晴らしいことか。鳥は歌うことを自分の最も技術的な仕事としてだけでなく、創造主によって授けられた最も優れた長所としても享受している。声を有する動物はいろんな欲求を感じ、存在内部の状態が、喜びにつけ苦しみにつけ、外部に出ようと欲した瞬間に声の助けを呼び求める。動物が身振りをすることはほとんどないが、ただ、生きた音声を持たない動物だけは合図によって話す。若干の動物の舌は、意味が理解できなくても人間の言葉を真似て話せるようにすでに造られている。動物の外部の有機組織化は、とりわけその動物が人間によって飼育されていると、内部の能力にいわば先行する。しかしここで門戸は閉ざされ、どれほど人間に類似したサルにも言語能力は、自然がサルの気管に添えた側袋によってほとんど意図的かつ有無を言わせず拒絶されている。*31

人間の言語能力の父はなぜこうしたことを行ったのか？　すべてを模倣するサルという被造物に、なぜ父はまさに人間であることのこの試金石を模倣させようとしなかったのか？　それればかりか、なぜこの被造物自身に起因する障害によって言語能力への道を容赦なく閉ざしたのか？　精神病患者たちの収容されているところに行き、彼らのおしゃべりを聞くがよい。何人もの奇形で生れてきた者や、きわめて無知な者たちの話すことに耳を傾けるがよい。そうすれば自ずと原因も明らかになろう。これらの者たちの言語、すなわち神聖さを奪われた形で贈られた人間の発する言葉は、どれほどわれわれを悲しませることか！　しかし好色で粗野で残虐なサルが人間の言葉を明らかにまた生半可な人間理性でもって模倣できるとするならば、人間の言語能力はこのサルの口の中でその神聖さをいっそう奪われることになろう。それは人間の声に似た響きと猿知恵のおぞましいばかりの合成物だ。――いや、人間の素晴らしい言語能力は断じてそこまで貶められてはならなかった。だからこそサルは自分で口がきけなくなった。それも他のどんな動物にもまして口がきけなくなったのだ。なぜならサル以外の動物は、カエルやトカゲに至るまでどれもが自分固有の音を持っているのだから。

しかし自然は人間を音ではなく言語に向けて造った。しかも人間は言語に向けて直立しており、上に伸びようとする一本の支柱に沿ってその胸部も弓なりに盛り上がっている。動物の仲間入りをした人間は、話すこと自体ができなくなったのみならず、一部はまた話すための能力も失った。これらの者の喉が奇形になったというのがその明らかな徴候である。すなわち直立歩行でなければ真の人間の言語は生じないということだ。なぜなら、若干の動物は人間に類似した言語器官を持ってはいるが、それでもどの動物として、たとえ模倣においても人間の隆起した幅広い胸部から、また小さめの巧妙に閉じた口からのように、**途切れることなく**流れる言葉の潮流を産み出す能力を持っていないからだ。これに対して人間は動物の出すあらゆる音や響きを模倣できる。つまりモンボド卿も言うように[47]、人間は地球の被造物におけるモノマネドリなのだ[48]。それだけでなく、或る神が人間に次のような技術、すなわち観念を音声の中に刻み込み、形態を音によって表し、その口から出る言葉によって地上を支配する技術をも教え込んだ[49]。こうして言語から人間の理性と文化が始まった。なぜなら、言語を通じてのみ人間は自分自身をも支配するとともに、自己の有機組織を通じてのみ獲得できた熟考と選択という行為をも意のままにできるからだ。これより高次の被造物というのは、目を通じて理性が覚醒される存在であるかもしれないし、またそうであるにちがいない。というのも、こうした被造物にとって観念を形成し、それらを区別しながら固定させるためには、目に見える徴表だけで十分だからだ。ところが地上の人間は、なおも耳の教え子であり、耳を通じて初めて光の言語[50]を次第に理解することを学ぶ。人間は事物の区別を、目と異なるものの助けを借りて初めて自らの魂の中に呼び込まねばならない。なぜなら人間は、おそらく最初は息を切らしながら、それから音声化し歌えるようにしながら、自分の観念を伝達することを学んだからだ。それゆえ、東方の人々が動物を地上の沈黙者と呼んだのは言い得て妙である。人間は、話すということに向けて有機組織化されることによってのみ次のものを、すなわち神性[51]の息吹、理性と絶えざる完成化への種子、地上の支配に向けられた、かの創造する声の反響[52]を、要するにすべての技術の母ともいうべき神々しい観念技術[53]を授かったのだ。

＊30　私はザック[54]の『キリスト教徒の守られた信仰』の中でこうした例が語られていたのを見つけたように記憶しているが、若干のこれと似た例を他の著作からも思い出すことができる。

＊31　カンパー『サルの言語器官に関する論考[55]』哲学紀要、一七七九年、第一巻を参照。

四　人間はより精緻な本能、すなわち自由に向けて有機組織化されている

何度も繰り返し言われるのは、人間には本能がなく、本能なしに存在するのが人類の特徴であるということだ。しかし人間には周囲の地上動物が有するすべての本能が備わっている。ただ人間はそれらすべてを自己の有機組織に従って、より精緻な関係に向けて緩和した。

母胎内の子は地上被造物に起こりうる状態を順次すべて経験しなければならないように見える[56]。胎児は水中に浮かび、口を開いて横たわっている。胎児の顎は、これをようやく後に形成される唇が覆うことのできないうちは、大きなままである。胎児は生れるとすぐに空気をあえぎ求める。乳を吸うことは、胎児が学ばずに行う最初の仕事だ。消化と栄養摂取、あるいは腹がすき、喉が渇くといった活動全体は本能に従って、もしくはなお蒙昧とした本能によってさらに続けられる。筋力と生殖力はまさにこうして発達

しようと努める。それゆえ、人間が精神に異常をきたすのは、情念か病気によってでしかありえない。かくして人間にあっては動物としての本能がすべて見られる。困窮と危険は人間において、いや動物のように生きるあらゆる民族において、動物としての器用さ、感覚、諸力を発達させる。

このように人間にとって本能は、奪われているというよりむしろ**抑制され**、神経や精緻な感覚の支配下に**配列されている**。実際まだ大部分が動物であるこの人間という被造物は、本能なしにはまったく生きていけないだろう。

それでは本能はどのようにして抑制されるのか？　どのようにして自然は本能を神経の支配下に置くのか？　その経路を幼児期から考察することにしよう。この経路は、時にきわめて愚かにも人間の弱さとして悲嘆の種とされていたものをまったく別の側面から示してくれる。

人間の子は、どんな動物の子よりも弱い状態で生れる。それは明らかに人間の子が、母胎内では完成されえない比例関係に向けて形成されているからだ。四足動物は母胎内で四足という形態をとったし、頭部も最初はたしかに人間と同じように不均衡であるが、最終的には十全な比例関係を獲得した。あるいは多くの神経を有する動物は、子を弱い状態で産んでも、諸力の比例関係は数週間か数日で完全に補われる。人間だけが永いあいだ弱い状態でいる。なぜなら、人間の四肢の構造は、こう言ってよければ、**頭部に準じて作り上げられた**からだ。すなわち、人間の頭部は母胎内でまず過度に大きく完成され、そのまま生れ出る。他の身体部分は、成長のために地上の食物と空気と運動を必要とすることもあって、長いあいだ頭部に追いつかないでいるが、それでも幼児期と少年期の全体を通じて頭部と同じくらいに成長し、逆に頭部はこれに比べるとさほど成長しない。それゆえこの弱い子は、いわば上級の諸力が使えない病弱者である(57)。しかし自然はこれらの力を絶え間なく形成し、最も早い段階からそれらを発達させる。こうして人間の子は歩くことを学ぶまえに、見ること、聴くこと、摑むことを学び、そしてこれらの感覚のきわめて精緻な機構と測量術に習熟することを学ぶ。人間の子はこれらのものに、動物のように本能に即してではあるが、ただいくらか精密に習熟する。とはいえ、それは種々の生来の技能や技術によってではない。なぜなら、動物の技術能力はどれもみな粗雑な刺激の所産だからだ。人間は、これらの刺激が幼児期から支配的であれば動物のままであろうし、また学びもしないうちに何でもできるのであれば、人間としてのことはまったく学ばないということになろう。それゆえ人間には理性が本能として生来備わらねばならなかったか、あるいは**理性を習得する**ために弱い状態で生れねばならなかったかのどちらかであった。

人間は幼児期から理性を習得するとともに、歩行という技術に向けてと同じように、理性と自由と人間言語に向けて、技術を通じて形成される。乳児は母の胸、それも心臓の上方に置かれる。母体の果実は母の両腕によって育てられる。乳児の最も精緻な感覚器官である目と耳が最初に覚醒し、物の形態と音によって導かれる。これらの器官がうまく導かれれば乳児は幸いである。次第に視覚が発達し、周囲の人の目を追いかける。同じように耳は人間の言葉を追いかけ、それらの助けを借りて、乳児は最初の観念を区別することを学ぶ。そしてまた乳児の手は次第に摑むことを学ぶ。こうしてようやく乳児の四肢はそれぞれの訓練に努める。乳児はまず目と耳という二つの最も精緻な感覚器官の弟子であった。なぜなら、乳児が習得すべき技術としての本能は**理性**、**フマニテート**[58]、**人間としての生活様式**であり、これらはいかなる動物も持っていないし、学ぶこともしない。どれほど飼い馴らされた動物も、人間から若干のものは受け入れるが、それはただ動物としてであって、これらの動物が人間になることはない。

以上のことから、人間の理性[59]とは何であるかが明らかになる。理性という名称は近年の書物の中で、生得の自動装置としてきわめて頻繁に用いられるが、こうした用法は誤解しか与えない。理論上も実践上も理性とは何か**知覚されたもの**[60]、すなわち、観念と諸力の習得された調和と方向にほかならず、これに向けて人間は自己の有機組織と生活様式に従って形成された。天使の理性をわれわれは知らない。それは人間が自分より低次の被造物の内面状態を知らないのと同じことである。人間の理性は**人間のもの**なのだ。幼児期から人間は自らのとりわけ精緻な感覚器官のもたらす観念と印象を比較するが、その作業はこれらの器官が人間に観念と印象を与える際の精密さと真実さ、人間が受け取る数、それに人間が観念と印象を結びつけることを習得する際の内部の弾性[61]に従って行われる。ここから生れた**一つの**ものが人間の観念である。そしてこれらの観念と感受が真と偽、善と悪、幸福と不幸を判断するために多種多様に結合されたものが人間の理性である。つまりそれは、人間としての生活を形成する継続的な産物である。したがって、理性とは人間に生れついたものではなく、人間が獲得したものなのだ。人間が得た印象、従った模範、これら多種多様な印象を自己の最も内奥の調和に向けて結びつけるのに用いた内的な力と活動力。これらのものがどのようなものであったかによって、人間の理性も人間の身体と同じように、豊かにも貧しくも、病気にも健康にも、奇形にも発育十全にもなっている。もし自然がわれわれの感覚によるさまざまな感受によってわれわれを欺くならば、われわれは自然に従って欺かれざるをえないだろう。そして非常に多くの人間が一様な感覚を持っていれば、それだけ多くの人間が同様に欺かれるだろう。そしてもし人間が自分を欺き、しかもまた次のような器官と力を、すなわち、こうした欺きを見抜いて、印象をよりよい比例関係に向けて集めるための器官と力を人間が持っていなければ、人間の理性は歪んだものに、それも生涯全体にわたって歪んだものになる。まさに人間はすべてを習得しなければならない。それどころか直立歩行のように、すべてを習得することが、人間の本能であり天分なのだから、人間は転ぶことによってのみ歩くことを学び、迷うことによってのみ真理に到達することも稀ではない。しかし動物は四本の足での方がより確実に歩ける。なぜなら、感覚や本能のいっそう強く刻まれた比例関係が動物を導くからである。頭部の位置が高い人間は、直立して周囲を遠く見渡すという王者の特権を持っている。しかしその一方で、明らかにまたこの特権ゆえに多くのことを無自覚なまま見誤り、さらには自分の歩みをしばしば忘れ、躓(つまず)いて初めて次のことを、すなわち、理解や判断を行う頭部と心臓の構造全体が、何と狭小な土台の上に据えられているかを思い出す。それでもやはり人間はその高い**知性という使命**に従って、他の地上被造物とは異なるもの、つまり神々の息子にして地上の王であり、またそうあり続ける。

　この使命の尊厳を感じとるために、ゆっくり考えてみたいのは、**理性**と**自由**という偉大な賜物の内容は何かということと、人間のような非常に弱くて多様に混ざり合った地球有機体にこの賜物を委ねた自然が、いわばどれほどの冒険をしたのかということだ。

動物は、なるほど若干の高等なものは頭をもたげ、少なくとも首を前方に突き出して自由を切望するが、けっきょくは身をかがめた奴隷にすぎない。動物の魂はまだ理性にまで成熟していないため、必要を満たすだけの本能に仕え、それによって初めて感覚や性向を自分なりに使用する準備を遠くからしなければならない。これに対して人間は、被造物の中で最初に**自由の身となった者**[62]であり、しかも真直ぐに立っている[63]。善と悪、真と偽の秤は自分の中にある。人間は探究することができる一方で、選択しなければならない。自然が人間に二本の自由な手を道具として与え、歩行を導くための見渡す目を与えたのと同じように、人間もただ分銅を載せるだけでなく、秤の上でいわば力を、すなわち、**自らが分銅である**力を内に秘めている。人間は、どんなに人を惑わす誤りに対しても体裁を繕うことができるし、自らの意志で騙された者にもなれる。人間はその本性に逆らって、自らを束縛する鎖をも、時とともに愛するようにもなれるし、これを花で飾ることもできる。欺かれた理性[64]がこのように扱われるのと同じように、濫用され束縛された自由も、このように扱われている。自由は、快適さと慣習のどちらかが、これを確立してきたのと同じように、大多数の人間にあっては諸力と本能の比例関係である。人間は快適さや慣習を超えるものに目を向けることが稀であるため、低次の本能に束縛され、嫌悪すべき慣習に囚われると、しばしば動物よりも邪悪になりうる。

だがそれでも人間は、その自由に従う場合も、これをどれほどひどく濫用する場合も、やはり王者なのだ。人間は、たとえ最悪のものを選ぶにせよ、それでも選択することが許されている。人間は、たとえ自らの選択で自己を最も卑しい者と定めるにせよ、自己を意のままにできる。ただ、これらの力を人間の中に入れた全見者(65)の前では、言うまでもなく人間の理性と自由は、ともに限られたものである。しかしこれは幸福なことなのだ。なぜならその源泉を創った者は、そこから流出するものをことごとく知り、予見し、かつ、どれほど奔逸する小川も自分の手から決して逃れることのないよう導く術を心得ているにちがいなかったからだ。しかし、だからといって、こうした事実自体と人間の本性は、これによって何ら変えられることはない。すべてを抱擁する善意者(66)は、人間をその愚行においても抱擁し、この愚行をも、その人間にとっての最善にだけでなく、全体にとっての最善にも向けるが、それでも人間自身は自由な被造物であり、またそうあり続ける。銃口から発射された弾丸が大気圏から逃れられず、しかもそれが落ちて戻ってくるときも同一の自然法則に従って運動するのと同じように、人間は誤りにおいても真理においても、転ぶときも起き上がるときも人間なのだ。それはたしかに弱い子ではあるが、何といっても自由な者として生れてきた(67)。今はまだ理性的でなくとも、よりよい理性を持つ能力はある。今はまだフマニテートに向けて形成されていなくとも、それでもこれに向けて形成可能である。ニュージーランドの人喰い人間も、フェヌロンも、ペシュレと呼ばれるフエゴ島の原住民も、ニュートンも、同一の類の被造物なのだ。(68)

さて、われわれの地球上では、地球に可能なすべての差異が、これら理性と自由という賜物の使用においても生じるべきであるように思われる。しかもそこでは動物に最も近接した人間から、人の形をした最も純粋なゲーニウスに至る階梯が見られる。(69) しかしこれについても驚く必要はない。というのは、動物の大きな段階系列が人間自身のあいだにも見られるし、自然もまた、理性と自由という芽を吹く小さな花を、人間の中で有機組織化しながら準備するために遠大な道を歩まねばならなかったからだ。この地球上では、およそ可能なすべてのものが存在しなければならなかったように見える。それゆえわれわれも一歩進んで、かくも多種多様なものが、自然というこの壮大な庭で何を目的として芽吹かざるをえなかったかを概観しさえすれば、この豊かな充溢の秩序と叡智を十分に明らかにできよう。そこでたいてい目にするのは、必然的欲求という法則(70)だけが支配していることだ。なぜなら地球全体は、たとえどんなに荒涼とした辺鄙な土地でも居住されるべきだったからだ。そして大地をかくも広げた者だけが、なぜフエゴ島の原住民やニュージーランドの原住民をこの世界に許容したかという原因を知っている。しかしどれほどひどく人類を軽蔑する者にとっても、理性と自由が、かくも多くの野生の蔓草の中にあってさえ、地球の子たちのあいだで勢いよく芽吹き、高貴な植物として天の太陽の光のもとで美しい実を結んだことは否定できない。もっともこれとて次のことを、すなわち、創造し保持する神性を追い求めて人間の知性が敢えてどれほど高いところまで飛翔したかということと、さらには、人間の知性が自らに秩序を課しながら、どれほどこの神性に従おうと努めてきたかということを歴史が語ってくれなければ、ほとんど信じられないだろう。感覚は人間に存在物の混沌を示すが、その中に人間は統一と知性、秩序ならびに美の法則を探し求めて見出してきた。内部からは人間にまったく知られないどんなに隠れた諸力でも、外部として現れるそれらの歩みに人間は耳をすまし、それらの運動、数、分量、生命、それに存在までも追跡しながら、これらの諸力が天上や地上で活動する様子をひたすら目にしてきた。これらに関する人間のあらゆる試みは、たとえ人間が誤り、夢想しかできなかった場合でも、人間の威厳の、つまり神にも似た力と高貴さの証拠なのだ。万物を創造した存在は、実際にその光の一筋と、自らに最も固有の諸力の刻印をわれわれ人間の弱い有機組織の中に入れた。それゆえ人間は、どれほど卑しくとも、自分にこう言えるのだ。「私は神と共通するものを持っている。私には種々の能力が備わっている。しかもそれらは、活動という形で私が知っている最も崇高な者である神も有している能力である。なぜなら神は、それらの能力を私の周囲で開示したからだ」と。明らかに神自身との類似性[71]こそが、神による地球創造全体の総和であった。神はこの地球という舞台では、それ以上に高次のものへは進めなかった。しかし神はまた、この総和までは上昇し、自己の有機体の系列を、この最高地点まで引き上げることをやめなかった。それゆえこの地点に至る神の歩みも、有機体の形態がきわめて多様であるにもかかわらず、このように一様なものとなったのだ。

同様に自由もまた次の事柄、すなわち人間という形成物の中で高貴な実を結び、人間が自由を積極的に行使した事柄においてだけでなく、自由を軽視した事柄においても十分に面目を施してきた。そして次のすべてのこと、つまり人間が盲目の本能の落ち着きのない誘惑に打ち勝ち、進んで婚姻の契りや友情と協力と忠誠の契りを生死にかけて結んできたこと。人間が自分の欲望を抑え、掟に自らを統治させようとしてきたこと。それによって人間による人間の統治という常に不完全な試みを確固たるものとし、それを自らの血と生命によって守ってきたこと。気高い男子たちが、祖国に身を捧げ、激烈な瞬間にも生命を提供したのみならず、さらに気高いことには、生涯の長い日夜とあらゆる年月および年齢を通じてのすべてのたゆみない努力も、少なくとも本人の言うには、盲目で恩知らずな大衆に幸福と平安を与えるためには何でもないものと思ったこと。そして最後に、神に満たされた賢者たちが、より高貴な欲求から人類の真理、自由、幸福のために屈辱や迫害、貧困や窮乏を進んで受け入れてきたことと、自分の持ちうる最も高貴な財産を同胞たちに与えるか、もしくは持つように促すという考えを堅持してきたこと。もしこれらすべてのことが、人間の偉大な美徳でもなく、またわれわれのうちにある**自己使命**の最も力に満ちた努力でもないとすれば、私には何が美徳であり、努力なのかがまったく分からない。なるほど、この点で大衆に先んじて、大衆がまだ自分で選べなかったものを大衆のために、医者のように無理をしてでも与えた者はいつも少数だった。しかし、これら少数の者こそが人類の精華であり、地上における神々の、不死で自由な息子たちだったのだ。その個々の名は幾百万の名にもまして重みを持っている。

五　人間はきわめて繊細な健康に向けて、しかし同時にきわめて強い持続に向けて、すなわち全地球上に分布するように有機組織化されている

直立歩行によって人間はいかなる動物も獲得できなかった繊細さ、熱、強さを手に入れた。野生の状態であれば人間は大部分が、特に背中が毛で覆われているだろう。まさに人間から引き剝がされたこの毛こそが、大プリニウスをして自然に対してかくも嘆き訴えさせた(72)覆いなのだ。しかし慈悲深い母は、人間にこれより美しい外皮を授けた。それは人間の柔らかいが非常にしっかりとした皮膚であり、それはこの被造物にとっての第二の自然である技術がいくらか手助けすれば、四季の災害やあらゆる風土の変化にも耐えうるものである。

人間をこうしたものへと導いたのは、むき出しになることへの抵抗だけではなく、何かいっそう人間的で美しいもの、すなわち優美な羞恥心であった。何人かの哲学者(73)がた

とえどう言おうとも、羞恥心は人間にとって自然なものであるばかりか、不鮮明ながらこれと類比的なものは、若干の類の動物にとっても自然なものだ。実際に雌ザルは恥部を隠し、ゾウは交尾のために誰もいない暗い森を探す[74]。とはいえ、われわれはこの地球上で次のような民族ほど動物に近い民族をまだほとんど知らない[*32]。これらの民族は、とりわけ女性にあって本能が目覚める年頃から恥部を覆うことを好まず、特にまたこうした部分の敏感な精緻さや他の状況も覆いを必要としない。しかし人間は、他の身体部分を自然力の猛威や昆虫の一刺しに対して衣服や軟膏によって保護しようとする以前に、最も敏活で必要不可欠な本能の一種である官能に即した配置によって、恥部を隠すように導かれた。すべての高等動物において、雌は求められることを欲するものの、自分からは声をかけない。それによって雌はそれと知らずに自然の意図を遂行する。人間にあっては、繊細な女性は優美な羞恥心の賢明な守護者であるが、この羞恥心は直立の形態では、すぐにも発達せざるをえなかった。――

かくして人間は衣服を身につけるようになり、これと他のいくつかの技術を手にするやいなや、地球のどんな風土にも耐え、それを自分のものとすることができた。人間の後についてどのような土地にでも行けたのはわずかの動物、それもほとんどイヌだけだった。しかしその形態はどれほど変化し、生来の気質もどれほど変わったことか！　人間だけがほとんど変わらず、しかも本質的部分においてはまったく変わらなかった。動物の中に迷い込んだ同胞の変わりようを目にするにつけ、われわれは人間の本性がいかに完全かつ一様に保持されてきたかということに驚くばかりだ。人間の繊細な本性は、かくも確固と定められ、完全に有機組織化されている。こうして人間は最高の段階に立っている。また人間にあっては変種もほとんど見出されえなかったし、見つかったとしてもそれは奇形とさえ呼べないようなものだった。

さて、どうしてこうなったのか？　この場合もまた人間の直立の形態によってであり、それ以外の何によってでもない。もし人間がクマやサルのように両手両足で歩けば、（次の卑俗な言葉を使ってよいなら）いくつかの人種[75]の獲得する祖国はいっそう限られ、決してそこを離れることはないだろう。人クマ[76]は自分の寒冷な祖国を、人サルは自分の温暖な祖国を好むだろう。これと同じようにわれわれは、或る民族が動物に近ければ近いほど、その民族は身体と魂の絆でもって、いっそう自分の土地や風土に結びつけられていることに気づく。

自然は人間を立ち上がらせたとき、これを地球の支配者へと引き上げた。人間の直立の形態は、その精緻に有機組織化された構造とともに、いっそう巧緻な血液循環、生命液の多様な混合、それゆえまた緊密に確固と調整された生命熱を授けた。そしてこの熱によって人間だけがシベリアやアフリカの居住民たることが可能になった。その直立で巧緻で有機的な構造によってのみ、人間は他の地球被造物が包容しえない暑さや寒さに耐え、しかもその影響を最少にしか身に受けないで済ませることができた。

ところがこの精緻な構造とそこから生じるすべてのことに伴って、明らかにまた一連の病気にも門戸が開かれた[77]。これらは動物の知らないもので、モスカティが雄弁に列挙しているものである[78] *33。血液は直立の機構の中で循環を行い、心臓は斜めに傾いた位置に押し込められ、臓腑は立った容器の中で仕事を行う。それゆえこれらの部分は、動物の身体においてよりも明らかに崩壊という危険にずっと多くさらされる。とりわけ女性は、そのいっそうの精緻さのために、より大きな犠牲を払わざるをえないように見える。——しかしこの点でも自然の慈悲は幾重にもそれを補い、緩和してくれる。なぜなら、人間の健康と幸福、それに人間という存在のあらゆる感受と刺激は、ずっと精神的で繊細なものだからである。いかなる動物も人間の健康と喜びを一瞬たりとも享受しないし、人間が飲む不老長寿の美酒ネクタルも一滴として味わわない。そればかりか身体だけを見ても、動物はなるほどその構造が大ざっぱである分だけ病気も数こそ少ないが、それだけ長期に及び頑固である。動物の細胞組織、神経周膜、動脈、骨、それに脳までもが人間のものより硬い。したがってまた人間の周囲のあらゆる陸棲動物は(おそらく寿命の点でわれわれに近い唯一の動物であるゾウを別にすれば）人間より短命であり、自然の死、つまり硬化による老衰によってずっと早い死を遂げる。こうして自然は人間を、地球という有機体が持ちえた最長にしてかつ最も健康で喜びの多い生へと定めた。多様な人間本性ほど、多様かつ容易に自力で困難を切り抜けるものはない。ただ、動物にはありえない狂気や悪徳といったあらゆる逸脱が人間に必要とされたのは、いくつもの状態における人間の機構を、必要な程度において弱めたり損ねたりするためである。慈悲深くも自然は、どの風土にもそこでの病気に役立つ薬草を与えておいた。それゆえ、あらゆる風土が渾然と入り混じりさえしなければ、ヨーロッパは悪病の汚い水溜りにならずに済んだのだ。このような水溜りは、自然に順応して生きている民族にはまったく見出されないのだから。しかし自ら手にしたこれらの悪病に対しても、自然はわれわれに自ずと獲得された善いものを与えてくれた。それは人間が得るに値した唯一のもの、すなわち**医者**である。ただしこの医者は、自然に従うときは自然の手伝いをするが、自然に従うことが許されないとか、従えないときは、病人を少なくとも医学の知識に即して埋葬する。

おお、素晴らしい家政を司る母の何と見事な配慮と叡智が人間の年齢と寿命をも定めたことか！　地球の生きもので、すぐにも自己を完成させねばならないものは、どれもまたすぐに成長する。それらは成熟も早く、すみやかに生の目的に達する。天の樹木のように真直ぐに植えられた人間は、ゆっくりと成長する。人間はゾウのように母胎の中に最も長くいる。人間の青少年期は長く続き、それはどの動物とも比較にならないほどの長さである。すなわち、学び、成長し、自己の生を楽しみ、それを最も純粋に享受するための幸福な時期を、自然は延ばせるだけ長く延ばした。多数の動物はわずか数年か数日のうちに、それどころか、ほとんどもう生れた瞬間に完全に形成されている。しかしこれらの動物はその分だけ不完全であり、それだけ早く死んでしまう。人間は最も長く学ばねばならない。なぜなら、人間にあってはすべてのことが自ら獲得した技能と理性と技術に依存しているために、学ぶべきことが最も多いからだ。その後たとえ言い表せないほど多くの偶然や危険によって生命が短縮されても、それでも人間は何の苦労もない長い青少年期を享受した。しかもそこでは身体や精神とならんで周囲の世界も大きくなり、ゆっくりと上に向かい、絶えず広がる視界とともに希望の範囲もまた拡大された。そして若々しく高貴な心臓は、何にでもすぐに飛びつく好奇心と性急な熱狂のうちに、あらゆる偉大なもの、善いもの、美しいものに対していっそう激しく鼓動した。性欲の開花期は、健康で落ち着いた人間にあっては、他のどんな動物よりも遅くやってくる。なぜなら、人間は長く生きなければならず、自己の魂と身体の諸力の最も高貴な体液をあまりに早く浪費してはならないからである。昆虫は早くから情愛に仕えるので死ぬのも早い。貞潔で雌雄一対で生きるすべての動物の類は、結婚しないで生きる動物の類よりも長生きする。情欲に駆られた雄鶏はすぐに死ぬが、貞節なモリバト[79]は五〇年も生きられる。この地上における自然の寵児である人間にはそれゆえまた結婚が定められているのだ。人間は生涯の最初の最も清新な時期を、純真さの包み込まれた蕾として自分自身のために生きなければならない。これに続いて成年特有のきわめて快活な諸力の長い時期がやってくる。そのあいだに人間の理性は成熟し、それは人間にあって生殖力とともに、動物には見られない高齢に至るまで色褪せないでいる。しかしついには穏やかな死が訪れ、土に還りゆく肉体のみならず、その中に包み込まれた精神をも、これら自身にとって異質であった結合から解放する。こうして自然は人間の身体という壊れやすい小屋に対して、地球の一つの形成物が受けうるあらゆる技術を駆使した。そして人間の生命を短くし弱めるものにおいてさえも、自然は少なくとも短い享受にはそれだけ強く感受される享受をもって、また消耗させる力にはそれだけ緊密に感じられる力をもって報いた。

＊32　私の知っている全裸の民族は二つだけだが、それらは動物のような野生状態で生活して

いる。一つは南アメリカの最先端にいるペシュレであり、これは他の民族の末端に位置させられたものである。もう一つはアラカンとペグ[80]に住む未開民族である。ただこれは最新の旅行記(マッキントッシュ[81]の『旅行記』第一部、三四一頁、ロンドン、一七八二年)で確認されているのを発見したが、私にはまだこの地方での謎の一つである。

＊33 『動物と人間の身体の本質的相違について』(ゲッティンゲン、一七七一年)二四―四六頁。

六　フマニテートと宗教に向けて人間は形成されている

私はフマニテートという言葉の中に、これまで私が述べてきたこと、すなわち理性と自由、精緻な感覚と本能、きわめて繊細にして力強い健康、地球上の充溢と支配に向けられた人間の高貴な形成についてのすべてを包括できればよいと思う。事実また人間は自分の使命のために人間という言葉ほど高貴な言葉を持っていない。なぜなら、人間の中には地球の創造主の形姿が、この地上で目に見えるものとなりえた形で刻印されて生きているからである。だから人間の最も高貴な本分を詳述するためには、その形態を描きさえすればよいのだ。

1　生きものの本能は、どれも自分自身の保持と、分有あるいは他の生きものに対する分与[82]に還元できる。有機体としての人間の構造は、より高次の指導が加われば、これらの性向にきわめて精選された秩序を与える。直線が最も安定した線であるのと同じように、人間もまた自己を保護するために、外面から見るときわめて小さい範囲しか持っていないが、内面から見るときわめて多様な弾性を持っている。人間は非常に小さな基盤の上に立っているので、いとも容易に身体部分をかばうことができる。人間の重心は、地球被造物の有する最も自在で強い腰部にあり、人間ほど腰部において活発な力強さを示す動物はいない。人間の扁平だが強靭な胸部と、この部位についている両腕という道具は、心臓を護るとともに、頭部から膝に至るまで生命の最も高貴な部分を保護するために、上方からきわめて広い防御範囲を人間に与えている。人間がライオンと闘って、これを打ち負かしたというのも決して作り話ではない。アフリカ人は慎重さと策略と力を結びつけて、一人で一頭以上を相手にする。とはいえ、人間の体格が攻撃ではなく、もっぱら防御に向いていることは事実である。人間は攻撃では技術の助けを借りなければならないが、防御においてはその本性からして地球で最も強い被造物なのだ。それゆえ、人間の形態自身が人間に教えているのは**平和を好むこと**であって、強奪的な殺人や略奪ではない。これがフマニテートの第一の特徴である。

2　他者に関係する本能のなかでは**性欲**[83]が最も強力である。しかしこの本能もまた、人間にあってはフマニテートの構造に組み込まれている。ゾウのように羞恥心があっても四足動物は交尾を行うが、人間においてこれにあたるのはその体格からして接吻と抱擁である。人間のような唇を有する動物はいない。その唇の繊細な上溝は胎児のときに顔面のなかで最も遅く形成される。このことは、いわば人間の唇が美しく知性豊かに閉じられるようにとの愛の指図の最後のしるしである。それゆえ、自分の妻を知る[84]という古代語の慎み深い表現は、動物にはあてはまらない。古い寓話[85]の語るところによれば、かつて男女両性は花と同じように両性具有であったが分割されてしまった。つまりこの寓話は含蓄に富んだ他の詩作品とともに、人間の恋愛が動物に勝っていることを婉曲に述べようとしたのだ。また人間の性欲は、動物におけるように季節だけに従うものではない。(もっとも人体における性欲の変化についてては見るべき考察がなされていない。)これは人間の性欲が、必然性にではなく優雅な愛情に依存するとともに、理性にも従属し、さらには人間が身の回りにつけているものと同じように、自発的な抑制に委ねられるべきことを明確に示している。すなわち、恋愛もまた人間にあっては人間らしく[86]なければならなかった。そうなるように自然は、人間の形態だけでなく、性欲の遅い発達と長い持続と両性間における比例関係も定めた。それどころか自然は、性欲を互いの自発的な結びつきという法則、つまり全生涯にわたって一体感を持ち合う二つの存在の、最も友情に満ちた分与という法則のもとに置いたのだ。

3　この分かち与える愛情のみならず、他のすべての優しい感情も、分有によって十全なものとされるので、自然は人間をあらゆる生きものの中で最も共感をもつ生きものへと創った[87]。というのも、自然は人間をいわばすべてのものを素材として形作り、人間がこれに共感すべきような比例関係において、被造物界のどの領域にも類似させて人間を有機組織化したからである。人間の繊維構造は精巧かつ微妙な弾性を備え、神経構造は人間という振動する存在のあらゆる部分に組み入れられている。そのため人間は、すべてを感じつくす神性の類比的存在[88]として、ほとんどあらゆる被造物のうちに身を置くか、またはその被造物が必要とする程度において、自己の全体を崩壊させることなく、いや、それどころか崩壊の危険を伴ってでも自己の全体がそれに耐えられる範囲でどの被造物とも共感できる。人間という機械[89]は一本の樹木にも、それが萌え出て生長する樹木であるかぎり共感をもつ。実際また樹木が萌え出る若々しい形姿のまま切り倒され傷つけられることに身体的に耐えられない人間がいる。樹木の枯れた梢はわれわれを悲しませ、愛らしい花が枯れるとわれわれは嘆き悲しむ。踏みつぶされた蛆虫の身をよじる姿でさえも、優しい人間にとっては他人事ではなく、動物が完全なものであればあるほど、また有機組織の点で人間に近づけば近づくほど、動物の苦しむ姿はそれだけ多くの共感を惹き起こす。被造物を生きたまま切り裂き、それが顫動(せんどう)する様子に耳を欹(そばだ)てるには図太い神経が必要だった。ただ名声と学問への飽くなき欲望だけが有機体としての人間のこうした共感を麻痺させることができた。かよわき女性たちは死体の解剖にすら耐えられない[90]。彼女たちは自分の目の前で容赦なく切り刻まれる四肢を見て、それら自体が特にいっそう精緻で高貴なものになればなるほど苦痛を感じる。引っ掻き回された臓腑は、戦慄と嫌悪の念を惹き起こし、切り裂かれた心臓、引き裂かれた肺、切り刻まれた脳は、われわれ自身のその部分をメスで切り、また刺す。われわれは愛する者の死体が墓に埋められてもそれに共感をもつ。死者がもはや感じることのない墓穴の冷たさをわれわれは感じとり、死者の亡骸（なきがら）に触れるだけで戦慄がわれわれに襲いかかる。遍在する母は、かくなる共感をもって万物を自分の中から取り出し、万物とのきわめて緊密な共感のうちに、これらを自ら共に感じとりながら人間の身体を織り上げた。その振動する繊維系、共感する神経構造は理性の声高な命令など必要としない。これらの組織は理性に先行し、それどころか、これに強力かつ真っ向から敵対することも稀ではない。われわれは狂人と接触し、これに共感すると自ずと狂気が惹き起こされるが、それを避けようとすればするほど、むしろ狂気が惹き起こされてしまう。

　驚くべきことに、こうした共感を覚醒させ、強めるについては聴覚が視覚よりもずっと多く寄与している。動物の呻き声や苦しむ体から押し出される叫び声は、この動物に類したすべての動物を引き寄せる。そしてしばしば見られるように、これらの動物は哀泣する動物のまわりに悲しんで立ち、これを何とか助けようとする。人間にあっても苦痛を描いた絵は、優しい共感よりもむしろ戦慄や恐怖を惹き起こす。苦しみを受けている者が発する声を耳にするだけでわれわれは落ち着きを失い、彼のもとへ走り寄る。その声がわれわれの魂に突き刺さるのだ。それは、この音声がわれわれの目に映じるものに生命を与え、こうして自分や他人の感情のあらゆる記憶を呼び戻し、一つの点に統合するからではないだろうか？　あるいは思うに、有機組織に即した、いっそう深い原因があるのだろうか？　いずれにしてもこの経験は真実であり、人間においては**声と言語**こそが共感を惹き起こす大きな原因であることを示している。呻き声を出せないものにわれわれはほとんど共感しない。なぜならそれは肺のない不完全な被造物であり、われわれとは似るところが少ない形で有機組織化されているからだ。何人かの先天的聾唖者は人間や動物への同情や共感の欠如という恐ろしい実例を提供した。またこうした実例は未開の民族にあっても十分に見つかるだろう。それでもこれらの民族にあっては自然の法則は今もなおはっきりと見られる。困窮と飢餓に強いられて我が子を死の犠牲とする父親たちは、子どもの目を見たり声を聞いたりしないように母胎にあるうちに我が子を死に捧げる。嬰児殺しの罪を犯した女性の多くは、子どもの最初の泣き声や哀願する声ほど自分を苦しめ、また記憶に長く残ったものはないと告白していた。

4　美しい連鎖だ。そこでは万物を感じとる母なる自然がその子たる被造物の共感を結びつけ、被造物を一つの環から次の環へと上に向けて形成している。被造物がまだ無感覚で未熟なため、自分の面倒もほとんど見られない場合、その被造物には自分の子の世話も任せられなかった。鳥は母性愛をもって雛を卵からかえして育てる。これに対して無感覚なダチョウは卵を砂に生み棄てる。かの古の書物はこう語っている。「ダチョウは自分の鉤爪が卵を踏みつぶすか、猛獣が卵を台無しにすることを忘れている。なぜなら神はこの鳥から叡智を奪い、何らの分別も与えなかったからだ。」(91) 被造物は自分より多くの脳を授かるのと同一の原因によってまた高い熱を授かり、胎児を産むか、卵を孵化させ、乳を与え、母親としての愛を身につける。胎生被造物はいわば母体の神経の塊であり、自分で乳を吸う子は母植物が自分の一部として養う若芽である。――動物という家政においては、このきわめて緊密な共感の上にすべてのより精緻な本能が構築されており、自然はそれに向けて動物という類を高等なものにできた。

人間にあって母性愛はいっそう高次なものであり、それは人間の直立した形に由来するフマニテートの若芽である。乳児は母親に見守られて、その膝の上できわめて柔らかくて精緻な栄養物を飲む。もし、やむをえず子どもを背負って授乳する民族があるとすれば、その方法は動物に近く、ただでさえ身体を不格好にするものだ。どんなに非情な人間でも、親になれば家族愛によって心優しい人間になる。実際またライオンの母親も自分の子には優しい。親のいる家で最初の社会が生れ、それは血と信頼と愛の絆によって結びつけられていた。それゆえまた、人間が野性を打ち砕き、自らを家庭における交際に慣らすためにも、人類の幼年期は長く続く必要があった。自然は人類を精緻な絆によって強制的に一つにまとめたので、人類はただちに完成される動物のように離散することも、自分が何者かを忘れることもできなかった。母親が息子に乳を与える者であったのと同じように、父親は息子の教育者となり、こうしてフマニテートの連鎖に一つの新たな環が結びつけられた。すなわち、ここに**人間社会**の土台が置かれたのだ。この社会は必然的なものであり、それなしに人間は成長できず、また大多数の人間は存在できないだろう。人間はそれゆえ社会に向けて**生れている**(92)。このことを人間に物語るのは子に対する両親の共感であり、また人間の長い幼少期の年月なのだ。

5　しかし人間の共感はそれだけではすべてを超えて広がることもできなかった。また限定されてはいるが多様に有機組織化された存在としての人間にあって、共感はそこから離れたところにあるすべてのものに対して曖昧でしばしば無力な導き手でしかありえなかった。そのため正しく導く母は、多様かつ慎重に織り合わされた共感の分枝を、より確実な基準のもとに集めた。それは**正義と真理という規則**である。誠実に(93)人間は創られている。つまり、その形態に見られるように、すべては頭部に仕え、両目は一つのものしか見ず、両耳は一つの音しか聞かない。また自然がその衣裳という外面のいたるところで均整を統一と結びつけ、統一を中心に置き、二つに分裂したものが絶えず統一を志向するようにしたのと同じように、人間の内面においても公正と公平という偉大な法則[94]が基準となった。汝が他人にしてほしくないと思うことを、汝も他人になすべきではない。汝が他人にしてもらいたいことを、汝も他人にするがよい[95]。この異論の余地のない規則はどんな非情な人間の胸中にも書き込まれている。なぜなら、この人間が他人を喰えば、自分もまた他人に喰われることとしか予想されないからだ。これは真と偽の法則、つまり同じものを同じものによって、という規則[96]であり、それは人間のあらゆる感覚の構造に、いや私に言わせれば人間の直立した形態そのものに基づいている。われわれが斜視であるか、または光線が歪んで射すなら、われわれには直線というものがまったく理解できないだろう。もし人間の有機組織に統一がなく、観念にも内省がなければ、人間は行動においても規則から外れてあちこちと逸脱するだろうし、そうなれば人間としての生活は理性も目的も持たないものとなろう。公正と真理という掟[97]が誠実な仲間と兄弟を作る。それどころか、この掟が実行されれば敵さえも友人になる。私がこの胸に抱く者は、私をもその胸に抱く。私が命を捧げる者は、私のためにも命を捧げる。すなわち、志向の一様性、異なる人間のあいだでの目的の統一、そして一つの結びつきにおける一様な誠実さが一体となって人間法、民族法、動物法(98)を作り上げた。事実また群れをなして生活する動物は公正という掟に従うし、逆に人間が悪知恵や暴力によってこの掟から逸脱すれば、たとえ王や君主であれ、それは最も非人間的な被造物なのだ。厳格な公正と真理なくしては、いかなる理性もフマニテートも考えられない。

6 人間の直立した美しい形態は、人間を礼節に向けて形成した。なぜなら礼節は、真理と公正の美しい侍女にして友人だからである。身体の礼節とは、身体があるべきように、つまり神が造ったように存在することだ。真の美しさとは、内面の完全性と健康の快い外形にほかならない。考えてもみるがよい。神の形象たる人間が、怠慢や誤った技術によって醜くされたり、美しい頭髪が引き抜かれたり、団子状の塊にされたり、鼻と耳に孔があけられたり、無理やり体を伸ばされたり、さらには首や他の身体部分がそれ自身において、あるいは衣服によって損なわれることを。こうしたことを考えれば、たとえどれほど独断的な流行が支配しているとはいえ、誰がいったいそこになお人間の真直ぐで美しい身体の礼節を見出すだろうか? 行儀や振舞い、慣習や技芸、それに人間の言語についても何らこれと変わるところはない。要するに、これらすべてのものを一つの同じフマニテートが貫いているのだ。しかしこれと出会った地球上の民族は少数であり、大多数の民族は蛮行や誤った技術によってこれを歪めた。それゆえ、このフマニテートを探究するのが真の**人間の哲学**である。またそれは、かの賢者(99)が天上から呼び寄せたものであり、社交はもちろん、政治や学問やあらゆる技芸の中に顕現している。

しかし何といっても、**宗教**こそが人間の最高のフマニテートである。私が宗教をこれに数え入れることにどうか驚かないでほしい。人間の最も傑出した天分が知性であるならば、知性の仕事は原因と結果の関連を探り出すことと、それが見つからない場合は推測することである。人間の知性はこれをすべての事柄、仕事、技術において行う。なぜなら知性は、**受け入れられた**技術に従うときも、その前に知性自らが原因と結果の関連を突きとめることによって、この技術を導入していたに違いないからだ。ところで自然の活動の中には、その最も内奥においても本来何らの原因も見られない。人間は自分自身のことも知らないし、何か或るものが人間の中でどのように活動しているのかも知らない。それゆえ人間の外部のあらゆる結果においても、すべてが夢、推測、名称にすぎない。しかしそれは、同様の結果が同様の原因と、しばしば、いや、常に結びついているのを人間が目にする瞬間には正夢となっている。これが哲学の行程であり、しかも最初にして最後の哲学はいつも宗教だった。どのような未開の民族も宗教の中で自らを鍛練してきた。実際これまで発見された地球の民族はみな宗教を持っており、それは彼らが人間としての理性可能態や形態、言語や婚姻、また人間としての若干の習俗や慣習を持っているのと何ら変わるものではない。彼らは目に見える創始者が見つからないと、目に見えない創始者を信じ、そうしてたとえどれほど曖昧であれ、絶えず事物の原因を探究した。もちろん彼らは自然の存在よりもその出来事を、また自然の楽しくて持続的な側面よりも恐ろしくて一時的な側面を拠り所としたこともあって、すべての原因を一つの原因へと整理することは稀だった。しかしまたこうした最初の試みこそが宗教だった。とはいえ恐怖が大多数の民族にあって神々を作り出したというのは何の説明にもならない(100)。恐怖はそれ自体では何も作り出さず、ただ知性を覚醒させることによって想像させ、真か偽かを予感させるだけである。それゆえ人間は、自分の知性をわずかな示唆だけで用いることを学ぶやいなや、つまり動物とは異なる視点から世界をとらえるやいなや、目に見えないずっと強大な存在が自分の味方なのか敵なのかを推測せざるをえなくなった。人間はこれらの存在を自分の仲間にするか味方にしておこうと努めた。こうして宗教は、たとえ真と偽、正と邪のいずれに導かれようとも、人間を教え導くものに、またきわめて蒙昧として危険と迷路に満ちた生に助言と慰めを与えるものになった。

いや、違う！　汝、あらゆる生命の、あらゆる存在と形の長遠なる源泉よ！　汝は自身をその被造物に証(あかし)しないではいなかった。身をかがめた動物はその有機組織のままに諸力と性向を働かせながら、蒙昧な状態で汝の力と善意を感受する。動物にとっては人間が地球の目に見える神性なのだ。しかし人間をこのように高めたのは汝なのだ。すなわち汝は、人間自身が自ら知らず、あるいは欲せずとも事物の原因を探究し、それらの関連を推察し、そうして汝を見出すようにした。汝、あらゆる事物の偉大な連関、存在中の存在よ！　汝の本性の内奥を人間は認識しない。というのも、人間は一つの事物の力を内面からは識別しないからだ。それどころか、人間が汝に形態を与えようとしたとき、人間は過ちを犯した。いや、そうならざるをえなかったのだ。なぜなら、汝はあらゆる形態の最初にして唯一の原因でありながら自身は形態を持たないからだ。しかし汝のどんなに不確かな微光といえども、なお光であり、人間が汝のために築いたすべての偽りの祭壇といえども、汝という存在の偽らざる記念物であるのみならず、人間の力、それも汝を認識し崇拝する力の記念物でもある。このように宗教は、知性の訓練としてだけ見ても最高のフマニテートであり、人間の魂の最も崇高な精華なのだ。

しかし宗教はそれ以上のもの、すなわち人間の心の訓練であり、人間の能力と諸力の最も純粋な進路である。もし人間が放縦に向けて創られており、地球上にあって自分で自らに課す掟しか知らず、また自然の中にただちに神の掟を認識せず、子として父の完全性を追い求めないならば、人間は最も野蛮な被造物になるにちがいない。動物は地球上の家政という大きな家に住む、生れながらの下僕である。それゆえ掟や罰に対して奴隷がいだくような恐怖は、動物のように生きている人間の最も明白な特徴なのだ。真の人間は自由であり、聴従するとしても善意と愛情からである。なぜなら、自然のあらゆる掟は人間がそれを理解すれば善いものであり、理解しない場合でも子どものような素朴さをもって人間はそれに従うことを学ぶからだ。賢者たちは言った。[101]「汝が自らの意志で歩まずとも汝は歩まねばならない。自然の原則は汝のためには変わらない。しかし汝が自然の完全性、善意、それに美しさを認識すればするほど、それだけいっそう自然というこの生きた形式もまた汝を地球上での汝の生において神性に倣った姿に向けて形成するであろう」と。それゆえ真の宗教とは、子どものように神に仕えるとともに、最も高次のものと最も美しいものを人間の形姿の中で模倣することであり、したがってまた、最も内面的な充足、最も活動する善意と人間愛なのだ。

このことからも明らかなのは、地球上のあらゆる宗教において、なぜ神が多少とも人間に類似するという結果にならざるをえなかったのかということだ。いずれにせよわれわれは人間を神へと高めたか、あるいは世界の父を人間の形姿へと引き下ろしたのだ。人間の形態よりも高次のものをわれわれは知らない。それに人間を感動させるとともに人間を人間らしくすべきものは、人間に即して考えられ、感受されているものでなければならない。それゆえ、感覚のすぐれた民族は人間の形態を神のような美しさへと高めたが、それに比べ精神に重きをおいて思考する民族は、目に見えない存在者の完全性を、人間の目に適した象徴へと移し替えた。また神の方から神自身をわれわれに啓示しようとしたときでさえも、神はわれわれのあいだに入って、あらゆる時代に適合して、人間として語り、行動した。宗教ほど人間の形態と本性を高めたものはない。それはもっぱら宗教だけが人間の形態と本性をその最も純粋な使命へと引き戻したからだ。

したがってまた、不死への希望と信仰が宗教と結びつけられ、宗教によってそれが人間のあいだに基礎づけられたことも、この問題の当然の成り行きである。実際それは神および人間一般についての概念ともほとんど不可分のものなのだ。どうしてだろうか？　人間は長遠なる存在者の子として、この存在者を、地球上では模倣しながら認識し愛することを学ばねばならない。人間は万物を通じてこの存在者の認識へと覚醒され、その模倣に愛と受苦を通じて仕向けられている。しかし人間は依然としてこの存在者を非常に不明瞭なまま認識しているにすぎないし、またきわめて拙く幼稚に模倣しているにすぎない。ただしわれわれには、この存在者を人間という有機体においてこうした形でしか認識できず、また模倣もできない原因が分かっている。そもそもいったい人間には、この有機組織以外のものがありえないのだろうか？　人間の最も確実で最良の素質にとって、この進展以外のものがはたして現実にありえないのだろうか？　実際まさに人間のこれら最上の諸力は、ほとんどこの世界のためのものではないのだ。これらの力はこの世界を超え出ようとする。それはこの世界ではすべてが必然性の支配下にあるからだ。しかしそれでもわれわれは、自分の高貴な部分がこの必然性と絶えず闘っているのを感じる。人間においてまさに有機組織化の目的と思われるものは、地球上ではなるほどその生誕地を見出しこそすれ成就の場を見出すことは決してない。それだからこそ神は糸を断ち切ったのだろうか？　つまり、神は人間という形成物に向けてあらゆる準備をしたにもかかわらず、けっきょくはこの未熟な被造物を、それも自らの使命全体において神を欺いた被造物を造り上げたにすぎないのか？　地球上での仕事はすべてが未完の断片である。しかしその仕事は、人類が夢ばかり追い求める一群の影にすぎないのと同じように、未来永劫にわたって不完全な断片のままであらねばならないのか？　ここに宗教が登場し、人類のあらゆる欠陥と希望を信仰へと結びつけ、フマニテートに不死の王冠を差し向けた。

七　人間は不死という希望に向けて形成されている

ここでは魂の不死[102]に関する形而上学的な証明、それも魂の単純な本性や心霊信仰などによる証明を期待しないように願いたい。自然学は魂の単純な本性を知らないし、むしろこれに対する疑念を呼び起こしかねない。というのも、われわれの魂は一つの合成された有機体の中で、種々の活動を通じてのみ知られ、しかもこれらの活動は多様な刺激や感受から生じるように見えるからだ。最も普遍的な観念とは無数の個々の知覚の結果であり、われわれの身体を統治する自然は無数の下位の力に対して作用を及ぼすが、それはあたかも自然が、これらの力すべてにそれぞれの場所に応じて現前しているかのようでもある。――

ボネのいわゆる胚の理論[103]もここではわれわれの導き手たりえない。なぜなら、この理論は新たな存在への移行という点で実証されていない部分もあれば、移行という問題に属さない部分もあるからだ。誰一人として人間の脳の中に、宗教に向けられた脳、つまり新たな存在への胚を発見していない。またこうした存在とのどんなに小さい類比的なものといえども、脳の構造の中には見られない。死者の脳はわれわれに残されるが、もし人間の不死の芽が他の諸力を有していないとすれば、この芽は枯れて土の中にあるだろう。それどころか、思うにこの胚の理論は不死という点でも不適当である。というのも、われわれが問題としているのは、被造物が枯れて、同じ種の若い被造物として芽生えることではなく、枯れて生命を失おうとしている被造物が新たな存在へと芽生え出ることだからだ。それに比べるとむしろこの胚の理論は、たとえそれが地球での発生においてのみもっぱら真実であって、あらゆる希望がそれに基づいているとしても、不死という希望に対しては否定しがたい疑念を突きつけるものといえよう。もし、花はただ花で、動物はただ動物であるようにと永遠に定められ、創造の始めこのかた、前形成された胚の中にすべてが機械のように存在しているとすれば、汝、最高の存在というまやかしの希望よ、汝に用はない。私が長く胚の中に前形成されて存在していたとすれば、それは現在のこの存在に向けてであって、より高次の存在に向けてではない。私から芽生えるべきであったものは、私の子どもたちの前形成された胚であったろうが、樹木が死んでしまえば、胚のあらゆる理論もこの樹木とともに死んでいる。

それゆえ、不死というこの重要な問題において甘い言葉で惑わされたくなければ、われわれは、より深くかつ広いところから開始して、**自然の類比**全体に目を向けねばならない。自然の諸力の内部領域にわれわれの目は届かない。したがって自然について内部から本質的な解明を求めることは、どのような状態に関してであれ、無益であり不必要でもある。しかし自然の諸力の活動や形は、われわれの目の前にある。だからわれわれはこれらを比較し、地球上の自然の行程からはもちろん、自然全体にゆきわたる類似性全体から、希望を集めることができるのだ。

第五巻

一　われわれの地球の被造物界においては一連の上昇する形と諸力が支配している

1　石から結晶へ、結晶から金属へ、金属から植物世界へ、植物から動物へ、動物から人間へと有機体の形が上昇し、それとともに被造物の諸力や本能も多様なものとなり、ついにはすべてが人間の形態の中に包括されうる範囲で一体化されるのをわれわれは見てきた。人間においてこの系列は静止した。われわれは、人間以上に多様かつ精巧に有機組織化されている被造物を知らない。人間は地球上の有機体として形成されえた最高の被造物であるように思われる。

2　存在物のこの系列を通じて、被造物の個々の使命が許容する範囲でわれわれの目にとまったものは、**主要型の支配的類似性**である。この主要型は無限に変化しながら、いよいよ人間の形態に近づいた。未形成の低次な領域、つまり植物や植物動物の領域において、この主要型はまだ識別されなかったが、より完全な存在物の有機体とともに、いっそう判然としたものになった。それにつれて類の数は少なくなり、そこで姿を消した主要型は最終的に**人間**の中で一体化された。

3　われわれは被造物の形態のみならず、**諸力と本能も人間に近づく**のを見てきた。本能は植物の個体維持と生殖から始まり、昆虫の技術活動へ、鳥や陸棲動物の家政、および母による配慮へ、そしてついには人間に類似した観念(1)と自ら獲得した固有の技術へと上昇した。最終的にはすべてが人間の**理性可能態**、**自由**、**フマニテート**の中で一体化される。

4　どの被造物にあっても、それが促進すべき自然の目的に従って**寿命**もまた定められていた。草の類はすぐにも枯れたが、樹木はゆっくりと生長しなければならなかった。自ら巧みな技術を持って生れ、早く数多く生殖した昆虫はすぐにこの世を去った。それに比べてゆっくりと育ち、一度にそれほど多く出産しないか、あるいは理にかなった生活を送らねばならなかった動物には長い生命が与えられ、それ以上に人間には最も長い生命が与えられた。だが自然はここでも個々の被造物だけでなく、類全体の保存ならびにその類より高等な類の保存を考慮に入れていた。したがって、下位の領域はたんに多数の被造物によって占められていたのみならず、その被造物の目的が許容する場合にはその生命も長く続いた。生命の無尽蔵の源泉である海は、強靭な生命力を有する居住民を最も長く維持し、なかば海の居住民である両棲類は寿命の点でこれらに近い。これに比べて大気中の居住民は、陸棲動物を次第に硬化させる地上の栄養物によってそれほど重くなっていないこともあって、全体として陸棲動物より長く生きる。それゆえ大気と水は、地球が後にいっそう早い変化の中で消滅させ、呑み尽くす大きな**生きものの貯蔵庫**であるように思われる。

5　被造物が有機的に組織化されればされるほど、**それだけその構造は低次の領域のものが組み合わされてできている。**この多様性は地下で始まり、植物、動物を経て最も多様な被造物の人間にまで上昇する。人間の血液とその名称豊かな構成要素は世界の便覧である。石灰と土、塩類と酸、油と水、植物生長や刺激や感受の諸力、これらは人間の中で有機組織として一体化され、互いに織り合わされている。

　われわれはこれらの事柄を自然の遊戯と見なさねばならないか（知性豊かな自然は決

して無意味な遊戯をしないであろう)、あるいは、外的な形成物のうちに知覚されるのとまったく同様の精確な連関と緊密な移行の中にある目に見えない諸力の世界(2)をも容認せざるをえなくなるだろう。自然を知れば知るほど、それだけこれらの内在する諸力をわれわれは苔や海綿動物など最下等の被造物の中にさえ見てとる。ほとんど無尽蔵に再生する動物や、自己の刺激によって多様に生き生きと動く筋肉の中に、こうした諸力が存在することは否定できない。万物は、有機組織に即して活動する全能の力に満ちている。だがわれわれにはこの全能の力がどこで始まるのかも、またどこで終わるのかも分からない。とにかく被造物界の中で活動のあるところには力が存在し、生命が外界に発現するところには、内在する生命があるのだ。それゆえもちろん諸力の連関のみならず、諸力の上昇する系列もまた被造物界の目に見えない領域を支配している。というのも、これらの力はその目に見える領域で、つまり有機組織化された種々の形においてわれわれの眼前で活動するのが見られるからだ。

それどころか、この目に見えない連関は、人間の鈍い感覚において外界の形の系列が示すものよりも限りなく緊密で恒久的で持続的なものであるにちがいない。いったい有機体とは無限に多くの凝縮された諸力の塊以外の何であろうか。しかしこれらの力の大部分は、まさにこの連関のために他の諸力によって制限され抑圧されているか、もしくは少なくともわれわれの目には隠されている。その結果、われわれには個々の水滴が雲という黒っぽい形態にしか見えない。すなわち、人間が目にするのは個々の存在物それ自体ではなく、全体のために必要不可欠であるがゆえに、このように自らを有機組織化せざるをえなかった形成物にすぎない。被造物の真の階梯は、全知者の眼からすれば人間の語る世界と何と異なることか！　われわれは種々の形を秩序づけはするが、完全に見通すことがなく、子どものように個々の部分や他の特徴に従って分類する。これに対して最高位の家政管理人は、互いに押し合うようにして争うすべての力の連鎖を見て、それを維持する。

このことは魂の不死のために何をするのか？　すべてである。それも、われわれの魂の不死のためだけでなく、世界創造のあらゆる生きて活動する力の持続のためである。どの力も滅びることはない。いったい力が滅びるとはどういうことか？　われわれは自然の中にそういう実例を持たないし、ましてや魂において力が滅びるということは理解すらできない。もし何かが無であるとか、無になるということが矛盾であるならば、生きて活動する何か、すなわち、創造主自身がその中に現前し、その神としての力が内在しながら顕現する何かが無に帰することはそれ以上に矛盾である。器官は外界の状況によって破壊されうるが、その中の一つの原子として破壊されることも消滅することもないし、この原子の中で活動する目に見えない力についてはなおさらのことだ。こうしてあらゆる有機体の中に認められるのは、それらの活動する力が、かくも賢明に選ばれ、かくも巧みに秩序づけられ、かくも精確にこれらの力の共同の持続と主要力の完成を目ざしていることである。それゆえ、自然について次のように考えるのはあまりにも愚かだろう。すなわち自然は、諸力の結合である外的な状態が活動を停止する瞬間に、自然の神的自然たる唯一の根拠である叡智と配慮を急に相手にしなくなるだけでなく、自然みずからが神的自然の叡智と配慮に逆らって、その中で永遠に活動しながら存在している生きた連関の一部だけでも全力をあげて(実際そうしなければできないだろう)破壊する、と。万物を生かす者によって生命を得たものは生きるのであり、活動するものは、万物を生かす者による永遠の連関の中で永遠に活動する。

これらの原理をここでさらに分析することは適当でないため、実例を示すだけにしよう。咲き終えた花は枯れる。すなわちこの枯れた器官は、植物として生長する力がその中で活動しつづけるにはもはや適していない。十分に実をつけた樹木は枯れて死ぬ。つまり機構が老化したため、結合されていたものが分解される。しかし以上のことから決して次のような結論が導かれてはならない。それは、これらの部分に生命を与えて育て、自身をもかくも強く繁殖させることのできた力が、こうした崩壊とともに死滅したとか、あるいはまた自ら無数の力を引き寄せてこの有機体を支配していた力が無に帰したという結論である。解体された機構のどの原子にも下位の力はまだ残っているのだから、この形成の中ですべての力を一つの目的に統合し、その狭い限界の中で自然の全能的特性とともに活動したいっそう強力な機構には、さらにどれほど多くの力が残っているにちがいないことか。それゆえもし次のことを**自然なこと**と考えるならば、思考の糸は断ち切られてしまう。つまり、この被造物は、今それぞれの部分においてわれわれの眼前に現れている力強くかつ自分自身を代償し刺激力のある自己活動性を持っているはずなのに、次の瞬間には、有機組織として内在する全能の生きた証拠であるこれらすべての力が、あたかもまったく存在しなかったかのように、存在物の連関や現実の領域から消失しているはずだということを。

地球上で知られている最も純粋で活動的な力である人間の魂にあっても、いったいこうした思考の矛盾が生じることがあろうか？　人間の魂は低次の有機体のあらゆる能力をはるかに超えており、そのため女王として一種の遍在と全能をもって私の身体の無数の有機的諸力を支配しているだけでなく、また(何という奇蹟中の奇蹟か！)自分自身の中を見つめたり自己を統御することもできる。地球上にあっては、人間の思考の緻密さ、速さ、実効性にまさるものはない。また人間の意志の力、純粋性、情熱にまさるものもない。人間は自分が考えることのすべてをもって、秩序を与える神を模倣し、自分が欲し行うことのすべてをもって、創造する神を模倣する。人間はたとえ理性に背こうとも、やはり神を模倣することになるのだ。人間と神のこうした類似性[3]は事柄それ自体の中に存在する。つまりこの類似性は、人間の魂の本質に基盤がある。魂としての力は神を認識し、愛し、模倣することができる。それどころかこの力は、その理性としての本質に従えば、神をいわば自分の意志に反しても認識し模倣せざるをえないし、錯覚や弱さによってでなければ誤りや間違いをしでかすこともないだろう。いったい地球の最も強力な統治者であるこの力が、結合の外的な状態が変わり、若干の低位の臣下が離反するからといって、滅びることがあろうか？　道具が失われるからといって、この力という芸術家はもはや存在しないだろうか？　そうした場合、観念のあらゆる連関はいったいどこにとどまるのか？――

二　自然のどの力も器官なしに存在しない。しかし器官は力それ自体ではなく、力は器官を介して活動する

プリーストリや他の者たちは唯心論者を非難したが[4]、それは唯心論者が一つには、自然のどこにも純粋な精神を認めていないからであり、また一つには、物質内部の状態を長いあいだ十分に理解せず、物質には思考もしくは他の精神的諸力が備わっていないとしているからである。この二つの点を批判するプリーストリたちは正しいと思われる。どんな物質も伴わず、またあらゆる物質の外で活動するような精神をわれわれは知らない。それに物質の中には精神に類似した非常に多くの力が見られるので、精神と物質というこれら二つのまったく相違する存在の完全な対立と矛盾が、それ自身で矛盾していなくても、少なくともまったく証明されていないように私には思われる。もしもこれら二つの存在が互いに本質的に真っ向から対立するものであれば、いったいどうしてそれらは共同して緊密に調和を保って活動できようか？　しかもわれわれには精神も物質も

その内部は知られていない[5]のに、どうして**われわれは**それらが対立していると主張できようか？

　力が活動するのを見ると、その力は言うまでもなく、器官の中で器官と調和を保って活動している。器官がなければ、力はわれわれの感覚器官にとって少なくとも見えないものとなる。しかし器官があると同時に力は存在する。自然に遍(あまね)くゆきわたっている類比を信じてよいならば、力は器官を自分に**合わせて形成した**。前形成された胚は創造このかた用意されてはいたが、目で見た者はいない。被造物生成の最初の瞬間から、われわれが目にするのは、活動する**有機的諸力**である。個々の存在物がこれを内包していれば、この存在物は自分自身を産み出す。両性に分かれていれば、それぞれが子孫の有機組織化に、それも構造の差異に従って、異なる方法で貢献しなければならない。植物としての本性を有する被造物は、その諸力がまだ一様に、しかしそれだけ緊密に活動する。それゆえ自分の産み出したものに生命を与えるために必要なものは接触の軽い息吹だけである。また生きた刺激と強靭な生命があらゆる身体部分を支配している動物にあっても、ほとんどすべてが産出力と再生力なので、胎児はときにはただ母胎外で生命を与えられさえすればよい。有機組織化の点から見て、被造物が多様になればなるほど、それらにあって胚と呼ばれたものはますます識別できなくなる。ちなみにこれは**有機的物質**

であり、これに生きた諸力が不可欠なものとして加わって初めて将来の被造物の形態が形成される。鳥の卵においては胚が形態を得て自己を完成させるまでにどれほど多くの活動が行われることか！　有機的な力は秩序を与えるとともに、破壊も行わねばならず、また部分を集めては分散させる。実際それはあたかも多くの力が互いに抗争し、最初は奇形を作ろうとしているかのようである。しかし最終的にこれらの力は均衡を得て、被造物はその類に従ってあるべきものになる。こうした変化や生きた活動が鳥の卵や胎生動物の母胎の中で見られるならば、思うに、ただ展開されるだけの胚について語り、あるいは身体部分が外部から加わって成長するとされる**後成説**[6]について語ることは本来の語り方ではない。**形成**[7](genesis)とは内部の諸力が活動することであり、自然はこれらの力のために一つの塊を準備しておいた。というのも、自然はこれらの力を、それらが自分に合わせて作る塊という形で目に見えるようにしたいと考えたからだ。これは自然が経験として教えてくれることである。またこれは多少とも有機的な多様性と充溢した生命力を持つ類の形成期間によって実証される。そして病気、事故、あるいは異なった類の混合から生じる奇形の被造物も、このことからのみ説明される。したがってこの経路は、力と生命に満ちた自然が、そのあらゆる活動の中で継続する類比を通じてわれわれにいわば押しつける唯一の経路なのだ。

ある人々が表明したような考え、すなわち、あたかもわれわれの理性的魂(8)が、自分のためにその身体を母胎内で、それも理性によって構築したかのような考えが私の考えだとされるならば、私は誤解されていることになろう。これまで見てきたように、理性という贈り物は、ずっと後になって人間の中に備えつけられるものであり、また人間は理性への能力を持って生れてくるものの、理性を自力で所有することも征服することもできない(9)。それに理性的魂という形成物のどの部分たりとて、内部からも外部からも把握できない。人間の生命活動の大部分が魂の意識や意志なしに行われているというのに、こうした理性を有する魂という形成物は、どのようにして人間の成熟しきった理性にとって把握可能になるのか？　身体を形成したのは人間の理性ではなく、神の指、すなわち有機的諸力であった。永遠なる神は、これらの力を自然の偉大な歩みの途上で、はるか高くにまで引き上げた。その結果、これらの力は今や神の手に拘束され、若い存在物の形成のために神が選り分けて自ら包み隠していた有機物質の小さな世界の中に、自分の創造の場所を見出した。これらの力はその形成物と調和を保って一体化し、この形成物が存続するかぎり、その中でこれと調和を保って活動する。そしてとうとうこの形成物が使い尽くされると、創造主はこれらの力をその任務から解き、また別の活動の場を用意する。

そこでわれわれは自然の歩みに従いたい。すると次のことが明らかとなる。

1　**力と器官は、なるほどきわめて緊密に結びついているが、同一のものではない。**人間の身体という物質は存在した。しかしこの物質は、有機的諸力がこれを形成し、これに生命を与えるまでは、形態も生命も有していなかった。

2　**どの力もその器官と調和を保って活動する。**なぜなら、どの力もその器官をもっぱら力の本質の開示に向けて形成したからだ。どの力も種々の部分を同化したが、それらは全能者がそれぞれの力にあてがったものであり、いわば力を覆う外皮となるようにそれらに指示した。

3　外皮がとれても**力は残る。**なぜなら、力はたとえ低次の状態ではあっても同じように有機組織に即して、**この外皮よりも以前からすでに存在していたからだ。**力が以前の状態から現在の状態へと移行できたのであれば、外皮がこのようにとれるときにも、力は新たに移行できる。その媒体の世話は、この力を今よりずっと不完全な状態でこちらに持ってきた者が行うだろう。

それにいったい今も変わらない自然が、これまでわれわれに、創造のあらゆる力がその中で活動する媒体について示唆を与えなかったことがあろうか？　生成の最も深い奥底には生命が胚胎するのが見られ、そこには未探究ではあるが、非常に活動力のある基本物質が認められるだろう。これは光、エーテル、生命熱(10)といった不完全な名称で呼ばれるものだが、おそらくそれは万物を創造する者の感覚器官であり、これを通じて神はすべてのものに生命と熱を与える。幾千万の器官の中へと注がれて、この神々しい火の流れはますます精緻に純化される。この流れを媒介として、おそらく地球上のすべての力が活動するのだろうし、地球上での創造の奇蹟である発生もこれとは切り離せない。人間の体格が直立の姿勢をとったのも、まさに人間が自分の粗雑な身体部分に従ってさえも、この電気の流れからいっそう多くを自分に引き寄せて、自分の中で手を加えることができるようにするためだろう。より精緻な諸力においては、なるほど粗雑な帯電物質ではないが、われわれの有機組織自身によって手を加えられた何か無限に精緻で、それでいて帯電物質に類似したものが身体上および精神上の感受の器官となっている。私の魂の活動は地上では類比物を持たないのか？　持たないとしたら、私の魂が身体にどのように作用を及ぼし、また他の事象が私の魂にどのように作用を及ぼすのかも理解できないのではないか？　さもなければ、目に見えないこの神々しい光と火の精神が、あらゆる生きものを通じて流れ、自然のすべての力を一つにまとめているのだ。人間という有機体の中で、この精神は地球の構造が与えられるかぎりの精緻さを獲得した。そしてこの精神を介して魂はその器官の中でほとんど全能に近い形で活動し、自分の最も内奥の部分をも動かす意識をもって自分自身の中を照らし返した。この精神を介して人間の精神は高貴な熱で自らを満たしたばかりか、自由な自己決定を通じていわば身体から、それればかりか世界からも抜け出て、世界を操る術を身につけた。こうして人間の精神は身体を支配する力を獲得した。しかし、この精神も寿命が尽きて外部の機構が崩壊すれば、次のことほど自然なことがあろうか？　すなわちそれは、この精神が、自然の緊密で永遠に活動しつづける法則に従って、自分と同類になって緊密に自分と一体化しているものを自分の方に引き寄せることである。この精神は自らの媒体の中に移行し、これが精神を引っ張ってゆく。――あるいはむしろ、汝がわれわれを引き寄せ、導くのだ。汝、いたるところに広がり、形成する神の力よ。汝、すべての生きた存在物の魂にして母よ、汝こそがわれわれを導き、われわれの新たな使命に向けて、穏やかに向こう側へと形成するのだ。

このような観点からすると、われわれの魂の不死を否定したと公言している唯物論者たち[11]の推論は、価値がないように私には思われる。われわれは純粋な精神としての魂を知らない[12]が、そのことはそのままにしておこう。われわれは魂をそういうものとして知ることを望んでもいないのだから。魂が有機的な力としてのみ活動することもそのままにしておこう。魂はそれ以外の仕方では活動してはならないのだから。それどころか、私は付け加えて言うが、魂はこの自らの状態の中で初めて人間の脳をもって考えることと、人間の神経をもって感受することを学び、いくらかの理性とフマニテートを身につけた。最後に、魂が物質、刺激、運動、生命のあらゆる力と元来**一つの**ものであり、より高次の段階たるいっそう完成された精緻な有機組織の中でのみ活動することもそのままにしておこう。いったいこれまで運動と刺激の**一つの**力だけでも滅びるのを見た者がいるのか？ それにこれらの低次の力は、その器官と同一のものなのか？ こうして無数の力を私の身体に導き入れ、それぞれの力に形成物を割り当て、私の魂をそれらの上に置き、私の魂には技術活動の場所を、また神経には魂がそれらすべての力を統御する絆をあてがった者に、私の魂を身体から導き出すための媒体が自然の大きな連関の中で欠けていることがあろうか？ それにこの者は私の魂をまさにかくも素晴らしく、かつ明晰に、いっそう高次の形成に向けて私という有機的な家の中に導き入れてくれたというのに、今度はこの身体から魂を導き出してはいけないとでも言うのだろうか？

三　諸力と形のあらゆる連関は退行でも停滞でもなく、進展である

　このことは自ずと明らかだと思われる。なぜなら、自然の生きた力がこれに敵対する優勢な力によって制限され、押し返されないかぎり、どうして停滞し、退行するかが理解できないからである。自然の生きた力は、神の威力の器官として、また創造という神の永続的計画が行為化された理念として活動したので、その諸力もまた活動しながら殖えねばならなかった。これらの諸力はあらゆる偏倚(へんい)をも再び正しい軌道に導かねばならない。というのも至上の善意は、跳ね返った弾丸を、それが落下しないうちに新たな衝撃、すなわち新たな覚醒によって再び標的へと導くための手段を十分に有しているからである。だが形而上学はこれくらいにして、自然の類比に目を向けよう。

　自然においては何一つ停滞していない。すべてが活動し、進展している。創造の最初期全体に目を通し、自然の一つの領域が他の領域を基盤として構築された様子を見るこ

とができれば、活動しつづける諸力の何と素晴らしい進展が、それぞれの発展の中に現れることか！　なぜ人間とすべての動物は骨の中に石灰質土を含んでいるのか？　それは石灰質土が、粗雑な地球形成物最後の移行の一つであり、すでにその形成物内部の形態化に従って骨格の生きた有機組織に役立つことができたからだ。同様のことは人間の身体の他のあらゆる構成要素についても言える。

創造の門が閉じられたとき、一度選ばれた種々の有機体は既定の通路や入口として存在したが、それは将来これらの有機体を土台として、自然の限界内で低次の諸力が飛翔し、自己をさらに形成するためであった。新たな形態はもはや産み出されなかった。しかし一度選ばれた種々の有機体を通じて下位の諸力は次から次に姿を変えていく。それゆえ、有機組織化と呼ばれるものは、元来**これら諸力の高次の形成への導き手**にすぎない。

光の前に歩み出て、太陽光線のもとで地下世界の女王として姿を現す最初の被造物は植物である。その構成要素は何か？　それは塩、油、鉄、硫黄と、その他いっそう精緻な諸力、すなわち、地下のものを植物へと高めて純化できた諸力である。どのようにして植物はこれらの要素に到達したのか？　それは内部の有機的な力を通じてであり、これによって植物は境域の助けを借りつつ、これらの要素を獲得すべく活動する。さて、植物はこれらの要素をどうするのか？　植物はこれらを引き寄せ、手を加えて自分の本質とし、さらに純化する。それゆえ、有毒な植物も健康によい植物も、粗雑な構成要素を精緻な要素へと導くものにほかならない。植物の技術活動とは、どれも低次のものを高次のものへと形成することである。

植物の上には動物が存在し、植物の液体を摂取して生きる。一頭のゾウはそれだけで無数の草木の墓であるが、それは作用を及ぼす生きた墓なのだ。ゾウは草木を動物質に変えて自分自身の構成要素とし、それによって低次の諸力も生のいっそう精緻な形に移行する。あらゆる肉食動物についても同様である。自然はすべての緩慢な死を恐れているかのように迅速に移行を行った。そのため自然は高次の生への変形の過程を短縮し、かつ早めた。あらゆる動物のうちで最も精緻な器官を持つ被造物、すなわち人間は最大の殺戮者である。なぜなら、人間は自分よりあまりに低級な有機組織でないかぎり、ほとんどすべての生きた有機組織を自分の本性に変えることができるからだ。

なぜ創造主は、自分の生命界を一見破壊するように見える調整の仕方を選んだのか？　分かれて活動し、一つの類を他の類の餌食にしたのは敵対する諸力だったのか？　それとも創造主が無力だったために、その子らがこうした形でしか自己を維持できなかったのか？　外皮を取り除くがよい。そうすれば被造物界に死は存在しない[13]ことが分かる。

どのような破壊も高次の生への移行なのだ。賢明な父はこの移行を、かくも早く、かくも迅速に、かくも多様に行ったが、それは類の維持と被造物の自己享受が許容する範囲においてである。父は被造物が自己の外皮を喜び、できるだけそれが作用を及ぼすことを期待している。また父は無数の強制的な死を通じて、被造物が緩慢に死滅していくのを防ぎ、開花しつつある力の萌芽を促して高次の器官にまで高めた。被造物の**成長**、それは被造物が幾多の有機的諸力を自己の本性と結びつけようとするたゆまぬ努力以外の何ものだろうか？　被造物の年齢もこれに基づいて調節されており、被造物はこの仕事がそれ以上できなくなると、すぐさま衰えて死なねばならない。自然は健全な同化と活発な加工という自己の目的にもはや役立たない機構を見出すと、これを見捨ててしまう。**医者**(14)の技術は何に基づいて自然の奉仕者として存在し、またわれわれの有機組織の多様に活動する諸力を助けに急ぐのか？　この技術は、失われた諸力を補充し、弱った諸力を強化し、過度に強い諸力を弱め、制御する。何によってか？　といえば、このような諸力、もしくは**低次の領域からの**敵対する諸力を引き寄せ、かつ同化することによってである。

あらゆる生きものの**生殖**が語るのもこれと同じことだ。なぜなら、生殖の神秘がたとえどんなに深いところにあろうとも、次のこと、すなわち有機的諸力が被造物の中で最大の効果に向かって進展したことと、それら諸力が今や新たな形成を目ざして活動していることは明らかだからである。低次の諸力を自分自身に同化させる能力を持つ有機体はどれも、それら低次の諸力によって強められる。そしてこの有機体は、生の全盛時にも自己形成を続ける能力と、自分自身の似姿を、自分の中で活動するあらゆる力をもって自分の代わりにこの世界に与える能力を有している。

こうして完成への段階的進行が低次の自然を通じて進むからには、いったい最も高貴で力強い自然にあって、この進行が停滞し、退行しなければならないことがあろうか？動物が個体維持のために必要とするものは植物性の諸力だけだが、それは動物が自分の植物性の身体部分に生命を与えるためなのだ。ちなみに動物の筋肉と神経を流れる液体は、他の地球存在物の個体維持にはもはや役立たない。血液でさえ肉食動物に生気を与えるにすぎない。情念もしくは困窮のせいで、やむなく血を摂取するようになった民族にあっては動物の性向が認められたが、これらの民族は恐ろしいことに動物を生で食べることを選んだ。ここではそれゆえ観念や刺激の領域は、その本性が要求するような形で見られるべき進展や移行を伴っていない。諸民族の形成に際して、人間としての感情の第一法則とされたのは、どの動物であれ、それをまだ血が循環して生きているままで食べようとしないということだった。植物性の諸力は明らかにすべて精神に関わる類のものである。したがって感覚の触知しうる媒体としての神経液に関する仮説[15]のほとんどは不用なものだったと言ってもよかろう。神経液があれば、神経と脳は健全に保たれるが、もしなければ、神経と脳は役に立たない糸束と容器にすぎないということになろう。すなわち神経液は身体的側面において有用なのであり、また魂の活動は、魂の感受と諸力に従えば、たとえ魂がどのような器官を用いようと、どこでも精神に関わるものなのだ。

しかし精神に関わるこれらの力は、人間のあらゆる感覚を離れたらどこに帰るのか？　賢明にも自然はここで幕をおろし、そのための感覚をまったく持ち合わせないわれわれに、これらの力がさまざまに姿を変えて移行する精神界を覗かせてはくれない。それにおそらくわれわれがそこに目を向けることは、地球上での人間の存在や、人間がなお服従している感覚に即したあらゆる感受と矛盾することにもなろう。こうして自然はわれわれに低次の領域からの移行と高次の領域において上昇する形だけを提示して、目に見えない無数の変移の経路は示さないでおいた。そのため、まだ生れ出ないものたちの国は大きな素材(ὕλη)[16]、もしくは人間の視線が届かない冥界となった。たしかにそこへの下降を妨げているのは特定の形であろうと思われる。つまり、その形にはどの類も忠実でありつづけ、その中ではどんなに小さな骨といえども変化しない。しかしこれについての原因は明白である。それは、どの被造物も自分の類の被造物によってのみ有機組織化されうるし、そうされることが許されているからだ。揺るぎがなく秩序に富んだ母は、こうして経路をきちんと定め、そこで有機的な力が、支配的であれ従属的であれ、目に見える効力を及ぼすようにした。それゆえ、自然が一度定めた形からは何ものも抜け出ることはできない。たとえば人間界においては、きわめて多種多様な性向や素質が支配しており、われわれはそれらを不思議なもの、自然に反するものとして驚き眺めることも稀ではないが、理解することはない。ただこれらの性向や素質も有機的な基盤なしには存在しえないのだから、もしわれわれに創造の場所のこうした見通し難さについての推論が許されるとすれば、人類は低次の有機的諸力の大合流と見なされるだろう。しかもこれらの諸力は人類においてフマニテートの形成に向かうべく定められている。

だがそれから先はどうなっているのか？　人間は地球上では神性の姿をして、地球によって授けられた最も精緻な有機組織を享受してきた。それなのに人間は退行し、再び石や植物やゾウにならねばならないのか？　それとも人間のところで創造の車輪が止まり、これに連結される他の車輪もないのか？[17]　そのようなことは考えられない。というのも、至上の善意と叡智の国にあってはすべてが結びつけられており、また永遠の連関にあっては力同士が互いに作用を及ぼすからだ。今こうして振り返ってみると、われわれが後にしてきたところでは、すべてが人間という形成物に向かって成熟するように見える。また人間においては、人間であるべきものと、それを目的として形成されたものが有する最初の萌芽と素質しか見出されない。とすれば、自然のあらゆる連関とあらゆる意図は夢でなければならないのか。それとも、人間もさらに（たとえどのような経路や歩みを経てであれ）先へと進むのか。人間本性の素質全体がどのようにしてわれわれをそちらに差し向けているかを見ることにしよう。

四　人間という有機組織の世界は、精神に関わる諸力の一体系である

有機的諸力の不死ということに対して常に提示される最大の疑念は、これらの力が活動する際に用いる器官に由来している。私が主張できるのは、この疑念の解明こそが、活動の永続という希望と確信の最大の光を灯すということだ。いかなる花も、その組織の粗雑な構成要素である外部の土によって咲くことはない。ましてや絶えず新たに成長する動物が、そのような構成要素によって再生することもなければ、また人間の魂と同じほどの力と結びついた緊密な力も、脳がその中に解体される構成要素を通じて思考することはできない。生理学でさえもこのことをわれわれに納得させてくれる[18]。人間の目に映る外界の像は脳の中に入ってこない。耳の中で響く音も、自動的にそのまま魂の中に入ってこない。いかなる神経も、それが合一点に達するまで顫動（せんどう）するようには張られていない。いくつかの動物にあっては、両目の神経すら合一しない。いかなる被造物に

おいても、すべての感覚器官の神経が、目に見える一つの点によって統一されるべく合致することはない。まして身体全体の神経においては言うまでもないことである。事実、どのように小さな身体部分においても、魂は自己の現存を感じとり、その中で活動するのだから。脳を、単独で思考する存在と考え、神経液を、単独で知覚する存在と考えるのは根拠が弱く、かつ生理学に即していない発想である。むしろすべての経験によれば、魂が自分の仕事を行う際に従い、自分の観念を結びつけるものは、心理学に即した固有の法則なのだ。魂のこうした活動が、常に魂の器官に応じて、またこれと調和を保って行われるということ。器官がまったく役に立たないと、魂という技術者は何もできないということ、等々。これらはみな疑問の余地はなく、この問題の理解に何らの変更をもたらすものではない。ここでは魂が活動を行う方法と、魂の観念の本質が以下のように考察される。

1　否定できないのは次のこと、すなわち観念は、いや、それどころか魂が外界の対象を表象する媒介となる最初の知覚は、感覚が魂に引き渡すものとはまったく別のものである[19]ということだ。この別のものは像と呼ばれるが、しかしそれは明るい点、すなわち目には描き出されるが、脳には決して到達しない点という意味での像ではない。魂の像は精神に関わるもので、感覚が誘因となって魂自身によって創り出されるものである。

魂は自己を取り巻く事物の混沌から一つの形態を生じさせ、注意深くこれと結びつく。こうして魂は緊密な力によって多から一を創り、それを自分だけのものとする。たとえこの一がもはや存在しなくなっても、魂はそれを自分のために再び創り出すことができる。夢や空想はこれを結びつけることができるし、実際またそのようにしている。しかしそれは、感覚によってこれが思い描かれた際に従った法則とはまったく異なる法則に従って行われる。精神病患者の言動は、魂の物質性を示すものとしてよく引き合いに出されるが、それらはまさに魂の非物質性を示すものなのだ。狂人の言うことによく耳を傾け、その魂の動きに目を向けるがよい。狂人は自分をあまりにも深いところで揺り動かした観念、すなわち自分の器官を錯乱させ、他の感覚との連関を混乱させた観念から出発する。そうして狂人はこの観念にすべてのものを関連づける。というのも、この観念が支配的なものなので、彼はそれから逃れられないからだ。この観念に合わせて、狂人は自分固有の世界、すなわち観念の固有の連関を創る。観念を結合させる際に狂人が見せる逸脱は、どれもきわめて精神に関わるものである。狂人が観念を結合させるとき、狂人は脳の仕切りの位置に従ってでもなければ、感覚が自分に現れるとおりにでもなく、他人の観念が自分の観念と類似しているとおりに観念を結合させる。つまり、狂人は他人の観念を無理やり自分の観念に引き移すことしかできなかったのだ。これと同じ過程を経て、観念のあらゆる連合[20]も生じる。これらの連合は次のような存在に特有のものである。すなわちそれは、固有の活動力[21]に基づいて、またしばしば特異な連合によって記憶を呼び起こし、外部の機構ではなく、内部からの好感もしくは反感に従って観念を結びつける存在である。願わくはこれに関しては、正直な人たちが自分の心の記録をとり、鋭い観察者、特に医者が自分の患者について気づいた特性を公表してもらいたいものだ。私が確信するに、それらは有機組織としての性質は有するけれども、自らの力で、しかも精神に関わる結合の法則に従って活動する存在の純然たる活動の証拠であろう。

2　このことは、**幼年期に始まる人間の観念の技術上の形成**[22]によって証明されるし、人間の魂が遅れて自分自身を意識するだけでなく、自らの感覚を使用することを苦労して学ぶ**緩慢な行程**によっても証明される。心理学者が一人ならず目を向けた技術とは、幼児が色彩、形態、大きさ、距離を理解するために用いて、それによって**見ることを**学ぶための技術だった。身体に即した感覚は、まったく何も学ばない。なぜなら、像は生涯の最初の日にも最後の日にも同じように目に描かれるからだ。しかし魂は感覚を通して、測ること、比較すること、精神に即して感受することを学ぶ。そのさい魂を助けるのは耳であるが、言語はそれでもたしかに精神に即した観念形成手段でこそあれ、身体に即した手段ではない。音と言葉を同一のものとして理解するのは、感覚を持たない者だけである。音と言葉が異なるものであるのと同じように、身体と魂、器官と力もそれぞれ異なったものなのだ。言葉は観念を想起させ、それを他人の精神からわれわれの方へと移す。しかし言葉は観念それ自体でもないし、同様に物質に即した器官は観念ではない。体が食物によって成長するのと同じように、人間の精神は観念によって力を増す。それどころか、人間の精神において見られるものは、まさに**同化**、**成長**、**産出**の法則であり、しかもこれらの法則は、身体ではなく精神に固有の方法で遂行される。ただ、人間の精神も栄養をとりすぎるとそれを自分のものにできないし、また変化させられないこともある。また人間の精神は、精神に即した諸力の均整を保っており、これが崩れると、いつも病気、衰弱、発熱といった異常が生じる。そして人間の精神も、ついにはこうした内面の生の仕事を、卓越した力で行うが、その力の中では好感と反感が、つまり自分の本性と同質のものへの好意と、自分と異質なものに対する嫌悪が地上での生活におけるのと同じように現れる。要するに、われわれの中では(妄想を避けて言えば)**内的で精神的な人間**(23)が形成されるのだ。この人間は、自分固有の本性を有し、自らの身体を器官としてのみ使用し、それどころか、器官がひどく損なわれた場合でさえ、自分固有の本性に従って行動する。魂が病気、あるいは情念のどうしようもない状態によって身体から引き離され、いわば余儀なく自己の観念世界の中をさまようことになればなるほど、観念創造もしくは観念結合における魂固有の力や活動力のいっそう特殊な現象が見られる。そうなると魂は絶望のあまり、以前の生活のさまざまな場面の中をさまよい歩く。それでも魂は、観念を形成するという本性や活動を放棄できないので、今や自分のために新たな**原初的な創造**を準備する。

3　より明晰な**意識**という人間の魂のこの大きな長所は、**精神に即した方法で、それもフマニテートを通じて次第にようやく人間の魂に向けて形成された**。幼児は、その魂が意識に到達し、あらゆる感覚を通じて自分自身を確認するよう絶えず訓練しているにもかかわらず、まだほとんど意識を持ち合わせていない。種々の観念に向けての幼児のあらゆる努力[24]の目的は、神の世界において、いわば自己を省察し、人間としての活動力をもって自らの存在を喜ぶ点にある。動物は、蒙昧とした夢の中をまださまよっている。動物の意識は身体のきわめて多くの刺激の中に拡散し、またそれらによってしっかりと包まれているので、動物の有機組織は持続的な思考訓練へと明晰な形で覚醒できなかった。人間もまた自分の**感覚に即した**状態を、感覚によってのみ意識している。したがって、これらの感覚が機能しなくなるやいなや、人間が自分を支配する観念のゆえに、自己を認知できなくなり、自分自身と悲劇や喜劇を演じるのも何ら不思議なことではない。しかし人間の内的な活動力は、生きた観念の国へと人間がこうして引き入れられることを示している。そして人間はその活動力において、ひどく誤った経路をとることも稀ではないが、そこにこそ人間の意識、つまり自己使命の力が示される。認識ほど人間に自らの存在の固有の感情を与えるものはない。それは認識が、人間自身の獲得した真理の認識であり、人間の最も内奥の本性でもあるからだ。しかしこの認識にあっては、目に見えるものがことごとく人間から消え失せることも稀ではなく、そのとき人間は自分自身を忘れてしまう。つまり、人間は高次の観念に呼び出され、その後を追うとき、時間や自分の感覚的諸力の尺度を見失ってしまうのだ。人間が身体のどんなにひどい苦痛をも抑えることができたのは、そのとき魂を支配していた僅か一つの生きた観念によってであった。なかでも神の愛という最も生気に満ち、最も純粋な感情にとらえられた人間は、生死を顧みず、あらゆる観念のこの深淵の中で自分がまるで天国にいるかのように感じた。どれほど平凡な仕事でも、身体だけでそれを片づけることになるやいなや、人間には苦痛となる。しかし愛は、どんなに困難な仕事をも容易にしてくれるし、とても手間のかかる気の遠くなるような苦労にも翼を与えてくれる。空間も時間も愛の前では姿を消してしまう。愛はいつも自分の場所、自分固有の観念の国にいる。――精神のこうした本性は、どれほど未開な民族においても現れる。何のために闘うにせよ、彼らは観念に迫られて闘う。復讐や無鉄砲な行為に飢えている人喰い人間もまた、たとえおぞましい仕方ではあれ、**精神の**享受を求めて活動している。

4　それゆえ、器官のどのような状態や病気や特性も、それらの中で活動する力を**原初のものとして**感じとるという点で、われわれを誤らせることは決してありえない。たとえば記憶[25]は、人間の有機組織が異なるのに応じてそれぞれ異なり、物の形によって、あるいは抽象的な符号、言葉、さらには数によって形成され、保持されることもある。脳の柔軟な青少年期には記憶も旺盛であるが、脳が硬くなる老年期には不活発になり、以前の観念に執着する。魂の他の諸力についても同様である。これらすべては、一つの力が有機組織に即して活動するやいなや、その時点での存在の仕方しかできない。しかしここでもまた**観念の保存と革新の法則**に目を向けてほしい。これらの法則はどれも身体ではなく、精神に即したものである。或る数年間の記憶のみならず言葉、名前、名詞、さらには個々の文字や目印の或る部分の記憶を喪失した人たちがいたが、それ以前の数年間の記憶や他の発言部分の想起および自由な使用には支障がなかった。魂は器官が機能しなくなった一つの部位だけに拘束されていたのだ。もし魂の有する、精神に即した観念の連関が、精神ではなく物質に即したものであれば、魂は前述の現象に従って脳の中をあちこち動き回り、或る数年間と名詞や名前に関して自分固有の記録をとるにちがいないだろう。あるいはそれらの観念が脳とともに硬化していれば、これらの観念もみな硬化しているにちがいないだろう。だが老人においても、まさに青少年期の思い出がまだ本当に生きている。魂は、もしそれがもはや器官に従って観念を迅速に結びつけることも、瞬時にして最後まで考えとおすこともできなくなると、以前の素晴らしかった時期に獲得し、今も自分の所有物のように扱いうる財産にいっそう固執する。死の直前、あるいは魂が身体にそれほど束縛されていないと感じる状態になれば、青少年期の思い出は、いつでも当時の喜びをありありと思い描きながら覚醒する。老人の幸福や、死にゆく人たちの喜びの大部分はこれに依拠している。人間の魂は生涯の最初からたった一つの仕事しか持っていないように思われる。それは**内面を向いた形態、すなわちフマニテートの形**を獲得する仕事と、身体の場合と同じように自己をその内面の形において健康で喜ばしいものと感じる仕事である。人間の魂はこの仕事を目ざして絶え間なく、かつあらゆる力の共感を得て活動している。それはちょうど身体がとにかくいつも自己の健康のために活動できるのと同じである。つまり身体は一部分でも機能しなくなると、そのことを全身で感じとり、体液をできるだけ使用して、損傷した部分の埋め合わせを行って傷を治す。これと同じように、魂はいつも自らの健康を弱め、しばしば病気になるほどにまで働いているが、それは時には良い手段、また時には偽りの手段によって自らを安定させ、さらに活動を続けるためなのだ。その際に魂が駆使する技術は驚くべきものであり、また自ら調達できる救助手段や治療手段の蓄えも無尽蔵である。身体の徴候学[26]と同じようにいつか**魂の徴候学**が研究されるようになれば、魂のどのような病気の中にも魂固有の、しかも精神に即した本性が認識され、その結果として唯物論者たちの推論も雲散霧消するだろう。そればかりか、こうした**自分自身の内面の生**を確信している人にとって外面の状態は、その中で身体もすべての物質と同じように絶えず変化するので、時とともに、たんなる移行、それも自分の本質には関わらない移行にしか思えなくなる。この者は現世から来世へと知らないうちに歩みを進めるが、それはちょうど夜から昼へ、或る年齢から別の年齢へと歩みを進めるのと同じことなのだ。

　創造主が毎日われわれに身をもって教えてきたのは、人間という機構においてはすべてが自分自身と、また相互にもいかに分離しやすいかということである。それは死の兄弟ともいうべき芳しい眠り[27]のことだ。眠りは指でそっと触れることによって、人間の生のきわめて重要な仕事を切り離す。神経と筋肉は休らい、感覚に即した感受は機能を停止する。しかしそれでもなお魂は、自分固有の国で思考しつづける。夢にしばしば混入する知覚が証明するように、魂は目覚めているときほどには、身体から切り離されていない。だが魂はどんなに深い眠りの中でも自己の法則に従って活動を続ける。もっとも、われわれは突然に覚醒させられると、その眠りの中で見た夢について何一つ記憶していない。少なからぬ人たちの記すところによれば、彼らの魂は、穏やかな夢の中では覚醒状態と異なって、同一の観念系列を依然として継続し、いつも一つの、それもたいていは若々しく活発で、より美しい世界をさまよい歩くとのことだ。夢の知覚はずっと活発なものであり、同じく夢によって惹き起こされる興奮も激しいものである。また夢の中では観念の結合も容易になり、そこではどんな出来事も容易に起こりうる。またわれわれの眼差しもずっと明晰であり、われわれを取り巻いて輝く光もずっと美しい。健やかに眠るとき、歩みはしばしば飛翔となる。そのときわれわれの形態は大きく、決断も力強く、活動も自由である。ただしこれらのことはすべて身体に左右される。というのも、魂の諸力が身体ときわめて緊密に一体化して活動するかぎり、魂はどんなに小さな状態でも必然的に身体と調和を保っていなければならないからだ。しかし、眠りと夢というたしかに特殊な経験の全体は、もしわれわれがこれに慣れていないと大変驚かされるのだが、同時に次のことを示してくれる。すなわちそれは、人間の身体のどの部分として、同じようにわれわれに属しているのではないということと、それどころか、人間の機構の或る器官は取り外せるし、最上の力も記憶だけに基づいた方がいっそう理想的に、活発に、自由に活動するということである。いずれにしても、眠りをもたらすあらゆる原因と、眠りのあらゆる身体的徴候は、たんなる比喩に従ってのことだけではなく、生理学的に見ても本当に**死の類比物**なのだ。とすれば、いったいそれらがどうしてまた死の精神的徴候であっていけないことがあろうか。このように、われわれが病気や疲労から死の眠りに襲われても、われわれには次のような希望が残されている。すなわち、眠りと同じように、死という眠りもまた生命の熱を冷ますだけであり、きわめて一様に長く続く運動の方向をそっと変えて、この生命には治すことのできない幾多の傷を治し、そして魂が喜ばしく目覚め、新たな青春の朝を享受することに備えるという希望が。夢の中で私の観念は青春時代に立ち帰り、また夢の中で私はいくつかの器官から半分だけ解き放たれはするものの、いっそう自分自身の中に押し戻されることによって、自分をずっと自由で活動的なものと感じる。汝、生き返らせてくれる死の夢よ、汝もまた私の生涯の青春時代を、そして私という存在の最も美しく力に満ちた瞬間を、快く私に取り返してくれないか。そして最後には私がその瞬間の姿になって——というよりも、天国における青春というよりいっそう美しい姿になって目覚めるようにしてくれないか。

五　われわれのフマニテートはたんなる予備活動、すなわち未来の花の蕾（つぼみ）にすぎない

これまで見たように、現世での人間の存在の目的はフマニテートの形成に向けられており、地球のあらゆる低次の欲求もこれにのみ役立ち、それら自体もこれに到達するよう求められている。また理性可能態は理性へと、精緻な感覚は技術へと、本能は真の自由と美へと、運動力は人間愛へと形成されるよう求められている。もっとも、われわれは自分の使命について何も知らない。というのもそれは、神性が(これを冒瀆することには何の意味もないが)われわれの使命のあらゆる内的および外的な素質でもってわれわれを欺いたか、それともわれわれが、自分と神の存在を確信できるのと同じように、自らの存在の目的を確信できるかのどちらかだからである。

しかしこの永遠の、この無限の目的が現世で達成されることの何と稀であることか！(28)どの民族にあっても理性は動物性に従属させられ、真理はまったく誤った方法で探究さ

れ、美と誠実さは神がわれわれをそれに向けて創ったにもかかわらず、不当に無視され台無しにされている。神に類似したフマニテートが、この言葉の純粋で広い範囲で本来の**人生の勉学**となっているのは僅かな人たちにおいてにすぎない。ほとんどの人はようやく後になってしかそれについて考え始めないし、最良の人々にあっても低次の本能が崇高な人間を動物へと引きずりおろしている。[29] 人間という死すべき定めにある存在の中で、いったい誰が自分の中にある人間性の純粋な姿に到達する、あるいは到達した、と言えるのか？

もし、そう言えないとしたら、それは創造主が人間のために設定した目的について、しかもその達成に向けてかくも精巧にまとめ上げた有機組織について、創造主自ら思い違いをしたか、それとも、この目的が人間の存在を超えていて、地球が**訓練の場**、**準備の場**にすぎないかのどちらかである。もちろん、地球上ではまだ多くの低次なものが崇高なものの仲間に加えられざるをえなかったし、人間も全体としては動物よりわずかの程度しか高められていない。それどころか、人間相互のあいだでさえ、きわめて大きな差異が生じざるをえなかった。というのも、地球上ではすべてがとにかく多種多様であり、少なからぬ地域や状況において、人類は風土と困窮という軛（くびき）に強く縛りつけられているからである。したがって、形成を旨とする摂理の計画は、これらの段階、これらの地域、これらの変種をすべて一瞥のもとに包括したにちがいないし、人間をそれらすべての中でさらに先へと導く術を心得ているにちがいない。そして実際この摂理の計画は、低次の諸力を人間の知らないうちに高めてゆく。ただ、地球のあらゆる居住者の中で人類が自己の使命という目標から最も遠いところにいるということは奇妙であるが否定はできない。どの動物も自己の有機組織の中で到達すべきものには到達している。ただひとり人間だけがそこに到達していないのだ。それはまさに人間の目標が非常に高く広大で無限であるのに、人間はこの地球上ではとても低いところから、大変遅れて、しかも内から外から非常に多くの妨げを伴って歩み始めるからである。動物にとっては母なる自然からの賜物である本能が確実な導き手となっている。動物はまだ従僕として最上の父の家にいて、服従を強いられている。人間はすでにこの家の子どもであって、いくつかの必要不可欠な本能を除いて、理性とフマニテートに属するすべてのものをまず学ぶことが必要とされる。しかし人間はこれらのものを不完全にしか学ばない。なぜなら、人間は知性と徳性の種子とともに先入見や悪い慣習を受け継いでおり、真理と魂の自由への歩みにおいて種々の束縛を、それも人類の創始時から今に及ぶ束縛を背負わされているからである。神のような人間たちが人間の前と周囲にしるした足跡は、他の無数の足跡によって見分けがつかないほど踏み荒らされているばかりか、動物や盗賊がその上を歩きまわり、しかも何とも残念なことに、これらの族(やから)の方が、選ばれた偉大で善良な人間たちよりも大きな影響を及ぼしたことも稀ではなかった。それゆえ(また多くの人々によってもなされてきたように)摂理に対して次のような非難がなされるにちがいないだろう。その非難とは、摂理は人間を動物にきわめて近いところに置いたが、人間は動物であることを欲しなかったため、摂理は動物の本能に代えて人間の理性に役立ちうる光明と堅固さと確実さを与えはしたものの、それは人間の理性に役立ちえたであろう**程度**のものでしかなかったという非難である。しかし人間のこの不十分な始まりこそが、人間の限りない進展の証拠なのだ。つまり人間は、父の指導の下に自分で努力して**高貴で自由な者**になるために、この程度の光明と確実さでも、それを訓練によって自ら獲得しなければならない。そうすれば人間は**高貴で自由な者になるだろう**。また人間に類似した者[30]も人間であるだろう。寒さや太陽の灼熱によって硬直し、枯れたフマニテートの蕾も、その真の形態と本来のまったき美しさに向けて花開くことだろう。

こうしてわれわれはまた、われわれ人類から何だけが来世へ移行できるかを容易に予感できる。それはまさにこの**神に類似したフマニテート**、すなわち人間性の真の形態の閉じた蕾である。地球上で必要不可欠とされるものは、どれもみなこのフマニテートのためにだけ存在する。人間は自分の骨の石灰質を石に委ね、地水火風の四大にその持ち物を還元する。感覚に即したすべての本能は、人間がそれらによって動物と同じように地球の家政に奉仕したときに自分の仕事を完了した。これらの本能は人間にあっては、より高貴な志操や努力を誘発することを意図していたし、それによってこれらの本能の仕事は完成されている。個体維持の必要性は人間を労働や社会へ、また掟や慣行の遵守へと目覚めさせる一方で、人間を有益で地球にとって不可欠な軛に縛りつけることをも意図していた。また人間両性の性本能は、社会性のみならず父や夫婦や子どもとしての愛情を非情な人間の冷酷な胸にも植えつけることを意図するとともに、人間が自分の一族のために辛くて骨の折れる苦労を、家族に代わって自分の肉と血を差し出して引き受けるからには、この苦労を人間にとって快適なものにすることをも意図していた。このような意図を自然は地球のあらゆる欲求について持っていた。そしてこれらの欲求のどれもが、その中でフマニテートの芽が吹き出るような母の覆いたるべきものであった。幸いにしてこの芽が吹き出れば、それはより美しい太陽の光線のもとで花開くことだろう。真理と美と愛が人間の目標であった。そして人間はこれをあらゆる努力のうちに自分で意識しなくとも追い求めたし、また時にはまったく誤った方法で追い求めもした。だが、いずれはこの迷路にも出口が見つかり、さまざまに誘惑する魔の手も姿を消すだろう。そうなればどの人間も、遠くであれ近くであれ、自分の道が到達する中心点を目にするだけでなく、母なる摂理よ、汝もまた人間の必要とするゲーニウスや友人の形をとって、自ら寛容で温和な手でもって人間をこの中心点へと導いてくれるだろう。*34

こうしてまた善良な創造主は、来世の形態をわれわれに隠しておいたが、それは人間の弱い脳を麻痺させないことはもちろん、来世に対する人間の誤った偏愛を刺激しないためでもあった。そして自然の歩みを人類諸民族において観察すると、この形成者が低次なものを少しずつ除去し、困窮を緩和し、他方これとは逆に、精神に即したものを育て上げ、精緻なものをより精緻に仕上げ、より美しいものにさらに美しい生命を吹き込む様子が見られる。このとき確信できるのは、自然という芸術家の見えざる手によって**フマニテートという蕾の開花**も次のような形態で、すなわち、本来の真の**神々しい人間形態**で、しかもその壮麗さと美しさにおいて、地球上のどのような感覚をもってしても考え出せないような形態で姿を現すだろう、(31)ということだ。したがってまたわれわれがこれを空想しても意味がない。ただ私が確信するに、被造物界のあらゆる状態はきわめて精密に関連しあっているので、人間の魂の有機的な力も、その最も純粋で精神に即した訓練の中で、自らの将来のこうした形態化への基盤を自ら置くのだ。あるいは少なくとも人間の魂の最も内奥にありながら地球上では隠されている諸力が覚醒するまでのあいだ、人間自らには知られなくとも、より美しい太陽の光線が、人間の衣服として役立つ織物を紡ぎはじめる。しかしそれでも創造主に対して次のような形成法則を、すなわち、人間にその活動がまだほとんど知られていない世界に向けられた形成法則を描いてみせるというのは、やはり思い上がった行為と言うべきだろう。要するに、自然の低次の領域で見られる変化は、どれもみな**完成されたもの**であり、それゆえわれわれとしては、より高次の原因のせいでよく見ることができなかった方向へ少なくとも目を向けるだけでも十分なのだ。花はわれわれの目には種子の小さな萌芽として、それから若芽として姿を現す。若芽は蕾となり、こうしてようやく花という植物が生れ、地球というこの家政の中で生の歩みを開始する。これに類似した結果や変化は少なからぬ被造物に見られ、なかでもチョウは有名な象徴となった[32]。粗雑な個体維持本能に仕える醜い青虫が這うさまを見るがよい。時が来て、死の疲労に襲われると、青虫は体を突っ張って巻き上がる。青虫は死装束(しにしょうぞく)としての繭(まゆ)と同じように、部分的には自らの新たな存在の器官をすでに中に持っている。今や環節が動きはじめ、内面の有機的諸力が活動している。変化は最初、ゆっくり進み、それは破壊のように見える。一〇本の足は脱げ落ちた皮に残っている。この新しい被造物は全体がまだ不格好である。体は次第に形成され、それらしい形になる。しかしこの被造物は完全なものになるまで目覚めない。今やそれは光を目ざして突き進み、最後の仕上げがすばやくなされる。ほんの数分だけ待つがよい。そうすれば、その柔らかな羽はそれがまだあの死の覆いの下にあったときの五倍もの大きさになる。この羽にはすべての弾力とすべての輝きが、それもこの太陽のもとでおよそ生じえたかぎりの輝きが恵み与えられている。羽の数も多く、形も大きいのは、この被造物をまるでそよ風の翼に乗せるかのようにして運ぶためなのだ。この被造物の構造全体が変わってしまっている。以前は粗雑な樹木の葉を食べるように形成されていたが、今や花の黄金の萼から花蜜の露を味わう。その使命も変わってしまっている。粗雑な個体維持本能にではなく、ずっと精緻な本能である愛情に奉仕するのだ。誰が青虫の形態の中に将来のチョウを予感するだろうか？　もし経験が教えてくれなければ、誰がこの両者の中に同一の被造物を認識するだろうか？　しかもこれら二つの存在は、有機的循環が一様に再び始まる同一地球上における同一生物の二つの時期にすぎない。何と美しく完成されたものが自然の懐に在らねばならないことか。実際そこでは自然の有機的循環はずっと広範囲であり、自然が完成させる生涯は、一つ以上の世界を包括している。だから、おお、人間よ、希望を持つがよい。しかし予言してはならない。褒賞は汝の前に差し出されている。それを求めて闘うがよい。人間としてふさわしくないものは投げ捨て、真理、善意、神に類似した美を目ざして活動するがよい。そうすれば汝は自分の目標を逸することはない。

こうして自然は**生成する**。つまり自然は、移行する被造物のこれらの類比においても、なぜ死の眠りを種々の形態からなる自分の領域の中に織り込んだのかを示している。死の眠りは被造物を覆い包む慈悲深い麻酔であって、今やその被造物の中では有機的諸力が新たな完成を目ざして活動している。被造物自身は多少の意識はあるにせよ、これらの力の闘いを全体的に見渡したり統治するだけの力強さは持っていない。そこで被造物はまどろみ、目覚めたときにはもう完成されて存在している。それゆえ死という眠りもまた父の優しい思いやりであり、有益な阿片ですらある。その作用のもとで自然は諸力を集め、また眠りについた患者は快復するのだ。

＊34　どのような方法で行われるのか――地球のどのような哲学者がこれに確信を与えてくれるのかということ。これから本書では、魂の輪廻や純化の他の姿について諸民族の体系に言及し、それらの起源と目的について詳述したいが、今はまだその時ではない(33)。

六　人間の現在の状態はおそらく二つの世界を結ぶ中間項である

自然においてはすべてが結びついている。一つの状態は、もう一つの状態を目ざして活動し、後者の準備をしている。したがって人間が地球上の有機体の連鎖をその最高にして最後の環として終結させるとき、まさにそれによって人間は、より高次の類の被造物連鎖を、最も低次の環として開始している。このように、おそらく人間は被造物界の相互に入り組む二つの体系を結ぶ中間項である。地球上で人間はこれ以上どの有機体へも移行できない。もしできたとしても、逆戻りして輪の中をぐるぐるよろめき歩かねばならないだろう。人間は立ち止まることができない。いかなる生きた力も、きわめて活動的な善意の領域では休むことがないからだ。それゆえ人間の前にはなお一つの段階が存在しなければならない。しかもそれは人間が最も高貴な長所で飾られながらも、動物と境を接しているのと同じくらい人間のすぐそばにありながら、それでいて人間をはるかに超えるものなのだ。自然のあらゆる法則に基づくこうした展望だけが、人間という不思議な現象を解く鍵を授けてくれる。その鍵とはただ一つ、人間史の哲学である。実際それによって初めて、

1　人間が姿を現す際に特有の矛盾が明らかになる。人間は動物として地球に仕え、自己の居住の場としての地球から離れられない。人間は人間として不死の種子を自らのうちに有し、その種子はまた別の植物園を必要とする。人間は動物として欲求を満たすことができ、それを満たした人間はこの地上できわめて快適に暮らす。しかし人間は何か高貴な素質を追い求めるやいなや、いたるところに不完全な点や不十分な点を見出す。最も高貴なものは地球上では決して完成されなかったし、最も純粋なものもほとんど永続しなかった。人間の精神と心の諸力にとって、この地球という舞台はいつも訓練と試練の場にすぎない。人類の歴史はこのことを種々の試み、運命、企て、変革によって十分に証明している。ここかしこに賢者や善人が現れ、思想、忠告、行為を時代の大河の中に撒き散らした。わずかな波があちらこちらで巻き起こったが、大きな流れがそれらを引きずり去り、その痕跡をも掻き消した。彼らの気高い意図の財宝は水底深く沈んだ。愚者が賢者の忠告を勝手に扱い、浪費家が自分の両親の蒐集した精神の財宝を相続した。地球での人間の生は、永遠なるものをほとんど考慮に入れていない。それと同じように、

球形で絶えず運動している地球は、不朽の芸術作品を制作する場所でもないし、永遠の植物の庭でもなければ、永遠に居住するための別荘でもない。われわれはやって来て、そして立ち去る。どの瞬間も、無数のものをもたらし、また地球から無数のものを持ち去る。地球は旅人にとっての宿であり、渡り鳥が飛来し、飛び去る迷い星なのだ。動物は天寿を全うするが、それは、より高次の目的からすれば、たとえ年数の点で十分生きなくても、その内的な目的は達成しているということだ。動物はそのための技術を生れながらに持っており、またそのように要求されている。人間だけが自分自身および地球と矛盾している。なぜなら、人間は地球のあらゆる有機体のうちで最も完成された被造物でありながら、たとえ生に満ち足りてこの世を去るにしても、同時にその固有の新たな素質においては最も未完成な被造物だからである。言うまでもなくその原因は次の点、すなわち、人間の状態が地球にとっては最後のものであるが、同時にそれはもう一つの在り方にとっては最初の状態であるという点と、これに関して見れば、人間は地球上で最初の訓練をするために幼児として姿を現しているという点にある。それゆえ、人間は二つの世界を同時に体現しており、このことが人間という存在の二重性らしきものを形作っている。

2　ここでただちに明らかになるのは、このどちらの部分が、地上の大多数の人間において優勢なのだろうかということだ。人間の最大部分は動物である。人間はフマニテートに向けてその能力しかこの世に持ってこなかったので、一生懸命に努力してフマニテートを後天的に身につけねばならない。しかし正しい方法でこれを身につけた人間の何と少ないことか！　そして最も優れた人間にあっても、神々しく植えつけられた花の何とか細くひ弱なことか！　生涯にわたって動物は人間を支配しようとし、またほとんどの人間が動物に好き勝手に自分を統治させている。それゆえ精神が高揚し、心が自由な領域に入ろうとすると、動物がいつもそれを引きずりおろす。それに感覚に依拠する被造物にとっては、遠く離れているものよりも眼前にあるものの方がずっと大きな影響を及ぼす以上、これら両方の分銅をのせた秤がどちらに傾くかは容易に推察できる。人間は何とわずかの純粋な喜び、純粋な認識と徳性しか持てないことか！　たとえそれらを持てたとしても、人間はそれらに何と慣れていないことか！　地上におけるきわめて高貴な結合も、人生という航海が逆風によって妨げられるのと同じように、低次の本能によって妨げられる。慈悲深く、かつ厳格な創造主は両者の紛糾を相互に調整しながら、一方を他方によって制御し、不死の芽を、心地よい胴衣よりもむしろ荒々しい風によって人間の中で育て上げた。多くの試練を経た人間は多くを学んだ。怠惰で無為な人間は自分の中に何があるのかを知らないし、それにもまして自ら感じとる喜びによって自分に何ができるのかも知らない。このように人生は闘いであり、純粋で不死のフマニテートの花は苦労の末に獲得される王冠なのだ。走る者にとって目標は最後にあり、徳性を求めて闘う者にとって栄冠は死の中に見出されるだろう。

3　それゆえ、人間より高次の被造物がわれわれに視線を向けるならば、それらはわれわれが**中間の類**を、それも自然が一つの基本領域から他の基本領域へと移行するときに用いる**中間の類**を考察するのと同じように人間を考察するかもしれない。ダチョウが翼を弱々しく動かすのは、もっぱら走るためであって飛ぶためではない。ダチョウの重い身体がダチョウを地面へと引き寄せる。しかし有機組織化を行う母は、ダチョウはもちろん、すべての中間被造物に対しても配慮を怠らなかった。これらの被造物もそれ自体では完全であり、ただわれわれの目に不格好に見えるだけなのだ。同様のことは地上での人間本性についても言える。その不格好なところは地球上の精神にはひどく目につくが、より高次の精神はその内面に目を向ける。そしてまたこの精神は、連鎖のいくつかの環が互いのために作られていることをすでに知っているので、なるほどわれわれを憐れむことはあっても、軽蔑することはありえない(34)。それにこの精神は、人間がなぜきわめて多種多様な状態で、つまり、老いも若きも、愚者も賢者も、二度目の子どもとなった老人として、あるいはまだ生れぬ者として、この世を去らねばならないかを知っている。狂気や奇形、文化のあらゆる段階、人類のあらゆる混乱を全能の善意は包括した。この善意はその財宝の中にバルサムという香油を十分に持ち、死によってしか和らげられないような傷を治す。人間の状態が低次の有機体の状態から生れるのと同じように、未来の状態はおそらく現在の状態から生れる。したがって、未来の状態の仕事は、考えられるよりも明らかに緊密にわれわれの現在の存在と結びついている。より高次の庭に咲くのは、この世で胚胎し、粗雑な外皮のもとで最初の小さな芽を出した植物だけである。それゆえ、これまで見てきたように社会性、友情、活動的な関与がほとんどわれわれの主要目的で、それもフマニテートが自らの人類史全体において目ざしている主要目的であるとすれば、人間の生の最も美しい花は、高次の庭で元気を回復させる形態へと、そしてこれを影で覆う高みへと必然的に到達するにちがいない。だからこれらの形態や高みを、地球のあらゆる結合の中でわれわれの心が渇望しても無駄なのだ。しかし高次の段階にいる同胞は、われわれが彼らを求め愛したりできる以上に、そしてより純粋にわれわれを愛してくれる。なぜなら彼らは、人間の状態をずっと明瞭に見渡せるからだ。人間の時代の瞬間は彼らにとっては過ぎ去っており、あらゆる不調和は解消されている。彼らは、人間の目にはおそらく見えないようにして、自分たちの幸福の分有者と仕事仲間を育て上げる。あと一歩だけ進めば、抑圧された精神はより自由に呼吸できるし、傷ついた心も癒えている。彼らは人間が歩み近づくのを見て、足を滑らせる者には力強い助けの手を差しのべて、向こうへと渡してくれる。

4　人間が両部門の中間の類であり、ある程度は両方に関与しているので、私には次のことがまったく想像できない。すなわちそれは、われわれの未来の状態が現在の状態からほど遠いものとされることと、また人間の中の動物が喜んでほとんど信じたがるくらいに、現在の状態にとって未来の状態が分有されるべきでないとされることだ。むしろ逆に私には、人類史において高次の作用を伴わない歩みや成果があるということの方がほとんど理解できない。たとえば人間が独力で自己を文化という道の上に置き、高次の導きなしに自ら言語と最初の学問を案出したということは私には不可解に思われるし、しかも人間にあって前提とされる粗暴な動物状態が長く続けば続くほど、このことはなおさら説明できなくなる。たしかに神による家政は人類をその誕生の時点から統治し、人類にとって最も容易な方法でその軌道へと導いた。しかし人間の諸力自体が訓練されればされるほど、これらの力はこの高次の助けをそれだけ必要としなかったか、あるいはそれを受け入れる能力が減少した。とはいえ、後の時代にも地球上でのいくつかのきわめて大きな活動は説明不能な状況によって生れたし、もしくはこうした状況を伴っていた。病気でさえもがそのための道具であることも稀ではなかった。なぜなら、器官が他の器官との均衡を失い、そのため地球での生活における通常の領域にとって使用不能となったときには、内部の休むことのない力が、万有の別の方面に向かうからである。そしてまた次のことも、すなわち器官が、おそらく活動を妨げられた有機組織でなければ所有することもできず必要ともしなかった印象を受けとることも自然であるように思われる。しかしいずれにしても、現世と来世を分けているものはたしかに一枚の慈悲深いヴェールであり、死者の墓の周囲がとても静寂であるのも理由のないことではない。人生の途上にある普通の人間は来世の印象からは遠ざけられているが、それは来世のこうした印象の一つだけでも、その人間が有する観念の全領域を震撼させ、その人間を現世にとって役立たないものにしてしまうだろうからだ。自由に向けて創られた人間は、自分より高次の存在を模倣するサルではないはずだ。人間は導かれているときも、自分で行動していると幸福にも思い込んでいるはずだ。人間を安心させるために、また人間の使命を支えている高貴な矜持のためにも、自分より高貴な存在を目にすることは人間から遠ざけられた。事実われわれは、このような存在を知れば、おそらく自分自身を軽蔑するだろう。それゆえ人間は自分の未来の状態を覗き見るべきではなく、そこに入れると信じるべきなのだ。

5　人間のどの諸力も無限性を有していることだけは確実である。ただ、どの力もこの地球上では展開されえないだけのことだ。というのも、どの力も他の諸力や動物の感覚や本能によって抑圧され、地球での生活と調和がとれるように、いわば拘束されているからである。記憶力、想像力、さらには予言や予感の個々の実例は、人間の魂の中に隠されている財宝から数々の不思議なものを発見してきたし、五感ですらその例外ではない。病気や身体部分の欠陥のほとんどの場合がこれらの財宝を示したことも、事柄の本性を何ら変えるものではない。実際こうした不均衡が必要とされたのは、一つの分銅に自由を与えてその力を示すためであった。魂は宇宙の鏡であるというライプニッツの表現は、[35]おそらく通常そこから取り出される真理よりも深い真理を含んでいる。なぜなら、宇宙の諸力も魂の中に隠されているように思われるからだ。魂がこれらの力を活動させ、かつ訓練できるようにするには、一つの有機組織、もしくは一連の有機組織しか必要とされない。万能の善意者は、魂に対してこれらの有機組織を拒まないであろうし、魂を子どものように手をとって歩かせ、いやましに募る享受への欲求を満たし、諸力や感覚をも自分で獲得したのだと思い込ませながら次第に整える。現在すでに魂を束縛している種々のものにおいては、**空間と時間**は魂にとって空虚な言葉である。[36]これらが測り記すのは物体の比例関係であって、魂の内面の能力ではない。この能力がそのまったき喜びのうちに活動するときには、それは空間も時間も超えている。人間よ、汝は未来の存在の場と時のために苦労する必要はないのだ。汝の昼を照らす太陽が、汝の住居の大きさや地球上での仕事の量を決めてくれるし、そのあいだは汝から天空のあらゆる星の光を遮って(さえぎ)もくれる。太陽が沈むと、ただちに世界がより大きな姿になって現れる。かつて汝は神聖な夜の中に包まれて横たわっていたし、いつかまたそうしているだろう。神聖な夜が汝の地球を影で覆い、その代わりに天空で汝のために不死という輝かしい書物を繙(ひもと)いてくれる。そこには住居や世界や場所がある――

すでに幾千年も経ているが
星辰は若さにあふれ輝く。
時節の推移もその頬から
決して光を奪うことはない。

しかしわれらの眺めるここ地球では
万物は枯れ、過ぎ去り、消えてゆく。
地球の華麗さ、地球の幸福
これらにも凋落の時が忍び寄る。(37)

地球自身がもはや存在しなくなっても、人間よ、汝はまだ存在し、別の居住地や有機組織において神とその被造物界を享受しているだろう。汝は地球上で多くの善いことを享受した。汝は地球上で自らの有機組織を獲得し、その中で天の子として自らの周囲と頭上を眺めることを学んだ。それゆえ汝は満足して地球を去ることに努め、汝が不死の子として遊んだ緑野の地球に、そして汝が苦しみや喜びを通じて一人前の大人になるまで育て上げられた養成の場としての地球に見送りの祝福を与えるがよい。汝は地球にこれ以上何も要求する権利はないし、地球も汝に何も要求する権利はない。自由の帽子を戴き、天の帯を締め、欣然とさらなる遍歴の旅に出るがよい。

実際また花は地球上で咲き、直立の姿勢で立ち、地下のまだ生命を与えられていない被造物界を閉じたが、それはこの花が太陽の領域で最初の生を享受するためであった。それと同じように、今度は地面に向かって身をかがめるすべての被造物を見おろして、人間は真直ぐに立っている。眼差しを上に向け、両手を差しのべ、人間は地球という家の子として、父の呼びかけを待ち望みながら立っているのだ。

訳注

第一部

（1）リガの書籍出版業者。ヘルダーの青年時代からの友人。生涯にわたってヘルダーへの支援を惜しまなかった。カント(Kant, Immanuel, 1724-1804)の『純粋理性批判』(一七八一年)もハルトクノッホ書店から刊行されている。

（2）ローマの詩人ペルシウスの『諷刺詩』第三歌、七一―七三行。訳文はヘルダー自身のドイツ語訳による。なお邦訳(『ローマ諷刺詩集』国原吉之助訳、岩波文庫、二〇一二年、三六頁)では次のようになっている。「お前が何者であることを神が命じているかを知れ、この世界で、お前の果たすべき使命は何であるかを知るべきだ、これらのことを学べ。」

序言

（3）歴史書の著者が初めに執筆目的を示すのは、古代ギリシアの歴史家ヘロドトスやトゥキュディデス以来の慣行であった。ヘルダーのこの長大な「序言」には、執筆目的だけではなく『人類歴史哲学考』の成立史や読者に対する呼びかけなども含まれており、作品全体の構想を知るうえでも重要なものとなっている。

（4）一七七四年に刊行されたヘルダーの歴史哲学書。原題は *Auch eine Philosophie der Geschichte zur Bildung der Menschheit.* 邦訳は『世界の名著　続7　ヘルダー　ゲーテ』（中央公論社、一九七五年）に小栗浩・七字慶紀の訳で収められている。以下においては『歴史哲学異説』と略記する。

（5）〈私もまた画家である〉という言葉は、イタリア・ルネッサンス期の画家コレッジオがラファエロの聖チェチーリアの肖像画を見たときに発した叫びであるとされる。この文章全体は、後述されるように、ヘルダーが「私もまた歴史家である」と主張、あるいは宣言する意図はないということを示している。

（6）古代ギリシアのストア派哲学者エピクテトスの『提要』（五）にある「人間を惑わすのは事象ではなく、事象についての臆見にすぎない」という文章。『歴史哲学異説』の冒頭に置かれたこのモットーは、ローレンス・スターンの長編小説『紳士トリストラム・シャンデイの生涯と意見』（一七五九―六七年）の冒頭で引用されている。

（7）ヘルダーは『歴史哲学異説』において、人類史を個人の年齢との類比においてとらえており、それ以前の『近代ドイツ文学についての断想集』（一七六六―六七年）では、言語の発展を記述する際にも個人の年齢との類比を適用している。

（8）最初の段落に出てきた「もう一つの小さな道」に対応した表現。ヘルダーがここで念頭に置いているのは、ドイツの言語学者で思想家アーデルング（Adelung, Johann Christoph, 1732-1806）の『人類文化史試論』（一七八二年）であろう。この著作にあっては「胎児」「幼児」「少年」「青年」「壮年」といった表現が使用されている。

（9）ヘルダーの意図は人類を「未開」と「文明」という二項対立によってとらえるのではなく、「未開」と呼ばれるどのような民族にも固有の文化を認める点にある。これもまたアーデルングの『人類文化史試論』の「序文」における次の文章への異議申し立てとして理解されうる。「私〔＝アーデルング。訳者注〕にとって文化とは、ずっと感覚的で動物的な状態から、社会生活の、より狭く糾合された諸結合への移行である。完全に感覚的な、それゆえ完全に動物的な状態、すなわち自然の真の状態とは、すべての文化の不在である。」これに対してヘルダーは、人類が原初の未開な状態、すなわち文化を持たない状態から、文明化され、文化を有する状態へと進歩すると考える啓蒙主義的な進歩史観を否定する。

（10）「弱さ」の原語 Schwachheit はラテン語の imbecillitas に対応している。ここでのヘルダーは特に十七世紀以降の自然法における議論をふまえている。ドイツの法学者プーフェンドルフ（Pufendorf, Samuel Freiherr von, 1632-94）は『自然法にもとづく人間と市民の義務』（一六七三年）第一巻第三章「自然法について」の中で「弱さ」に関連してこう述べている。「人間は、人間以外の動物には生まれながらにしてそれほどの弱さ imbecillitas がほとんど伴わないという点で、野獣と比べればさらに悪い条件にあるように見える」（訳文は『自然法にもとづく人間と市民の義務』前田俊文訳、京都大学学術出版会、二〇一六年、五一頁）。ヘルダーの言う「洗練された弱さ」とは、啓蒙主義的な進歩史観に従って、人間は成長するにつれて文化を身につけ、本来は動物として有しているはずの生の根源的な強さを失うと同時に、ますます洗練され、弱くなっていく状況を示唆している。

(11) 広くは、造物主である神が被造物をその救済に向けて導こうとする計画を意味するが、ヘルダーにあっては神そのものの概念が伝統的なキリスト教の超越神ではなく、汎神論的性格を帯びていることからも、摂理の概念を一義的に把握することは容易ではない。

(12) 十八世紀ドイツの思想家で作家のレッシング(Lessing, Gotthold Ephraim, 1729-81)は『エルンストとファルク。フリーメーソンに関する対話』(一七七八年)の「第二の対話」において、登場人物のファルクにこう語らせている。「国家は人間を結びつけ、人間が国家とこの結びつきとを通して各人の幸福をより良く、より確実に得られるようにする。――一人一人の幸福、それをすべて集めたものが国家の幸福だ。そうでない国家の幸福というのはウソだ。一人一人が、たとえ少しでもがまんしているとしたら、がまんしなくてはならないとしたら、その国家の正体は圧制だ。圧制以外の何ものでもない」(訳文は有川貫太郎訳、『レッシング/シラー/クライスト 世界文学全集17』講談社、一九七六年、九八頁)。他方でこの文章の背後にはスピノザの『神学・政治論』(一六七〇年)第二十章(六)の以下の箇所があると推測される。「国というものの究極の目的は、ひとを支配することでもなければ、ひとびとを恐れによって縛りつけ、他人の権利の下におくことでもない。むしろ反対に、国は彼らを恐れから解放するためにある。一人一人の人間ができる限り安全に暮らせるように、つまり彼らが自然に持っている存在し活動する権利を、自分自身や他人に害を及ぼさない限りで最高度に確保できるようにする。それが国というものなのだ」(訳文は『神学・政治論』(下)、吉田量彦訳、光文社古典新訳文庫、二〇一四年、三〇四頁)。

(13) 前述のアーデルングの作品のほか、『人類歴史哲学考』の本文や原注、さらには訳注で言及される数多くの作品が考えられる。

(14) 原語は Humanität. これは、この箇所での用法のように通例「人間性」「人間らしさ」を意味するが、本書では作品全体の中心概念として特有の使われ方をしている。このことをふまえて、同じく「人間性」「人間らしさ」を意味するドイツ語の Menschheit, Menschlichkeit との混同を避けるために、以下ではすべて「フマニテート」と訳される。これについては本・第一分冊の解説「4 『人類歴史哲学考』の構想と目的」を参照。なおこの段落では文体がいわゆる「頓呼法」(Apostrophe)に近づいている。これは語り手が語りを休めて、そこに存在しないもの(ここでは読者)に対して直接語りかける文学上の修辞技法である。擬人化したものなどへの呼びかけを通じて次元の異なる語りを目ざすこうした方法は、この「序言」の最終段落など『人類歴史哲学考』という作品の多くの箇所に見られる。

(15) ヘルダーがケーニヒスベルク時代にカントの講義に出席していた時期(一七六二―六四年)にまで遡る。

(16) ここでの神は数学者や建築家として表象されているが、自然から超越した存在ではない。後出の訳注(21)を参照。

(17) 『旧約聖書』「ハバクク書」(一、一四)において「あなたは人間を海の魚のように／治める者もない、這うもののようにされました」と嘆く預言者のこと。(以下、聖書からの引用は新共同訳による。)

(18) 聖書と同じく、神の創造した自然を神の啓示の場とする表現。

(19) 原語は Analogien der Natur.「存在の類比」をふまえた表現。ヘルダーにあって「類比」とは既知のものから未知のものを類推的に発見する方法として本書の第一部と第二部で重要な役割を果たしている。なかでも第一部第三巻と第四巻では、考察の対象となる生物学あるいは生理学の領域において、表面から見ると何の類似性も持たない種々の対象の親縁性を認識するための方法となっている。

(20) 原語は Gang Gottes in der Natur. 前出の『歴史哲学異説』には「諸国民の上をゆく神の歩み」(Gang Gottes über die Nationen.『ズプハン版全集』第五巻、五六五頁、および前掲邦訳書、一五六頁)という同じような表現が見られるが、これに比べると「自然における神の歩み」はずっと汎神論的な表現となっている。同じ段落における「創始者の隠れた現前」という表現もこうした方向の中にある。次注も参照。

(21) このスピノザ的な「神即自然」という汎神論的な表現は『人類歴史哲学考』という作品全体を方向づけている。ヘルダーは一七八四年二月六日付のヤコービ宛書簡で、神が存在するのは「神の外に存在するかのようなすべての事物の中にではなく、感覚的な表現として感覚的な被造物に対して姿を現す、すべての事物を通してなのです」と書いている。

(22) この文章は本書の第一部と第二部でたびたび言及されるビュフォンの『自然の諸時期』(一七

七八年）「緒論」における次の文章を想起させる。「偉大なる神の御名、神聖なる神の御名が濫用されるたびに、わたしは悲嘆にくれるのだ。人間が神の御名をけがし、第一存在の観念を辱め、それに代えて各人の見解などという夢幻（ゆめまぼろし）の観念をもちだすたびにわたしは傷つけられるのだ。わたしは自然の懐の中に入り込めば入り込むほどますますその創造者に感嘆し、深い尊敬の念を捧げてきた」（訳文は、『自然の諸時期』菅谷暁訳、法政大学出版局、一九九四年、二〇頁）。

（23）原語の一格（以下、名詞は原則として一格〔主格〕の形で記す）は organische Kräfte.「有機的」とはライプニッツ的な理解によれば「全体としての身体とその部分（器官）、その部分の部分、さらにその部分……と入れ子状に無限に続く構造のこと」（『モナドロジー 他二篇』谷川多佳子・岡部英男訳、岩波文庫、二〇一九年、五八頁の訳注）とされる。「諸力」については、一七八〇年代の初頭に書かれたと思われる「諸力に関する試論。ヒューム、ライプニッツ、スピノザによる」と題された構想（『ズプハン版全集』第十四巻、六〇五―六〇六頁）および第三巻第二章で言及される単数形の「有機的な力」への訳注（24）も参照。

（24）原語は qualitates occultas. スコラ哲学においては事柄の性質が他の既知の性質と比べられず、それによっても説明されないとき、「あいまいな事柄」という意味で「隠れた性質」と呼ばれた。

（25）内容的にこれと関連するのは、ヘルダーのスピノザ論である『神、いくつかの対話』（邦訳『神　第一版・第二版　スピノザをめぐる対話』吉田達訳、法政大学出版局、二〇一八年）と同じく一七八七年に刊行された『人類歴史哲学考』第三部第十五巻の「自然において破壊を行うすべての力は、時の経過とともに、維持する諸力に従属するのみならず、自らも最後には全体の完成に役立たざるをえない」と題された第二章である。

(26)『人類歴史哲学考』という大きな作品は、歴史や哲学の専門家によって厳密に構築された学問体系としてではなく、ゆるやかな文体による構想として、広範な読者を対象に書かれている。当時のゲッティンゲン大学で専門化されつつあった歴史学という学問分野からの視線もヘルダーは多分に意識していると思われる。

(27)「ゲーニウス」(Genius)は「守護霊」という意味であるが、ヘルダーにおいては人生あるいは歴史の重要な時期においてその進路を指し示す存在であり、本書でもたびたび登場する。なお本訳書では先に言及した「フマニテート」とともに、この「ゲーニウス」も普通名詞ではあるが、ヘルダー独自の用法を持つ単語として、すべて片仮名表記とする。また「ゲーニウスよ」以下の文章では「頓呼法」が使われ、文体が変わる。

(28)先に言及した『神、いくつかの対話』第一版序文の日付は、おそらく復活祭との関連もあろうが、これからちょうど三年後の「一七八七年四月二三日」であり、カントの『純粋理性批判』第二版の献辞の日付も同じ「一七八七年四月二三日」である。

(29)プリニウス『博物誌』第七巻(一、六―七)の引用(訳文は『プリニウスの博物誌』縮刷版Ⅱ、中野定雄・中野里美・中野美代訳、雄山閣、二〇一二年、二九七頁)。

第一巻

(1)Kopernikus, Nikolaus(1473-1543)ポーランド出身の天文学者。『天球回転論』(一五四三年)。

以下、カントまで太陽を中心とする近代の科学的世界像の創始者が列挙される。

（2）Kepler, Johannes（1571-1630）ドイツの天文学者。『新天文学』（一六〇九年）。

（3）Newton, Isaac（1642-1727）イギリスの天文学者、数学者、物理学者。『自然哲学の数学的諸原理』（一六八七年）。

（4）Huygens, Christiaan（1629-95）オランダの物理学者。『コスメテオロス、あるいは天空世界について』（一六九八年）。

（5）Hemsterhuis, Frans（1721-90）オランダの神秘主義的・新プラトン主義的哲学者。その「嘆き」の内容と関連するものとしてハンザー版の編者プロスは、ヘムステルホイスの著書『人間とその関係についての書簡』（一七七二年）における次の文章を示唆している。「人間の諸思想の中で起こった最大の変革は、哲学者たちが次のことを、すなわち、この地球が他の多くの惑星の中の一つにほかならず、そのあらゆる重要性においては無にすぎないことと、しかし宇宙は無限であることを、人間たちに反論の余地のないくらい明らかにした時点において現れた。もしこの発見が、その根源性についての集合的な思想によってまだ何かを持っていた時代になされていたならば、社会的生活もまったく異なったものになっていたと仮定できよう。しかしこの発見は、すでにそれが光沢を失った時代になされたので、哲学者たちの見解は次のような神を認識させるに至った。つまりそれは人々が崇拝してきた神とはあまりに異なっていたので、人々はこの新しい神に、宗教に関する旧来の観念を問題なく適応させることがほとんどできなかった。」

（6）これについては特にカントの『天界の一般自然史と理論』第二篇第一章「惑星宇宙一般の起

源とその運動の諸原因とについて」を参照。なお「存在」の原語はDaseinであり、これは「本質存在＝〜である」(essentia)ではなく、「事実存在＝〜がある」を意味するexistentiaに対応している。

（7）原語はWeltatomen. 単数形はWeltatomであるが、原子(atom)については古代ギリシアの哲学者エピクロスによる定義、すなわち「不可分で稠密な物体」(「ヘロドトス宛の手紙」四二、邦訳『エピクロス　教説と手紙』出隆・岩崎允胤訳、岩波文庫、一九五九年、一四頁)に遡る。

（8）『人類歴史哲学考』および前出の『神、いくつかの対話』を貫くヘルダーの根本思想。神を世界に内在して活動する生きた力としてとらえる。『神』では次のようにも言われる。「かの自立した者は、語の最高かつ唯一の意味において力であり、つまりはすべての力の根源となる力、すべての魂の魂です」(訳文は前掲書四四頁)。

（9）『旧約聖書』によれば、神は最初の人間を土くれから形作った。「創世記」(二、七)にはこう記されている。「主なる神は、土(アダマ)の塵で人(アダム)を形づくり、その鼻に命の息を吹き入れられた。」アダムは語源的には「(土からの)人間」として解釈されている。

（10）この文章の主要部分の原文は、Wo und wer ich sein werde, werde ich sein, der ich jetzt bin. となっている。これと同じような表現は『人類歴史哲学考』第一部執筆の最中であった一七八四年二月六日付のヤコービ宛書簡における「私は私がそうである私であり、そして私が(…)そうであるであろう私であるでしょう」の原文(ich bin der ich bin und werde (...) sein, was ich sein werde)と対応している。ドイツ語で「存在」を表す動詞sein（＝be)の一人称単数の現在形(ich bin = I am)とその未来形(ich werde sein = I will be)の混在するこの複雑な文章は『旧約聖書』の「出エジプト記」(三、一三―一四)において神がモーゼに「わたしはある。わたしはあるという者だ」と名乗る箇所に由来する。この表現は『神、いくつかの対話』においても重要な役割を果たすことになるが、これについては同書の邦訳における詳細な解説(四三五―四三九頁)を参照されたい。本文に戻ると、第一章の最後に置かれたこの文章は、著者ヘルダーが一人の人間、それも世界をその奥の奥で統べる神的な力に満たされた一人の人間として行う信仰告白とも読める。

(11) この原注は同書の受容史における貴重な証言の一つである。これについては、高峯一愚訳『天界の一般自然史と理論』(『カント全集10』理想社、一九六六年)における解説、三九六頁を参照。

(12) Lambert, Johann Heinrich (1728–77) ドイツの天文学者で数学者。『宇宙の構造に関する宇宙論書簡』(一七六一年)。

(13) Bode, Johann Elert (1747–1826) ドイツの天文学者。『天界の知識入門』(一七六八年)。

(14) 「中位の」(原語 mittel)という概念は、ヘルダーの自然観および歴史観において地球ならびに人間(第二巻第四章)の特性を示す基本概念である。次の段落における「この地球には中庸という両義的な黄金の運命が授けられており、われわれはせめてもの慰めに、これを幸福な中間として思い描くことができる」という文章も参照。

(15) Kircher, Athanasius (1602–80) ドイツの博学者。『忘我の旅』(一六五六年)。

(16) Swedenborg, Emanuel (1688–1772) スウェーデンの科学者。『地球について』(一七五八年)。

（17）Fontenelle, Bernard le Bovier de（1657–1757）フランスの著作家。『世界の複数性についての対話』（一六八六年）では惑星に居住者がいると述べられている（邦訳は赤木昭三訳、工作舎、一九九二年、七七頁以下）。

（18）『人類歴史哲学考』における自然と人間の関係を理解するうえで最も重要な箇所の一つ。一七八二年に書かれた論考『魂の変転について』においても「自然においてはすべてが結びついている。精神と身体と同じように道徳と自然学も。道徳は精神の高次の自然学にすぎない」（『ズプハン版全集』第十五巻、二七五頁）と述べられている。ヘルダーにあっては人間の精神的側面も人間の有機組織という自然上の構造によって規定されている。本書の第三巻および第四巻を参照。

（19）Kästner, Abraham Gotthelf（1719–1800）ドイツの詩人で数学者。ゲッティンゲンの天文台の所長を務めた。『天文学礼賛』（一七四七年）。

（20）『ベルリン自然研究協会報告』第二巻（一七七六年）に掲載された論考『太陽の本性と黒点の発生に関する見解』のこと。

（21）原語は Elemente．物質界を構成すると考えられていた地水火風の四つの基本要素。

（22）ビュフォン（Buffon, Georges-Louis Leclerc, Comte de, 1707–88）は大著『博物誌』で知られるフランスの自然学者。ヘルダーのこの発言は『博物誌』におけるビュフォンの次の文章、すなわち「力学上の諸原則からすべての自然現象を説明するという考えは本当に偉大で素晴らしいものであり、哲学で成しえた最も大胆な一歩である。そしてデカルトこそがこれを行った人物なのだ。しかしこの考えは一つの構想にすぎないし、実際それは根拠づけられているのだろうか？　もしそうだとすれば、われわれはそれを実行できるのだろうか？」（同書、第一部第二巻第三章）という文章をふまえている。

（23）原語は die elektrische, zum Teil auch die magnetische Materie. 以下における電気（Elektrizität）関連の単語の出典は、当時の化学や電気学および生理学や経験心理学、あるいは磁気学に関する文献であると推測される。そのさいヘルダーが特に参照したと思われる資料は、ビュフォンの『博物誌』、アルブレヒト・フォン・ハラーの『人体生理学要綱』（一七五七―六六年）、C・F・ヴォルフの『発生の理論』（一七五九年）、シャルル・ボネ（Bonnet, Charles, 1720-93）の『自然の観照』（一七六四年）などである。『人類歴史哲学考』の第一部には、当時のこうした新しい学問分野からの単語が頻出する。

（24）原語は Mittelbegriff. フランシス・ベーコンの『ノヴム・オルガヌム』（一六二〇年）の「自然の解明と人間の支配についてのアフォリズム」第一巻（一九）において「真理を探究し発見する」二つの道の一つの中で言及される「中間的命題」（axiomata media）に対応する概念と思われる。ベーコンはこれについてこう述べている。「真理を探究し発見するには二つの道があり、またありうる。一つは、感覚および個々的なものから最も普遍的な一般命題に飛躍し、それら原理とその不動の真理性から、中間的命題を判定し発見する、この道がいま行なわれている。他の一つの道は、感覚および個々的なものから一般命題を引き出し、絶えず漸次的に上昇して、最後に最も普遍的なものに到達する。この道は真の道ではあるが未だ試みられてはいない」（訳文は『ノヴム・オルガヌム』桂寿一訳、岩波文庫、一九七八年、七五頁）。ヘルダーは前者の方法を支持するが、それは「地球の発生」を説明するに際して、ケプラーやニュートンによる数学的な説明方法を当時の化学や電気学における最新の発見と結びつけるためと考えられる。そして化学や電気学による事実の認識は、数学的な認識と、知性による抽象的な認識の中間的な位置を占めている。

(25) 原語は stamina. 有機物のみならず無機物を構成するとされる最小単位の要素で、他の繊維との結合において初めて目に見えるものとなる。ハラーは『人体生理学要綱』第一巻(一七五七年)において、こうした最初の構成要素の組合せについて次のように述べている。「これらの構成要素の結びつきから、そして土、水、油、鉄、大気から繊維(Fiber)すなわち動物の身体の基礎が生れる。ちなみにこの基礎はその単純な形においては目に見えないままであり、顕微鏡の拡大力を通じてわれわれの眼前に提示されるにはあまりにも小さい。なぜなら、まさに最も強力なレンズや拡大鏡がわれわれに見せてくれるような最小の生き物でさえ、種々の繊維から成り立っており、しかもそれらの繊維は顕微鏡で見える動物の塊全体より何倍も小さなものだからだ。」

(26) 「モーゼの五書」と呼ばれるもの。すなわち『旧約聖書』の最初の五つの書を意味するが、ヘルダーは特に最初の「創世記」における天地創造の記述を念頭に置いている。

(27) 原語は geistig (=spiritual).「創世記」(一、二)の「地は混沌であって、闇が深淵の面にあり、神の霊が水の面を動いていた」という記述をふまえているものと思われる。

(28) 大宇宙(マクロコスモス)に対する小宇宙(ミクロコスモス)あるいは「小世界」としての人間。

(29) 『旧約聖書』におけるノアの洪水に関する伝承などが念頭に置かれている。これについては、『人類歴史哲学考』第二部第十巻の第五章以下で詳述される。さらにヘルダーは、この第二部第十巻への補遺として「最古の文字伝承による世界の変革」という章を置くことを考えていた。

（30）ヴォルテール（Voltaire.　本名 François-Marie Arouet, 1694-1778）は『リスボン大震災に寄せる詩、あるいは「すべては善である」という公理の検証』（一七五六年）においてライプニッツの弁神論に対する批判を行っている。

（31）タキトゥスの『ゲルマーニア』で描かれるアルプス以北のヨーロッパが念頭に置かれている。『人類歴史哲学考』第四部の第十六巻と第十八巻で詳述される「ゲルマン諸民族」が「蛮族」（第十七巻最終段落）と呼ばれるのも、こうした関連のうちにある。

（32）「神聖な」の原語は heilig（＝holy）である。元来は宗教上の絶対的な対象についての客観的な用語であるが、ここではいわゆる言語の世俗化によって、「こうした展望」がヘルダー個人という「私にとって」主観的に「神聖」なものとなっている。こうした用例で最も印象的なものは、ゲーテの小説『若きヴェルターの悩み』（初版一七七四年、改訂版一七八七年）第一巻の一七七一年七月一六日付書簡で主人公のヴェルターが、愛するロッテへの恋愛感情の頂点にあるときに「彼女は僕にとって神聖だ」（Sie ist mir heilig.）と言う場面であろう。

（33）二世紀のギリシアの天文学者で地理学者。ここではやや批判的に言及されているが、第十三巻や第十九巻では肯定的に評価されている。

（34）原語は Trägheit.「怠惰」とも訳される。物理学では「慣性」と訳され、化学では「不活性」と訳される。

（35）現在のウクライナ地方を中心に活動していた遊牧騎馬民族。彼らの住む地域は古代のギリシア世界からは「世界の果てにある永遠の闇」というイメージでとらえられていた。

(36) イギリスの哲学者ジョン・ロックの『人間知性論』(一六九〇年)第四巻第六章における次の文章を想起させる表現。「宇宙のこの地点〔すなわち地球〕の住民たちは、太陽から数百万マイル隔っているが、しかもなお、太陽からくる、あるいは太陽によって活動を促された、分子の適正な調子の運動にきわめて多く依存しているので、かりにもしこの地球が現在の位置からあの〔太陽までの〕距離のほんの僅かの部分だけ移されて、熱のあの原泉からすこし遠くか近くかに置かれたとしたら、地球上の動物のほとんどすべてはただちに亡びただろう」(訳文は『人間知性論』(四)、大槻春彦訳、岩波文庫、一九七七年、一一四—一一五頁)。他方で「太陽に対する地球の方向」の変化、すなわち地軸の傾きの変化に伴う極の移動を気候変化と結びつけたヘルダーは、後に古気候学を大陸移動説との関連で研究したドイツの気象学者ヴェーゲナー(Wegener, Alfred Lothar, 1880-1930)の著書『大陸と海洋の起源』(第四版一九二九年)において、極移動と気象変化を結びつけた最初の人物として言及されている(都城秋穂・紫藤文子訳、岩波文庫、下巻、一九八一年、二〇頁を参照)。

(37) 次の「何ごとにも時がある」という文章は「伝道の書」とも呼ばれる『旧約聖書』「コヘレトの言葉」(三、一)にある。同じ箴言がゲーテの『西東詩集理解のための注解と論考』(一八一九年)の冒頭に置かれている。

(38) 原語は das Brennbare. 直訳すれば「燃焼しうるもの」あるいは「可燃性のもの」となるが、前後の文脈や当時の燃焼論争、すなわち、物が燃える原因をめぐっての議論も考慮に入れて「燃素」と訳する。その燃焼論争の中心にあったのが「燃素」と訳した「フロギストン」である。そこでは、燃焼とはフロギストンという物質の放出の過程であるとされ、この考え方は燃素説あるいはフロギストン説とも呼ばれる。本書第七巻の原注で言及されるドイツの化学者で医師シュタールの理論によれば、フロギストンは理論仮定上の計量不可能な物質で、燃焼の際に逃げるとされた。フロギストン説はプリーストリ（後注(46)参照）による酸素の発見およびラヴォアジェ(Lavoisier, Antoine Laurent, 1743-94)による酸化過程の定量実験によって一八〇〇年頃にその役割を終えた。

(39) 原語はElasticität. 第二巻第二章で言及される「繊維構造」の特性。神経筋の能力で、使用可能な時間内に、可能なかぎり大きな刺激を産み出す能力のこと。この「弾性」という原理には二つの原理が隣接している。一つは筋肉組織の「刺激反応性」(Reizbarkeit = Irritabilität) という原理であり、そこから環境の諸影響に対する反応能力が生れる。もう一つの原理は「感受もしくは感覚性」(Empfindung = Sensibilität) の原理であり、これは神経の中にあるとされる。これらについては第三巻第二章で詳述される。ちなみにここでは「柔軟性」という意味。

(40) 力である神は有機組織という器官が存在してはじめて活動可能となる。これについては、「自然のどの力も器官なしに存在しない。しかし器官は力それ自体ではなく、力は器官を介して活動する」と題された第五巻第二章を参照。

(41) Boyle, Robert (1627-91) アイルランド出身の化学者で物理学者。『大気の起源と作用に関する自然構造的新実験』(一六六〇年)。以下、アシャールまでヘルダーが列挙している一連の学者は十八世紀において前出の「燃焼論争」も含めて大気学と呼ばれる分野の中で一定の役割を演じ、ラヴォアジェを通じて近代化学の発展に決定的な役割を果たした。

(42) Boerhaave, Herman (1668-1738) オランダの医学者で化学者。『化学初歩』(一七三二年)。

(43) Hales, Stephen (1677-1761) イギリスの生理学者で化学者。『植物の静力学』(一七二七年)。

(44) 'sGravesande, Willem Jacob (1688-1742) オランダの自然研究者。『大学でのニュートン哲学教本』(一七二三年)。

(45) Franklin, Benjamin (1706-90) アメリカの政治家で自然研究者。『自然学的および気象学的考察と推測と仮説』(一七五三年)。稲妻と電気についての有名な実験については、『フランクリン自伝』(一七九一年)にも記述がある(邦訳『フランクリン自伝』松本慎一・西川正身訳、岩波文庫、一九五七年、二四四—二四六頁)。

(46) Priestley, Joseph (1733-1804) イギリスの哲学者で自然科学者。『さまざまな種類の大気に関する実験と観察』(一七七四—七五年)。

(47) Black, Joseph (1728-99) スコットランドの化学者。『炭酸マグネシウム、生石灰、および他のいくつかのアルカリ性物質に関する実験』(一七五六年)。

(48) Crawford, Adair (1748-95) イギリスの医者で化学者。『動物熱と可燃物の燃焼についての実験と考察』(一七七九年)。抄訳が『近代熱学論集』(朝日出版社、一九八八年)六七—八六頁に収められている。

(49) Wilson, Alexander (1714-86) イギリスの自然研究者。『植物と動物に対する風土の影響に関する考察』（一七八〇年、ドイツ語訳一七八一年）。

（50）Achard, Franz Carl（1753-1821）ドイツの自然研究者。『実験物理学講義集』（一七九〇―九二年）。

（51）太陽系内の太陽・月・惑星などの天体の位置や動きなどと、人間や社会のあり方とを経験的に結びつけて占うもの。占星術は天文学の母胎でもあり、前出のケプラーは占星術師でもあった。

（52）Toaldo, Giuseppe（1719-97）イタリアの天文学者。『気象学試論』（一七七〇年）。

（53）de Luc, Jean-André（1727-1817）スイスの気象学者。『大気圏の変化に関する研究』（一七七二年）。

（54）訳注（12）を参照。ここでは『大気圏の重力における月の影響についての所見』（一七七三年）が念頭に置かれている。

（55）Mayer, Johann Tobias（1723-62）ドイツの天文学者で数学者。『地球大気圏における温度区分』（一七五五年）。

（56）Böckmann, Johann Lorenz（1741-1802）ドイツの天文学者で数学者。『最新気象学史論集』（一七八一年）。第九巻の「案出への歴史」への訳注で言及される『西洋事物起源』の著者ヨハン・ベックマンとは別人。

（57）Gatterer, Johann Christoph（1727-99）ドイツの歴史学者。ここでは特に『地理学梗概』（一七七八年）が念頭に置かれている。

（58）原語は ein elektrischer Funke. 雷による放電現象などが考えられる。

（59）プロスによれば、ここでの「世界地図」とは第二巻で言及されるドイツの地理学者ツィンマーマンの『動物地理学類型』（一七七七年）に掲載された地図とされているが、訳者は未見である。

（60）中央アメリカのカリブ海と太平洋のあいだのパナマ中部にあり、南北両アメリカ大陸を結ぶ地峡。

（61）アメリカ南西部の地域で、南はメキシコに接している。

（62）北アメリカ大陸の北西部、カナダとの国境にあるセイント・イライアス山のこと。

（63）北アメリカ大陸東部の山脈で、アパラチア山脈の一部。

（64）ヨーロッパ大陸、アジア大陸、アフリカ大陸。

（65）ヒマラヤ山脈のこと。本書『人類歴史哲学考』における「アジア」とは、ヒマラヤ山脈以北の中央アジアを指している。ヘルダーは後出のパラス（後注（111）参照）の『山地の形成に関する考察』（一七七七年）における以下の記述をふまえている。「インド北部の山地は南アジア全体を顧慮すると、最も高い土地である。そこからすべての南方の地域は経線に対して傾斜し、南風によって熱帯の影響を享受している。そこから延びる山地は西へはペルシアに、南へはインドの両半島に、東へは中国にまで及んでいる。」

（66）アフリカ大陸北西部にある山脈。サハラ砂漠と地中海・大西洋の海岸部を分離している。

（67）現在のウガンダとコンゴの国境に位置するルウェンゾリ山地と思われる。雪に覆われた伝説上の山脈。プトレマイオスの世界地図に lunae montes として記載され、ナイル河の源とされる。

（68）南北アメリカ大陸の西部の「背骨」となる複数の山脈がつながっている山系。

(69)『歴史哲学異説』では人類史の記述はメソポタミアから開始されていたが、本書では『歴史哲学異説』発表以降の特に地理学上の研究成果をふまえて「地球最初の基底山脈たる原山脈」の麓、すなわち中央アジアに人類史の端緒が置かれる。これに従って本書の第三部では中国から人類史の記述が始められる。その意味でも、山地から平地への人間の移動を語るこの章は、第三部以降における人類史記述のいわば布石となっている。

(70) 北ヨーロッパに位置する海。ヨーロッパ大陸とスカンジナビア半島に囲まれた海域。沿岸地域は琥珀の産地としても知られる。ヘルダーは自らがバルト海沿岸で青少年期を過ごし、また一七六九年にはバルト海をリガからナントに向かって航行した経験もあるためか、人類史においても地中海に劣らないくらいの意義や役割をバルト海に認めようとする。地中海とバルト海をこのようにヨーロッパにおける南北の交易圏として対比的に描くことは、同時にヘルダーによる歴史記述の特性でもある。

(71) アジア西部を指す地理区分。欧米側からは現在の「中東」と同じ地域を指す場合が多い。一般的にはアフガニスタンよりも西のアジアを指し、中央アジアおよび南アジアよりも西で、地中海よりも東で、ヨーロッパとはボスポラス海峡によって、アフリカとはスエズ運河によって隔てられている地域を指す。

(72) アジア南部を指す地理区分。現在のアフガニスタン、バングラデシュ、ブータン、インド、イラン、モルディブ、ネパール、パキスタン、スリランカの各国を含む地域。

(73) インドの民族で、カースト集団の一つ。

(74) 前注(67)で言及された「月の山脈」のこと。
(75) 東部アフリカのエチオピア高原からソマリ半島にかけて居住する民族。
(76) アフリカ、特にエチオピアに居住する民族。
(77) 南部アフリカに居住するバントゥー系民族(＝アフリカの言語の大きなカテゴリーであるバントゥー語群に属する言語を使用する民族)の一つ。元来は、八世紀頃から交易に訪れるようになったアラブ人が同地のバントゥー系民族に対して用いた蔑称で、「不信心者」あるいは「異教徒」を意味するアラビア語。
(78) 南部アフリカのザンベジ河南方に住んでいたバントゥー系民族の国。ポルトガル人に征服された。
(79) 現在のエクアドルの首都。十五世紀末にはインカ帝国の支配下に置かれたが、その後スペインの植民地となった。
(80) 南アメリカ大陸のコロラド河以南の地域の総称。アルゼンチンとチリの両国にまたがる。
(81) 前出の「原山脈」のような物質の塊が生成するのと同じ地点から人類が誕生し、そこから地球全体に広がることによって人類史が始まるとヘルダーは考えている。前注(69)も参照。
(82) 黒海からカスピ海まで東西に走る山脈。
(83) これについては第二部第十巻の第四章以下で言及される。
(84) タタール人の居住および活動した地域で、北アジアのモンゴル高原、シベリア、カザフ・ステップから東ヨーロッパのリトアニアにかけての広大な地域を指す。

(85) エジプト人は古代エジプト人と主にアラブ民族の流入を経て形成された民族であるが、ヘルダーはここで起源という観点からアフリカ文明の生誕地としてのエジプトを、人類の生誕地としてのアジアと結びつけようとしている。
(86) マレーシアは、アジア大陸東南端に位置するマレー半島の南部と、半島の東方にあるボルネオ島の北部から成る。ここでの「マレーシア湾」は「カンボジア」との関係から、マレー半島の東に位置する現在の「タイランド湾」のことと思われる。
(87)『両インド史』(初版一七七〇年)のレーナルやディドロなどとともに、ヘルダーは十八世紀におけるヨーロッパの植民政策や未開民族の搾取に対する厳しい批判者の一人であった。
(88) アメリカの先住民族の格言については、エリコ・ロウ『アメリカ・インディアンの書物よりも賢い言葉』(扶桑社文庫、二〇〇一年)などを参照。
(89) これは『人類歴史哲学考』全体を貫く問題である。
(90) ピレネー山脈のこと。第二巻の訳注(15)を参照。
(91) アフリカ大陸、アジア大陸、ヨーロッパ大陸とアメリカ大陸。
(92) インド洋に浮かぶ島嶼の一つ。現在のスリランカ。
(93) セイロン島の中央部にあるアダムス・ピークのことと思われる。仏教、ヒンドゥー教、イスラム教の宗教の違いを超えて人々の信仰を集める山岳信仰の山とされる。その頂上には、彫琢された足跡があり、これは仏教徒からは仏陀に、イスラム教徒からはアダムに帰せられ、このアダムはそこで一〇〇〇年も安座しながら、楽園の喪失を嘆いていたとされる。

(94) インドシナ半島中央部とマレー半島の北半分を占める現在のタイ王国の旧称。

(95) 南アメリカ大陸の南端部に位置するフエゴ諸島の主島。北をマゼラン海峡で南アメリカ大陸と隔てられている。先住民族はインディオの一つであるヤーガン族。

(96) 岩石の生成についてヘルダーはゲーテと同じく、岩石は水を基にした結晶化から生じたのであって(水成論)、地球内部における出来事によるもの(火成論)ではないという考えに傾いていた。そのさい花崗岩は水成論者にとって地表形成に際しての原岩石としての意義を有していた。ゲーテは論文『花崗岩について』(一七八四年)において「これこそがわが地球の基礎であって、あらゆる種類の他の山地はその上にできている」と述べている(前掲『世界の名著　続7　ヘルダー　ゲーテ』三二六頁)。本書第二巻第一章における「地球の核である花崗岩」以下の記述も参照。

(97) マレー半島南岸にあり、東西交通の要衝マラッカ海峡に面する。十五世紀から十六世紀初頭にかけてマレー系イスラム港湾国家のマラッカ王国が栄えた。

(98) 南大西洋に位置し、フォークランド諸島のおよそ一〇〇〇キロ東にある。南極領域の中で最初に発見された。

(99) ドイツの自然研究者で民族学者のヨハン・ラインホルト・フォルスター(Forster, Johann Reinhold, 1729–98)のこと。『自然学的地球記述の諸対象に関する所見。旅で収集し、翻訳したものを息子と旅の同伴者によって増補された注釈付』(一七八三年)。なお「息子」とは第二巻で言及されるゲオルク・フォルスターのこと。

(100) インド北部のガンジス河流域を占める大平原で、ヒマラヤ山脈とデカン高原に囲まれた地域。

(101) 中央アメリカのカリブ海に位置するジャマイカ島にあって、島の東の三分の一を占める島内最高峰の山脈。
(102) 北アメリカ大陸のカリフォルニア州を縦貫するシエラネバダ山脈のこと。
(103) ペルーを南北に貫くアンデス山脈のことと思われる。
(104) アルゼンチンとウルグアイの間を流れる河。
(105) ウルグアイのマルドナド県の北にあるカテドラル山のこと。
(106) ヘルダー自身が後に第十巻第七章の第三段落への原注で述べるように「ヨーロッパとアジアとアフリカ」の三つの大陸のこと。
(107) Varenius, Bernardus（1622-50）ドイツの地理学者。『一般地理学』（一六五〇年）。
(108) Lulofs, Johan（1711-68）オランダの天文学者で数学者。『地軸の数学的および自然学的知識入門。アブラハム・ゴットヘルフ・ケストナーによるドイツ語訳』（一七五五年）。
(109) Bergmann, Torben Olof（1735-84）リンネ（第二巻の訳注(17)を参照）の弟子で、スウェーデンの自然研究者。『自然学、化学、鉱物学論集』（一七七九―八一年）。
(110) Ferber, Johann Jacob（1743-90）ドイツの鉱物学者で鉱山学者。『ハンガリー、ベルリン、シュテッティンの山地に関する自然学的・冶金学的論考』（一七八〇年）。
(111) Pallas, Peter Simon（1741-1811）ドイツの医者で探検旅行家。ペテルスブルク科学アカデミーで博物学の教授を務めた。『山地の形成に関する考察』（一七七七年）。
(112) Saussure, Horace Bénédict de（1740-99）スイスの自然研究者。『アルプス紀行』（全四巻、一

七七九―九六年)。

(113) Soulavie, Jean-Louis (1752-1813) フランスの地質学者で鉱物学者。カトリックの司祭でもあった。『南フランスの博物誌』(全八巻、一七八〇―八三年)。

(114) Ulloa, Antonio de (1716-95) スペインの探検旅行家。『南部および北東アメリカに関する自然学的歴史的報告。ヨハン・アンドレアス・ディーツェによるスペイン語からの翻訳。J・G・シュナイダーによる補遺を付す。第一部および第二部』(一七八一年)。

(115) Schneider, Johann Gottlieb (1750-1823) ドイツの文献学者。

(116) Leiste, Christian (1738-1815) ドイツの学者。『カデナによるポルトガル領アメリカの記述。ヴォルフェンビュッテル図書館にあるポルトガル語の原稿。宮廷顧問官レッシング氏により刊行。クリスティアン・ライステによる補遺と注釈付』(一七八〇年)。

(117) 十七世紀初頭のスペインの探検旅行家ペドロ・カデナ(Pedro Cadena)のこと。

第二巻

(1) いわゆる「存在の連鎖」のこと。本書の第二巻から第五巻において記述される被造物界の全体は、ヘルダーにあって鉱物界、植物界、動物界の連関として理解される。「無限の連鎖」については、ボネの『自然の観照』における次の文章が参考になろう。「自然という世界にあってはすべてが変化である。形態は絶え間なく変わるが、物質の量だけは不変である。同じ物質が順に三つの自然界すべてを通っていく。同じ組合せの物質が次第に鉱物、植物、昆虫、地を這う動物、魚、鳥、四足動物、人間となる。」

（２）第一巻第五章や、この段落で言及された「燃素」についての研究などが考えられる。

（３）「熟考」する主体は、能動的あるいは能産的自然であると考えられる。

（４）原語は kalische Kalkarten.

（５）「無駄がなく代償的である」の原語は haushälterisch und ersetzend. 前者の名詞は Haushalt（＝Ökonomie）で「家政」の意味であり、後者の動詞の原形は ersetzen で「不足したものを補う」あるいは「損害の埋め合わせをする」という意味である。これは『人類歴史哲学考』における自然観を表す重要な概念である。アリストテレスによれば「神と自然は無駄なことはしない」とされる。これについては、ピエール・アド『イシスのヴェール　自然概念の歴史をめぐるエッセー』「第2章　4　自然の格率」（小黒和子訳、法政大学出版局、二〇二〇年、三〇頁）を参照。

（６）プリニウス『博物誌』第三十三巻「金属の性質」（一―三）における「地下資源の発掘」を示唆している。そこでは次のように言われている。「あるところでは、生活が金・銀、それらの合金・銅を求めていて、富を目当てに地中にもぐる。ほかの場所では宝石や、壁や梁を彩る顔料を求めて、贅沢のために地面を掘り下げる。またあるところでは戦闘や殺戮の場で金よりも貴ばれる鉄を求めていて、はやり立つ武勇のために地中にもぐり込むのだ。われわれは大地のあらゆる性質を探し求め、大地の中につくった穴の上に住む。そして時たま大地がぽっかり口を開けたり、震動したりすると驚愕する」（訳文は『プリニウスの博物誌』縮刷版Ｖ、中野定雄・中野里美・中野美代訳、雄山閣、二〇一二年、一三二八頁）。

(7) この文章は、ドイツ出身のフランスの哲学者ドルバック(d'Holbach, Paul Henri Thiry, 1723-89)の『自然の体系』(一七七〇年)第一部第六章「人間、物理的人間と精神的人間の区別、その起源」における次の文章を想起させる。「おお、人間よ、君は一匹のカゲロウにすぎないことが分からないのか。宇宙の一切は変化し、自然はなんら恒常的な形態を含まない、だが君は、自分の種族だけは消滅しえないし、万物の変化を望む一般法則から除外されるべきである、と主張している」(訳文は『自然の体系I』髙橋安光・鶴野陵訳、法政大学出版局、一九九九年、八二頁)。

(8) 原語は Fibergebäude, 神経繊維叢のこと。十八世紀の生理学者たちは動物の身体には「繊維」(Fiber)つまり細い糸があると信じていた。また生理学者にとっての「繊維」とは前出のハラーによれば、数学者にとってすべての幾何学上の図形の起源にあたる「線」の意味を有していた(『人体生理学要綱』第一部第一巻)。

(9) 原語(単数形)は Trieb. 本巻の第四章において詳述される。ラテン語の impetus あるいは instinctus に対応する。訳語としては「衝動」も考えられるが、本訳書では「衝動」という語の持つ「一時的な」というニュアンスを避けるために、「その被造物が生れつき恒常的に有する性質」という意味での「本能」を原則として用いる。

(10) 『旧約聖書』の「雅歌」(三、九―一〇)には次のように書かれている。「ソロモン王は天蓋を造らせた。／レバノン杉を柱とし、銀の台座に金の玉座／エルサレムのおとめたちが愛をこめて／紫の布を張りめぐらした。」

(11) ホメロスの『イーリアス』第十四巻(二一四―二一七)における愛の女神アフロディテの帯を

暗示している。

（12）原語は Lebenskraft. ラテン語の vis vitalis にあたる。第三巻第一章で言及される「生命賦与熱」との関連から、ヘルダーはキケロの『神々の本性について』第二巻（二四）における次の文章を念頭に置いているものと推測される。「生命あるものは、動物であれ植物であれ、それ自身に内在する熱のおかげで生きているのである。このことから、熱の本性は宇宙にみなぎる生命力をみずからの内部にそなえていると理解すべきである」（訳文は山下太郎訳、『キケロー選集11』岩波書店、二〇〇〇年、一〇四頁）。

（13）原語は süßgetäuschte Geschöpfe. 過去分詞「欺かれた」の原形「欺く」の原語は täuscen であり、美学の分野では芸術上の「イリュージョン」あるいは目の「錯覚」の意味で用いられる。この箇所での「欺く」主体としては、被造物の創造主である「自然」が考えられる。こうした個人の愛の甘美な思い違いは、ショーペンハウアーの『意志と表象としての世界』（「余録と補遺」、一八五一年）第四巻の補足、第四十四章「性愛の形而上学」を想起させる。そこでは男女の愛が類の再生産という目的のための自然の技巧として次のように理解されている。「性的衝動は、それ自体は主観的欲求〔我欲〕であるにもかかわらず、欲望を離れた客観的な嘆美という仮面をかぶってじつに巧妙に意識を欺くすべを心得ている。というのは、自然は目的を達するにはこういう術策を必要とするからである」（訳文は『ショーペンハウアー全集7』有田潤・塩屋竹男訳、白水社、一九七四年、一一八頁）。

（14）スカンジナビア半島北部からロシア北西部のコラ半島にかけての地域で、伝統的にサーミ人が住んでいる地域を指す。現在のスウェーデン、ノルウェー、フィンランド、ロシアの四カ国にまたがっている。

(15) イベリア半島の付け根付近をほぼ東西に走る山脈。スペインとフランスの国境をなしている。

(16) 南アメリカ原産。リンネの『植物の種』(一七五三年)に記載された植物の一つ。

(17) Linné, Carl von (1707–78) スウェーデンの植物学者。『植物哲学』(一七五一年)で自然科学的な植物学体系の基礎を築いた。

(18) Ingenhousz, Jan (1730–99) オランダの医師で自然研究者。フロギストン理論の信奉者でもあった。『植物に関する実験』(一七七九年、ドイツ語訳一七八〇年)。

(19) この文章はダーウィンの進化論的な発想とは異なり、動物は存在の連鎖の中で人間に先行しているという意味で理解されるべきものである。

(20) 原語は Elemente. 第一巻の訳注(21)を参照。通例これは「四大」と呼ばれるが、ヘルダーにあっては、それぞれの被造物を取り巻き、その生存や活動の基盤となる環境域をも意味する。

(21) 第七巻第一章ではパタゴニアの伝説の巨人族に言及される。

(22) ヘルダーにとっての「文化の歴史」とは、文明化された民族の歴史だけではなく、むしろ「最も未開の民族」の歴史こそが「人間史の最も興味深い部分」である。

(23) この文章は第一巻第四章の第五段落末尾における「地球全体は人間のために作られ、人間は地球全体のために作られている」という文章と同じく、人間と被造物界の互恵的関係を示している。

（24）Zimmermann, Eberhard August Wilhelm von（1743-1815）ドイツの地理学者。『人間および広く棲息する四足動物の地理学的歴史』（全三巻、一七七八―八三年）。
（25）ヘルダーはビュフォンの『博物誌』のドイツ語の部分訳『四足動物の博物誌』（マルティーニ訳、一七七二年）を参照していると推測される。
（26）アフリカ大陸南東の海岸部から東へ約四〇〇キロ離れた西インド洋にある島。その周辺の島々も含めて「マダガスカル」と呼ばれる。
（27）西太平洋の赤道付近に広がるミクロネシアの島々を指す。
（28）原語は die elektrische Kraft. 第一巻第三章の訳注（23）を参照。
（29）アフリカ産のカモシカ類の動物。サバンナやステップに棲息する。
（30）原語は Schnellkraft（＝Elasticität）. 第一巻訳注（39）参照。ここでは「柔軟性」という意味。
（31）原語は der elektrische Strom. 後出（第三巻第一章）の「生命熱」とも関連している。
（32）「リンネによるアメリカのクマの記述」三〇〇―三一一頁。
（33）Forster, Georg（1754-94）第一巻の原注4を参照。クックの第二次世界周航旅行に参加した父ヨハン・ラインホルト・フォルスターに同伴したゲオルク・フォルスターは『世界周航記』（第一部および第二部、一七八四年）においてこれについて記述している。邦訳は『世界周航記』（上・下）、三島憲一・山本尤訳、岩波書店、二〇〇二―〇三年。
（34）原語は Eine Hauptform. 次の「原型」への訳注を参照。
（35）原語は Prototyp. ヘルダーの自然哲学の根幹を成す最も重要な概念であり、「序言」で言及された「自然の類比」あるいは後出の「比較解剖学」とも密接な関連を有している。これについては、小田部胤久「ヘルダーの原型論――その素地と射程」(『モルフォロギア　ゲーテと自然科学』第七号、ナカニシヤ出版、一九八五年、四五―六四頁)を参照。

(36) 原語は Hauptplasma. 英語の protoplasma に相当するものと考えられる。この言葉は、細胞の微細構造が知られていなかった時代に作られたもので、細胞の中にあって「生きている」と考えられていた物質を意味する。ただ、ここでの文章の流れからすると、「原型」を言い換えたものであると思われる。

(37) ホラティウス『諷刺詩』(一、四、六二)による。酒神デュオニソスに仕える酒乱の女神マイナスによって切り刻まれた詩人オルフォイスの四肢のこと。すなわち自然の諸物体は個々に観察すると、このオルフォイスの切り刻まれた四肢のように何の統一もないように見えるということ。

(38) 先の「一つの個体は他の個体を説明する」という言葉とともに、「比較解剖学」の必要性を示唆している。

(39) 光の干渉、つまり反射による色彩を産み出すための鏡。これについては、ゲーテ『色彩論』(一八一〇年)教示篇、物理的色彩、第三十一章「反射による色彩」(邦訳『色彩論』完訳版、高橋義人・前田富士男他訳、工作舎、一九九九年、第一巻「教示篇・論争篇」[高橋義人、前田富士男訳]一六〇頁以下)を参照。

(40) Daubenton, Louis Jean Marie (1716–1800) フランスの自然研究者で動物分類学の創始者。

(41) Perrault, Claude (1613–88) フランスの自然研究者で解剖学者。『自然学試論』(一六八〇―八八年）。

（42） Pallas, Simon （1694-1770） ドイツの医者。第一巻の訳注（111）で言及されたパラスの父。ここでは『動物学拾遺』（ラテン語、一七六七―一八〇年。ドイツ語訳『珍しい動物の博物誌』一七六九―一七九年）が念頭に置かれている。

（43） ここではリンネによる分類的な博物誌、すなわち、外的な特徴がそのまま被造物の本質と見なされるような博物誌のことが考えられている。

（44） ルソーの『人間不平等起原論』（一七五五年）第一部の冒頭において「比較解剖学はまだほとんど進歩していない」（訳文は本田喜代治・平岡昇訳、岩波文庫、一九七二年、四一頁）と言われていたが、十八世紀後半以降、この学問はブルーメンバッハ（第四巻の訳注（33）を参照）らによって大きく進展する。後年ゲーテはこの学問について論考『骨学にもとづく比較解剖学総序説第一草案』（一七九五年）および『骨学にもとづく比較解剖学総序説草案の最初の三章についての論説』（一七九六年、公刊は一八二〇年）においてさらに考察を深める（高橋義人訳、『ゲーテ全集14』潮出版社、一九八〇年、一七六―二〇一頁）。

（45） ポリュクレイトスは古代ギリシアの彫刻家。頭部や手の長さを基にして、人間の均整律を算出し、厳密な比例による人体美の理想を創造した。ヘルダーは『彫塑』（一七七八年）第二章の第四節でポリュクレイトスに言及している。前掲『世界の名著　続7　ヘルダー　ゲーテ』二四〇頁を参照。

（46） 『旧約聖書』「創世記」（二、一九）における「主なる神は、野のあらゆる獣、空のあらゆる鳥を土で形づくり、人のところへ持って来て、人がそれぞれをどう呼ぶか見ておられた。人が呼ぶと、それはすべて、生き物の名となった」という章句をふまえている。

(47) 哺乳綱・海牛目に属する動物。アフリカ大陸や北アメリカ大陸東部および南アメリカ大陸北部などに棲息する。

(48) 原語は Unau で、南アメリカ大陸に棲息する。前足に二本、後足に三本の指がある。

第三巻

(1) 刺胞動物の体の構造の一つで、イソギンチャクのように固着して触手を広げるものをいう。ポリプが有機組織の最初の実例として取り上げられるのは、植物に近接していることと、水からの動物的生命の由来が確認できることにある。その背景にはジュネーヴの動物学者トランブレー(Trembley, Abraham, 1710-84)による淡水性ヒドラ・ポリプの再生能力の発見がある。

(2) 原語は Nahrung.「栄養」「養分」という意味もある。個体を維持するための「栄養摂取」と言い換えることもできよう。

(3) 原語は das reineste Göttergeschenk, die Rede. ここでの問題は、まず Götter(＝神々)という字句の解釈にある。これを直訳して「言語能力という神々による贈り物」とすれば、ヘルダーはかつて『言語起源論』第一部第二章において提示した言語の人間的起源に関する次の主張を撤回しているように見える。「真理の目標はただ一点であり、ここに立ってわれわれが四方を見渡すと、なぜ動物が言語を発明できないのか、なぜ神が言語を発明する必要がないのか、なぜ人間が人間として言語を発明することができ、また発明しなければならないかがわかるのである」（訳文は『ヘルダー言語起源論』木村直司訳、大修館書店、一九七二年、五六―五七頁）。しかしここでは言語の起源が「神々」という比喩的な表現を通じて、神的な自然によって人間本来の能力に依拠していると理解されている。プロスによれば、ヘルダーのこうした比喩的な語り口はキケロの『法律について』第一巻（一三）における「神々の贈り物」（muneribus deorum）という表現に依拠している。同書第一巻（一六）では「徳は完成された理性であり、この理性は自然のなかに存在するものだということが確かだからだ。したがって、りっぱなことのすべては、同様に自然に根ざしている」とある（訳文は中村善也訳、『世界の名著13　キケロ　エピクテトス　マルクス・アウレリウス』中央公論社、一九六八年、一四九頁）。次の問題は「言語能力」と訳した Rede という語の解釈にある。通常ドイツ語で「言語」は Sprache という語で表現される。たとえばヘルダーの『言語起源論』の原題は Abhandlung über den Ursprung der Sprache（＝Treatise on the Origin of Language）である。この Sprache は広く「言語一般」を指すが、一方の Rede は「講演」「談話」あるいは「発言」と訳され、個々の具体的な発話行為が念頭に置かれている。今回この Rede を「言語能力」と訳す根拠は、前後の文脈から判断して、この語が理性と同じように人間を動物から区別する能力として理解されうるからである。訳語の選択にあたって参考になったのは、グリムの『ドイツ語辞典』における記述である。その一一番目の項目にある「言葉で表現する才能」（die Gabe des Vortrags）という意味に加えて、一二番目の項目では「人間を非理性的な動物と区別するものは何か？　それは理性と言語能力（Rede）ではないか？」（Was ist es, das den Menschen unterscheidet von einem unvernünftigen Tier? Ist es nicht die Vernunft und die Rede?）という十七世紀のドイツの作家ヨハン・バルタザール・シュップ（Schupp, Johann Balthasar, 1610–61）の例文が挙げられている（Bd. 14, Sp. 460）。第四巻第三章においても人間の理性との関連から同様の表現が見られるが、それは理性が具体的にどのようにして生れてくるのかを生物学あるいは動物学的に説明しようとするヘルダーの自然主義的な姿勢の表れでもある。

（4）原語（単数形）は Gedanke. ロックの『人間知性論』における Idea に相当するものと考えられる。「言葉」と「観念」の結びつきは、ヘルダーの言語論および認識論の核心を成している。これについては、小田部胤久「言語と現実――ヘルダーの言語論の認識論的基礎」（東京大学文学部美学藝術学研究室紀要『研究』3、一九八四年、一七八―二二九頁）を参照。

（5）第二巻第二章の第三段落を参照。

（6）Martinet, Jan F.（1729–96）オランダの自然研究者。『自然の教理問答書』（ヨハン・ヤーコプ・エーベルトによるドイツ語訳。全四巻、一七七九年）。

（7）原語（単数形）は Pflanzentier.「植物」Pflanze と「動物」Tier を合わせた複合名詞。本章の最初に言及された「ポリプ」のことを念頭に置いていると考えられる。訳注（1）を参照。

（8）古代ギリシアにおいて大気の上層を表す言葉。アリストテレスによって地水火風の四大元素説を拡大して天体を構成する第五元素として提唱された。「エーテル」は目に見えず、それゆえ通常の実験では近づきがたいものであり、その原因も知られていないが、光や重さや磁力や電気といった現象を通じて示される。ここでは次の「電気流」とともに、すべての自然現象を説明するための根本原理と考えられている。

（9）原語は belebende Wärme. 後出の「生命熱」(Lebenswärme)と同じものと考えられる。第七巻第三章と第四章では「生命に関わる熱」(animalische Wärme)に言及される。

（10）「本能」については第二巻の訳注(9)を参照。「感受」の原語は Empfindung であり、これは「認識」(Erkennen)と並ぶヘルダーの人間観の基本的概念である。心身二元論を「認識」と「感受」の一体性という観点からとらえようとするヘルダーは『人間の魂の認識と感受について』(一七七八年)においてこの問題を詳細に考察している。なお「感受」にはフランス語の動詞 sentir、および名詞の sensibilité あるいは sensation のように、十八世紀においては「喜怒哀楽」のように「内的な感情を持つ、あるいは感じる」という意味に加えて、嗅覚や視覚などによって「外的な感覚を通じて感じる、あるいは知覚する」という広い意味がある。本訳書においては Empfindung を Erkennen の「精神的・知性的」側面と対比させるために「感覚(性)」あるいは「感情」と訳す場合もある。また、ここで「感受」からいきなり「観念」に移るのは不自然に思われるかもしれないが、ヘルダーにとっての最大の関心は、「観念」あるいは「言語」や「理性」によって特徴づけられる人間、さらに言い換えれば、これらの特性によって動物から区別され、動物との二項対立的な視点から考察される人間を、動物など他の自然被造物と同じように「有機組織」という観点から一元的に把握する点にある。

（11）鳥のように見えるコウモリのことと思われる。

（12）「両親の愛はしばしばサルの愛である」(Elternliebe ist oft Affenliebe.)というドイツ語の諺の

こと。溺愛にも近い無私の愛情を示す。

(13) 原語は Weltseele.「宇宙霊」とも訳される。プラトンの『ティマイオス』において世界霊は、世界を動かすもの、世界という身体を有機化する力として現れる(三四B—三七C)。ヘルダーは、ストア派や新プラトン主義を経て近代に伝承されたこの思想を、普遍的、創造的、かつ生命をもたらす力として、また自然の現実を有機化する原理として同じような意味で解釈している。またライプニッツ(Leibniz, Gottfried Wilhelm, 1646-1716)もこの問題に何度も言及している(「ライプニッツとクラークとの往復書簡」米山優・佐々木能章訳、『ライプニッツ著作集9 後期哲学』工作舎、一九八九年、二六三—四二八頁を参照)。

(14) Haller, Albrecht von (1708-77) ドイツの医師、自然研究者で詩人。近代生理学の創始者の一人。『生理学要綱』とは『人体生理学要綱』のこと。

(15)「弾性」「刺激反応性」「感受性」については第一巻の「弾性」への訳注(39)を参照。ちなみにここでの原語は、それぞれ Elasticität, Reizbarkeit, Empfindung である。ヘルダーがハラーに言及する背景には、生理学と心理学の境界を消し去ろうとする意志が見られる。しかし、ここでヘルダーが依拠しているハラーの論考『人体の感覚的部位および刺激反応的部位について』(一七五二年)においてハラーは、「筋肉の刺激反応性」、すなわち、苦痛などの心理上の経過を惹き起こすことなく純粋に機械的に反応する能力と、「神経構造の感受性」、すなわち、感覚器官への作用が心理上の諸変化に至りうる能力を次の理由、すなわち、「これら二つの能力の起源は有機組織の最も奥深いところに隠されており、私としては、解剖用のメスや顕微鏡の射程範囲の向こう側にあるものについて長々と思弁に耽りたくない」という理由から、むしろ峻別しようとしている。なお、「刺激反応性」の考えを最初に提唱したのは、イギリスの解剖学者フランシス・グリッソン(Glisson, Francis, 1599-1677)である。

(16) 小腸の絨毛(じゅうもう)にあって、食物中の脂肪を吸収するリンパ管。

(17) 「機械」(Maschine)という概念は、力学的自然科学とこれに結びついた機械技術の発展に伴って哲学や文学においても使われるようになったが、ヘルダーのこの箇所にあっては有機体思想と矛盾するものではない。ヘルダーの依拠するライプニッツは、次のように述べている。「生物の有機的な身体はそれぞれ、神的な機械あるいは自然的な自動機械ともいうべく、どんな人工的な機械よりも無限にすぐれている。なぜなら、人間の技術によってつくられた機械は、その一つ一つの部分まででは機械になっていないからだ。例を挙げよう。真鍮の歯車には歯の部分や断片があるが、それらは私たちから見るともう人工的なものではなく、その歯車の用途から見てももはや機械らしいところは何も示していない。けれども自然の機械つまり生きた身体は、その最も小さい部分でこれを無限にまで分割していってもやはり機械になっている。これが自然と技術、つまり神の技法と人間の技法との差異である」(訳文は前掲『モナドロジー　他二篇』五七―五八頁)。

(18) Camper, Petrus (1722-89) オランダの医師で解剖学者。『解剖的病理学の記述』(一七六〇―六二年)。カンパーについては、『カンパーの顔面角理論』(森貴史訳・解説、関西大学出版部、二〇一二年)を参照。ゲーテの最晩年の著作『動物哲学の原理』(一八三〇―三二年)ではカンパーについて「一七七〇年代、八〇年代に独自な道を切り開き、われわれの研究を促進してくれた人々」の一人として次のように述べられている。「ユニークな観察力と統合力とに恵まれたペトルス・カンパーは、注意深い観察力と見事なスケッチの才を兼ねそなえ、経験的に見聞したものをスケッチすることによって、それに生命を吹きこみ、自分の思索を実地活動によって深めることを知っていた」(訳文は前掲『ゲーテ全集14』二二一頁)。

(19) Wrisberg, Heinrich August (1739–1808) ドイツの解剖学者で自然研究者。ゲッティンゲン大学で解剖学と産科学を教えた。

(20) Wolf, Casper Friedrich (1733–94) ドイツの解剖学者で自然研究者。『発生の理論』(一七五九年、ドイツ語訳一七六四年)。啓蒙主義期の有名な哲学者クリスティアン・ヴォルフとは別人。

(21) Sömmering, Samuel Thomas (1755–1830) ドイツの解剖学者で自然研究者。『脳の底部と頭蓋上部の神経の起源について』(一七七八年)。カンパーに関する訳注(18)で言及したゲーテの著作では次のように述べられている。「ザムエル・トーマス・ゼンメリングはカンパーの影響を受けた。彼は観察力、注意力、思考力にひいでた、たいへん有能で生き生きとした精神の持ち主である。脳についての彼の研究、つまりヒトが動物と違うのは、ヒトにおいては何といっても脳の質量が他の神経組織全体よりもはるかにまさっているが、ヒト以外の動物の場合にはそうではないからだという彼のたいへんまことに示唆に富んだ説は、ひじょうに多くの影響をもたらした」(訳文は前掲『ゲーテ全集14』二二二頁)。

(22) 「代償する」(erstatten)は、自然における家政(Haushalt)を支える重要な概念である。第二巻第一章の「汝の円環は何と無駄がなく代償的であることか」への訳注(5)を参照。

（23）十八世紀に広く普及していた「前成説」と呼ばれる理論。ボネの『自然の観照』などによれば、生物はすでに胚を後の発展状態のために最初から含んでいる（前成された胚）。この前成説によれば、そもそも目に見えない胚はマトゥリューシカ人形のように相互に組み込まれて一つの類の最初の個体という形で存在する。しかしこれは同時に人格神を前提とする創造行為と結びつくものとされる。これに対してヴォルフは前出の『発生の理論』において「本質的な力」（vis essentialis）を措定し、これを生命と呼ばれるすべてのものの発生に関わる力と考える。

（24）原語は organische Kraft.「序言」の訳注（23）における複数形の「有機的諸力」（organische Kräfte）とは異なる扱いが必要かと思われる。こちらの単数形の「有機的な力」は前出のヴォルフの理論と関係があり、後出の「発生をもたらす力」（genetische Kraft）（第七巻第四章）と対を成す概念である。「発生をもたらす力」は文字どおり被造物の発生に関わる力であるのに対して、「有機的な力」は実際の組織や形の形成に関わる力である。ただ、ヘルダーにあっては、こちらの「有機的な力」を意味すると思われる場合でも、その複数形としての「有機的諸力」と表現されている場合も少なくない。

（25）Lyonnet, Pierre（1707–89）フランスの自然研究者で解剖学者。『柳の木をかじる青虫の解剖に関する論考』（一七六二年）。

（26）エイの仲間で、発電器官を持つ。

（27）前出の「比較解剖学」に見られるように、ヘルダーにとって種々の対象を比較・考察することはその対象の本質に迫るための発見術でもある。

（28）Monro, Alexander（1697-1767）イギリスの外科医で解剖学者。なおモンローの『比較解剖学論集』（一七四四年）のドイツ語訳は一七八二年に刊行されている。また一七八一年に刊行された『著作集』とは、同名の息子によって刊行されたものである。

（29）Cheselden, William（1688-1752）イギリスの外科医で解剖学者。チェセルデンの同書の初版は一七三三年に刊行されており、原寸大の人骨および動物の骨の五六枚に及ぶ銅版画を付す立派なものであった。

（30）『子ゾウの解剖に関する短い報告』（『医学および外科学、とりわけ博物学に関するペーター・カンパー氏の小論文集』第一巻第一部、ヘルベル訳、五〇―九三頁、特に八七頁）による。

（31）原語は sensorium commune. これをカンパーは前述の箇所で、脳の松果腺の中に置いている。

（32）『誕生前のゾウの記述と図版。ゾウの博物誌に関する未刊行の報告を付す』（一七八三年）。

（33）カンパーは上顎洞を「ゾウにおける乳房状の突起のくぼみ」（八四頁）と記している。

（34）『ペテルスブルク科学アカデミー新報告集』第十五部、一七七一年、五一七―五五二頁所収の「ライオンの解剖学的観察」、および同報告集、第十六部、一七七二年、四七一―五一〇頁所収の「ライオンの心臓について」。

（35）Reimarus, Hermann Samuel（1694-1768）ドイツの哲学者、神学者、自然研究者。『動物の本能に関する一般的考察、特に技術本能について』は最初ハンブルクで一七六〇年に出版された。原注で言及されている息子のヨハン・アルベルト・ハインリヒ・ライマールス（Reimarus, Johann Albert Heinrich, 1729-1814）は、父の遺稿から『動物の技術本能の特殊な性質に関する初歩的考察』を『植物動物の本性に関する補遺』とともにハンブルクで一七七三年に刊行した（補遺は一一三頁から二三二頁まで）。動物学者としてのライマールスについては、本・第一分冊の解説「1　ヘルダーの生涯と著作」で言及したエンゲルハルト・ヴァイグル『啓蒙の都市周遊』「第三章　都市の出来事としての啓蒙主義　ハンブルク——視覚のための都市　四　最初の動物行動学者」を参照。

（36）「能力」の原語は Fertigkeit. ラテン語の habitus のドイツ語訳で、ここでは人間以外の被造物における能力のこと。

（37）すぐ後に言及されるライプニッツによれば、有機的身体には必ず魂が伴うとされる。論文『生命の原理と形成的自然についての考察、予定調和の説の著者による』（一七〇五年）では次のように述べられている。「至るところに身体があるように、至るところに魂があります。魂も動物そのものも、つねに存続します。有機的身体には必ず魂が伴い、魂は有機的身体から分離することはありません」（訳文は前掲『モナドロジー　他二篇』一六一頁）。

（38）Swammerdam, Jan（1637–80）オランダの動物学者。『昆虫の自然誌』（一六六九年）。

（39）Réaumur, René Antoine Ferchault de（1683–1757）フランスの自然研究者。『ハチの研究』（一七四一年）。

（40）Rösel von Rosenhof, August Johann（1705–59）ドイツの動物学者、細密画家で銅版画家のレーゼル・フォン・ローゼンホーフのこと。『当地のカエルの自然誌』（全二巻、一七五三・五八年）。

（41）アリストテレスの『動物誌』第一巻第一章でハチは次のように群集性の「社会的動物」とさ

れる。「社会的動物というのは、その全員の仕事がある一つの、そして共通なものになる場合で、群集性のもののすべてがこういうことをするわけではない。そういう社会的動物は、ヒト、ミツバチ、スズメバチ、アリ、ツルである」(訳文はアリストテレス『動物誌』(上)、島崎三郎訳、岩波文庫、一九九八年、二五頁)。

(42) プロスによれば、これはビュフォンが『博物誌』第二巻第二章「動物の本性についての論考」において、ハチの集団行動を、自然によって秩序づけられ、何らの意図、認識、理性推論も伴わない行動に還元している箇所とされる。

(43) 前注(36)を参照。

(44) 「人間」のこと。高度に発展し、特殊化されているが、本能に乏しく、しかも自ら代償として自己の使命に呼応した能力を「習得しながら」獲得しなければならない生き物としての人間に関する人間学的な根本思想が、以下に展開される命題、すなわち人間が人間に「成ること」と人間で「在ること」に関する命題の核心を形成している。

(45) 齧歯目ビーバー科に分類される。ラ・メトリの『人間機械論』(一七四七年)においても言及されている。

(46) ネズミ目キヌゲネズミ科に分類される。リンネによる記載がある。

(47) この議論については『言語起源論』における「人間言語の神的起源および動物的起源」に関する次の文章を参照。「前者〔＝コンディアック。訳者注〕は動物を人間に、後者〔＝ルソー。訳者注〕は人間を動物にしてしまったのである」(訳文は前掲書二四―二五頁)。

（48）ヘルダーの意図は、動物と人間の差異を自然と精神の対立に求めるというように、動物と人間を二項対立的にとらえるのではなく、存在の連鎖における自然被造物としての共通性を出発点として、そこから動物と人間の差異を明らかにしようとする点にある。この問題は次の第四巻で詳述される。

（49）原文の表現は Perfectibilität oder Corruptibilität. 前者の「完全性」はルソーの『人間不平等起原論』における「自己を改善〔完成〕する能力」（訳文は前掲書五三頁）をふまえた表現。後者の「堕落」は同じくルソーの『学問芸術論』（一七五〇年）の中心問題の一つである。

（50）「直立」の原語は aufrecht. この語はツィンマーマンの『人間および広く棲息する四足動物の地理学的歴史』第一巻（一七七八年）第一部「人間」の第三章に見られるもので、そこでは「人間の頭部は身体の直立姿勢において（bei der aufrechten Stellung）最も快適に位置し、かつ動く」（同書、一二四頁）と言われている。ここで使われている「直立」という形容詞を後にヘルダーは人間の道徳的側面を示す「誠実な」（aufrichtig）という形容詞と関連づける。「人間の直立姿勢」についてはさらに第四巻で詳述される。

（51）中央アフリカに住む狩猟採集民。ビュフォンは彼らをサルの仲間に入れたとされる。

（52）ヘルダーは『フマニテート促進のための書簡集』第三集（一七九四年）の第二十八書簡において次のように述べている。「ギリシア人は人間に対して ανθρωπος、すなわち上に目をやる者という、より高貴な名前を与えた。それは自分の顔と目を直立に上に向けて保つ者であり、あるいはプラトンがもっと上手に暗示するように、見ることによって数えなおし、比較考量する者である」(『ズプハン版全集』第十七巻、一三九頁)。ここでのプラトンとは、『クラテュロス』(一七、三九九C)におけるソクラテスの次の発言を示している。「この〝人間〟(anthrōpos)という名前が何を意味するかというと、他の動物たちが、自分の見るものを何ひとつ考察せず、検討もせず、観察もしないのに反して、人間は見た――つまり、視た(opōpe)――だけでなく、同時に視たものを観察し(anathrei)、考量するということなのだ。まさにこのことからして、動物たちのうちでひとり人間だけが、正しくも〝人間〟(anthrōpos)、つまり〝視たものを観察するもの〟(anathrōn ha opōpe)と呼ばれたわけなのだ」(訳文は水地宗明訳、『プラトン全集2　クラテュロス　テアイテトス』岩波書店、一九七四年、五三―五四頁)。

(53) テュルプ(Tulp, Nicolaes, 1593-1674)はオランダの医師で解剖学者。『医学観察集』(全三巻、一六四一年)。レンブラントの絵画『テュルプ博士の解剖学講義』(一六三二年)で有名。「子ども」とは『医学観察集』第三巻の補巻として一六五二年に刊行された第四巻において記述されている子どものこと。一六四七年頃にアムステルダムで発見され、見世物にされていたこの子どもは、アイルランドで野生のヒツジによって育てられたとされる。

(54) 動物へと退化した人間の範例としてヘルダーが挙げるこの少女は、後出のモンボド卿の著作『言語の起源と進歩について』(一七七四年)の中でしばしば言及される(第四巻の訳注(47)を参照)。モンボド卿は北アメリカから無理やり連れてこられたこの「野生の少女」をフランスで実際に見ているとされる。

(55) 原語は das Menschentier (= Mensch + Tier). 後出の「エスキモーの少女」をはじめとする

「野生化した人間」を意味しているとともに、次の第四巻で詳述されるオランウータンをも示唆していると考えられる。

(56) 前一世紀頃のギリシアの歴史家ディオドロスは『歴史叢書』(第三巻第十八章)で動物界と人間界の境界に住む寓話上の生き物について報告しており、その中で紅海の沿岸で知覚や言語を持たないで生活する「感じとることのできない＝無感動な」部族がいるとして、その「常識はずれの無感動ぶり」について次のように述べている。「総じてほかの諸族と交流せず、船で近付く人びとが異国人風に見えても、地元民はそれに心を動かすこともせず、じっと見つめたまま無感動で感情を動かすこともないところは、まるで誰も目の前にいないもののようである。(…)この人びとは言語を使わず、両手を使って物まねのような仕ぐさを示して、必要としている事項をそれぞれに表現している」(訳文はディオドロス『神代地誌』飯尾都人訳、龍溪書舎、一九九九年、二一六頁)。

(57) 前出の「ソンギで捕えられた少女」のこと。この少女がエスキモーであるとされたことをふまえている。

(58) 人間が直立歩行を始めたこと。

(59) 「人間を動物にまで貶めた」への訳注(47)を参照。特にヘルダーは自然と精神の厳格な対立を拒否する。

(60) 一七三五年に刊行されたこの著書ではいわゆる「野生の人間」(homo ferus)に言及されている。この著作は一七七三年にドイツ語訳が出ている。

(61) Martini, Friedrich Heinrich Wilhelm (1729-78) ドイツの医師で自然科学者。

(62) ビュフォン『四足動物の博物誌』(マルティーニ訳および補遺、第四巻、一七七六年)。

第四巻

(1) 原語は Vernunftfähigkeit (= Vernunft + Fähigkeit).「可能態」(Fähigkeit)とは、第三巻第四章の「能力」への訳注(36)で言及された「能力」(Fertigkeit)とは異なり、人間における理性の獲得を可能にする状態。

(2) Tyson, Edward (1650-1708) イギリスの医師で解剖学者。『オランウータン、すなわち森に住む人間。あるいはピグミーの解剖学。モンキー、サル、人間の解剖学と比較して』(一六九九年)。

(3)『博物誌』においてサルの記述を行うビュフォンなどが考えられるが、詳細は未詳。

(4) Bontius, Jacobus (1592-1631) オランダの医師。『インド人の医療』(全四巻、一六四二年)。ボンティウスによる雌ザルについての記述はビュフォンの『博物誌』に依拠しているとされる。

(5) Battel, Andrew (1565-1614) イギリスの自然研究者で旅行家。アンゴラとコンゴへの旅について記した『巡礼記』(一六一四年)がある。バッテルによるとされるサルについての記述も、ビュフォンによる記述に基づく。このバッテルの報告はルソー『人間不平等起原論』第一部の原注(.j)の重要な資料となっている(邦訳は前掲書一五八—一七〇頁)。

(6) 原語は Negro である。「ニグロ」という現在は使われない言葉は、十八世紀前半のヨーロッパでは「奴隷」を意味する日常語であり、まだアフリカ人を意味するものではなかった。その後、「奴隷」がやってくる地域の住民、すなわち「アフリカのさまざまな地域の住民」を意味するようになったとされる。これについては、オレリア・ミシェル『黒人と白人の世界史　「人種」はいかにつくられてきたか』(児玉しおり訳、中村隆之解説、明石書店、二〇二一年)「第Ⅱ部　ニグロの時代」を参照。原著には Schwarze などの表現があるが区別せず、本書全体を通して Negro は「黒人」と訳す。

(7) La Brosse, Guy de (?-1641) フランスの医師。ルイ十四世の侍医。ラブロッスによるサルについての記述もビュフォンによる記述に基づく。

(8) ここでは『博物誌』第十四巻(一七六六年)の序章「サルの分類命名」が念頭に置かれている。

(9) 脊椎動物にあって両上顎骨のあいだにある骨。人間にあっては誕生後間もなく上顎と癒合する。顎間骨はカンパーや後出のブルーメンバッハにおいて、サルと人間を区別する特徴と見なされる。ゲーテによる人間の顎間骨の発見は、原型と変化の形態学的合法則性の重要な環を完成させただけでなく、広く神学に基礎を持つ人間中心主義の根拠を奪った。ヘルダーはゲーテの骨学研究に積極的に関与した。一七八四年三月二七日にゲーテはこの発見についてヘルダーにこう伝えている。「福音書(「ルカ伝」一五、六)の教えどおり、わが身に起こった幸運について急ぎ兄に一報しなければならない。ぼくは発見したのだ――金でも銀でもないが、ぼくには言いしれぬ喜びとなるものを――／人間の顎間骨を。／ぼくはローダーといっしょに、人間と動物の頭蓋を比較し、その痕跡をさぐりあてた。たしかにあるのだ。これは誰にも気づかれないようにしてくれたまえ。秘密に扱わねばならぬのだから。これは兄にも心から喜んでもらえると思う。これは人間のかなめ石になるのだから。それは欠けていない。たしかにあるのだ。いや、あるどころではない。兄の全体的な思考とも結びつけて考えてみたが、これは大変なことになると思わずにはいられない」(訳文は小栗浩訳、『ゲーテ全集15』潮出版社、一九八一年、七〇頁)。ちなみにゲーテの言う「全体的な思考」とはヘルダーの『人類歴史哲学考』の特性を指している。ゲーテはその後、この発見を『上顎の顎間骨は他の動物と同様人間にもみられること』(一七八六年)という論文にまとめた(これについては前掲『ゲーテ全集14』一六一―一七一頁を参照)。ただし厳密に言えば、顎間骨はすでに一七八〇年にフランスの解剖学者ダジール(Vicq-d'Azyr, Félix, 1748-94)によって発見されていた。

(10) ヘルダーは人間の直立歩行に関する自己の人間学的基本命題が生理学と経験によって実証されると考えている。ゲーテも前出の論文『上顎の顎間骨は他の動物と同様人間にもみられること』において、比較考察および直接例証という自然研究者に唯一通用する方法を引き合いに出して次のように述べる。「自然界にあるものを実際に眼で見て確かめていなかったとしたら、私もこの骨がヒトにも同じく存在すると通説に逆らってまであえて主張する気にはなれなかったであろう」(訳文は前掲『ゲーテ全集14』一六一頁)。

(11) たとえば後出のガレノスのことが考えられる。訳注(36)を参照。

(12) 後出の「神経液」のこと。訳注(18)を参照。脳においては現在では「脳脊髄液」と呼ばれる。

(13) 原語は Archiv. いわゆる「アーカイヴ」のことで、前出の「自然という書物」との連想から、脳は人間による種々の思考の貯蔵庫として理解されている。

（14）Willis, Thomas（1621-75）イギリスの医師。ここでは『脳の解剖。神経の記述とそれらの機能を付す』（一六六四年）および『野生動物について』（一六七六年）が念頭に置かれている。

（15）原語はHaupttypus. 第二巻第四章における「原型」への訳注（35）を参照。人間にあって生理学的に最も高度に発展した器官である脳もまた「自然の歩みの、上昇する一様性」という法則に従って一つの主要原型の明白な特徴を形作る。

（16）ハラーの『人体生理学要綱』の記述に依拠していると思われる。

（17）アルゴー船伝説を示唆している。アポロドーロスの『ギリシア神話』第一巻（九）（邦訳は高津春繁訳、岩波文庫、一九七八年、六三頁）によれば、金羊皮の入手を手伝ってくれたイアソンとの逃避行の途上で、魔法に精通したメデアは弟のアプシュルトスを八つ裂きにし、ばらばらになった四肢を海に投げ込んで、それらを父アイエーテスが集めているあいだだけでも、自分を迫害する父を阻止しようとする。この比喩によってヘルダーは、脳の機能を他の身体機能から分離させることを批判している。

（18）当時の生理学において「神経液」（fluidum nerveum）は重要な役割を果たしていた。ヘルダーはハラーにおいて次のような仮説、すなわち神経液は「神経力」（Nervenkraft）と結びついた「刺激反応性」の活動において、筋肉に対する刺激として作用するという仮説を見出していた。

（19）『人間の魂の認識と感受について』の中でヘルダーはライプニッツ的な心身の一元論に依拠しながら、身体を捨象した心理学を批判し、身体と魂の一体性を主張している。第三巻第四章における「外部からの作用に対応する何か」への訳注(37)を参照。

(20)「内省」の原語はBesinnung.『言語起源論』の中心概念である「内省意識」(Besonnenheit)とほぼ同義であるが、ここではその基になっている動詞besinnen(内省する)の名詞形となっている。内容的には訳注(1)で言及された「理性可能態」に対して、ここでは「明るい」(licht)という形容詞との関連からも「理性の現実態」を意味するものと考えられる。人間の理性を、人間の有する諸力全体との関連でとらえようとするヘルダーの姿勢は『言語起源論』の次の箇所に端的に示されている。「人間のこれらの力の素質全体を、知性とか理性とか内省とか、好きなように呼んでさしつかえない。これらの名称を、分離した力、あるいは動物のたんに段階的に高まった諸力と見なすのでなければ、わたしにとってはどれでもよい。それは人間のあらゆる力の仕組みであり、人間の感覚的で認識する本性の、また人間の認識し欲求する本性の家政全体である。あるいはむしろ、それは思考の唯一の確固たる力であり、これは身体のある種の組織と結びついて、人間にあっては理性と呼ばれ、動物にあっては技術能力と呼ばれる。そしてまた人間にあっては自由と呼ばれ、動物にあっては本能となる。その差異は種々の力の段階もしくは追加にではなく、あらゆる力のまったく異なる種類の方向づけと展開にある」(訳文は前掲書三四頁。なお訳語や訳文の一部は本書『人類歴史哲学考』の内容に合わせ、傍点は省略している)。

(21) 前出のウィリスが初めて解明したとされる。

(22) ハラーが『人体生理学要綱』などで言及するクロード・ペロー、ジョセフ・デュヴェルネ、ド・ラ・イール、ジャン・メリといったフランスの解剖学者たちのこと。

(23) ドイツ語の原語は「驚異の網」という意味の Wundernetz で、脊椎動物に見られる。動脈と静脈から成るが、これらの血管は非常に細く、ごく近接して配置されている。内部の血流は互いに逆方向になっており、熱・イオン・気体などを、血管壁を通して効率よく交換する。ヘルダーにとってこの奇網が欠けていることは、有機組織的に見て、高次の発展のしるしである。

(24) 後述されるフマニテートの定義にも見られるように、ヘルダーは哲学上の問題を人間の自然上の基盤から考えようとしている。ただ、この段落も含めて以下における本文の記述に見られるように、ヘルダーが「均整のとれた」人間の長所を強調しようとするあまり、「奇形」という表現をはじめ、人間および他の被造物についての表現が、現代から見て肯定できないものになっていることも見過ごせない。

(25) スイスの牧師で著作家ラーヴァター（Lavater, Johann Caspar, 1741-1801）の『人間に関する知識および人間愛促進のための観相学的断章』（一七七五―七八年）に対する批判。この著作にはヘルダー自身もゲーテとともに関与していた。身体の特徴と性格の対応、道徳的美点と観相学的美点の対応というラーヴァターの神秘主義的‐宗教的要素の強い原則は、一七八〇年代に生理学を基盤として変化したヘルダーの自然的・有機的観点を納得させることができなかった。

(26) この文章はキケロの『神々の本性について』第二巻（一四〇）における以下の文章をふまえていると思われる。「自然は、まずはじめに人間が大地から高くまっすぐ起き上がるように促し、顔を上げて天を仰ぎ見ながら、神々の智恵を獲得できるようにした」（訳文は前掲『キケロー選集11』一八〇頁）。

(27) 第三巻第一章の「エーテル」への訳注(8)を参照。ここで「脳」と関連づけられているのは、当時は「エーテル」が大気圏のみならず、物体の細孔にも存在していると考えられていたことによるものと推測される。

(28) 線条体は大脳の一部で、灰色と白色の塊からできている。その主要な働きは運動を司る神経系の制御にある。

(29) プロスは「花」や「天上的な諸力に溢れた植物」といった比喩的表現に満ちたこの最終部の参照先として、十七世紀に活躍したフランスの哲学者ピエール・ガッサンディ(Gassandi, Pierre, 1592-1655)を挙げている。ちなみにガッサンディは人間の魂について「魂は一種の薄い実体であり、それは物質から咲き出る花(flos materiae)のようなものである」と述べている。ヘルダーの意図は、こうしたガッサンディの考えをハラーによる脳の発生の生理学的記述と結びつけることによって、有機組織が高次に展開された脳という物質から知性が産み出されることを明らかにしようとする点にあると考えられる。

(30) 長い尻尾を持つ小型のサルを指す。

(31) 原注23で言及されたカンパーによる報告はドイツ語に訳され、『医学および外科学、とりわけ博物学に関するペーター・カンパー氏の小論文集』第二巻(一七八七年)において刊行された。刊行者のヘルベルはヘルダーへの次のような献辞を書いている。「当代最高の解剖学者で自然研究者による『小論文集』の第二巻は、ザクセン・ヴァイマール公国の管区総監督で『人類歴史哲学考』という素晴らしい作品の著者である高名なヨハン・ゴットフリート・ヘルダー氏に然るべき畏敬の念とともにドイツ語訳の刊行者によって捧げられる。」またヘルダーの言う「『紀要』所収のサルの言語器官に関する論考」とは、第三章の原注31で言及される論文のことで、同じくカンパーの『小論文集』第二巻に収録された。その序文で刊行者のヘルベルはこう記している。「もしヘルダー氏がその『人類歴史哲学考』の第一部で、この報告の刊行の急がれることが望ましいと述べておられなかったならば、当巻には収録していなかったであろう。」

(32) 訳注(2)で言及された書物の九七頁。

(33) Blumenbach, Johann Friedrich (1752–1840) ドイツの自然科学者で医師。『人類の自然的変異について』(一七七五年)。

(34) 前出の『人体生理学要綱』のこと。また「ハラーの小生理学」とは一七四七年に刊行された『生理学初歩』を解剖学者ヴリスベルク(第三巻の訳注(19)を参照)が一七八〇年に編纂・刊行したもの。

(35) ロシアとキルギスに住むモンゴル系の先住民。彼らの話すカルムイク語はモンゴル諸語の一つだが、元来はテュルク系言語の一つだったともされる。

(36) ヒポクラテスと並ぶ古代の最も重要な医者。医学と哲学に関する多くの著作がある。「この古代人の書物」とはガレノスの『身体諸部分の用途について』を指す。ヘルダーが待ち望んでいるのは、魂の居場所を脳の中に求め、それによって哲学と生理学、すなわち精神と身体を単一的に理解する「第二のガレノス」の出現である。ちなみに『身体諸部分の用途について』第一巻第十六章では魂と脳について次のように言われている。「すべての神経の根源は脳と脊髄であり、その脊髄そのものの根源もまた脳であり、すべての動脈の根源は心臓であり、静脈の根源は肝臓であり、また神経は脳から魂の能力を得て」いる(訳文は『身体諸部分の用途について1』坂井建雄・池田黎太郎・澤井直訳、京都大学学術出版会、二〇一六年、三四頁)。

(37) 原語は Ein Gottesgedanke. 第三巻第一章の「神々の至純の贈り物である言語能力」への訳注(3)を参照。ここでの Gedanke はラテン語の intellectus に対応していると考えられる(グリム『ドイツ語辞典』、Bd. 4, Sp. 1943 を参照)。「神による唯一の知力」とはすなわち「言語」とともに獲得される「理性」を意味する。

(38) 訳注(31)を参照。カンパーは一七八五年八月三一日付のヘルダー宛書簡において、後者が『人類歴史哲学考』第一部において自らの研究に言及してくれたことに対する謝意を述べたうえで、ヘルダーとは異なる自分の立場を次のように明確に記している。「勝手ながらあえて貴兄に申し上げますが、私は人間と四足動物と鳥と魚とのあいだの類比に関する自分の考えをさらに推し進めた結果、今や私はわずか数本の線を加えることによって一匹の魚をどのような任意の四本足の生きものにも変えられますし、さらにはこの生きものを人間にも変えられます。それによって私は何の疑いもなく次のことを明示できます。それはすなわち、至高の存在は、われわれが調和あるいは美と呼んだものを目標と定めたことは一度もなく、目標としたのはたんに有機組織の諸部分の形成の機能性だけであったということです。要するに、神は美のモデル、それも諸動物の形成の基礎として役立つようなモデルを決して眼前に思い描いたことはなく、ましてや人間の形姿についてもは一度もありません」(『ヘルダー往復書簡集。ヘルダーの遺稿からの未公刊書簡』

第三巻、ハインリヒ・デュンツァーおよびフェルディナント・ゴットフリート・フォン・ヘルダー編、一八六二年、二九五頁）。これに付言すると、たしかに「民族の差異」を人間の形態、特に頭部の形から読み取ろうとする姿勢は後世の人種差別的な視点につながりかねないものであり、たとえヘルダーやカンパーにそうした意識がなかったとはいえ、現在から見ると問題であると言わざるをえない（これについては第二分冊「解説」に詳述）。

（39）エルヴェシウス（Helvétius, Claude Adrien, 1715-71）はフランスの哲学者。この文言の典拠は未詳。

（40）第三巻第六章の「ソンギで捕えられた少女」への訳注（54）を参照。

（41）原語は Kunstgefühl.「感情」を意味する Gefühl には「触覚」の意味もある。

（42）「理性」を意味するラテン語の ratio には「計算」という意味がある。

（43）ここはアイルランドの哲学者バークリ（Berkeley, George, 1685-1753）の『視覚新論』（一七〇九年）第一四七節の内容を要約した「視覚の一般的対象。自然の著者の言語」を指すと思われる。参考までに第一四七節の訳を引用しておく。「以上を全体として見れば、私は次のように公正に結論づけることができると思う。すなわち、視覚の固有な対象は自然の創造主の普遍的言語ともいうべきものを構成している、と。そして、それによって我々は、我々の身体の保全と福利にとって必要な事物を手にいれるために、また同様に、我々の身体に害を与え損傷するようなものすべてを避けるために、どのように我々の行為を調節するべきかを教わるのである。我々が、生きていくうえでのすべての営みや関わりにおいて、主として導かれるのはまさにこうした視覚的対象の告知によるのである。そしてこの視覚の対象が離れたところにある対象を我々に表示し明らかにする仕方は、人間の取り決めによる言語や記号がそうする仕方と同じなのである。というのも、人間の取り決めによる言語や記号が、それによって表示される事物を示唆する仕方は、自然による何らかの類似や同一性によるのではなく、記号とそれによって表示される事物との間に我々が経験によって見い出した習慣的結合にのみよるからである」(訳文は『視覚新論』下條信輔・植村恒一郎・一ノ瀬正樹訳、勁草書房、一九九〇年、一一九頁)。

(44) 原語は das göttliche Geschenk der Rede. これについては第三巻第一章の「神々の至純の贈り物である言語能力」への訳注(3)を参照。

(45) 原語は die schlummernde Vernunft. カントにおける有名な「独断のまどろみ」(der dogmatische Schlummer)を想起させる。「まどろみ」とは睡眠状態と覚醒状態、あるいは夢と現実の中間にある状態を意味する。なお、カントにおける「まどろみ」については、石川文康『カント入門』(ちくま新書、一九九五年)の「第1章　3「独断のまどろみ」からの目覚め」を参照。

(46) 理性の基盤となる言語能力と感覚器官との関係についての記述は前出のバークリの『視覚新論』における議論をふまえている。特に「目と耳」については、「距離や、ある距離にある事物は、目によって、耳による場合と違ったふうに知覚されるわけではない」と題された第四六節の記述と関連している。また「創造する思考」という表現はスピノザの「思惟する実体」としての神を想起させるが、ここでは言語能力という「神々しい贈り物」と関連していると推測される。

(47) スコットランドの学者モンボド卿(Lord Monboddo, James Burnett, 1714–99)は『言語の起源

と進歩について』の第一巻において人間の模倣技術に関する考察を行い、それを以下のように要約する。「要するに、われわれはアメリカの鳥、あるいは私の聞いたところではモノマネドリと呼ばれる西インドの鳥に非常によく似ているように思われる。ちなみにこの鳥は自分の歌を持たず、他のどんな鳥の音でも模倣する。事実、われわれの生は固有の本来の蓄えがなくとも、アリストテレスが適切に、人間をあらゆる動物の中で最も模倣を行うものと呼んだくらいの高い程度において、自然がわれわれに授けたこの模倣の能力に加えて、もう一つの自然の才能を獲得するように思われる。」モンボド卿によれば、言語の起源は一般的に神の何らかの直接の関与がなくても説明可能である。以下、再びモンボド卿によれば、「人間は自然状態においては動物に比べて互いに理解するための質的に高度の手段を持っていなかった。また基本的に人間は分節化されていない叫びで間に合わせており、さらに共同体形成の時代においてもそうであった。しかし人間はおそらくこの新たな状態の中で共同作業に向けての、より密接な結びつきという種固有の要求を、それも個々の叫びや身振りよりも満たしてくれる新たな理解手段を形作る必要性を強く感じとった。そのさい人間はまず他の生き物に範をとるが、それはもちろん明晰に分節化することと、特に音の連続を特定の言明意図といっそう精密に結びつけることへ徐々に移行することによって、自らの教師を追い越すためである。」

(48) 詳細は未詳であるが、物真似をする鳥として有名なものはオーストラリアを中心に棲息するコトドリであると思われる。

(49) この箇所も言語神授説の観点から読まれる可能性があるが、「或る神」(ein Gott)とはキリスト教の絶対神ではなく、ギリシアのヘルメス・トリスメギストスのように、文字や種々の技術を案出した「神的な」人間と読むことが可能であろう。ここで何よりも重要なのは、ヘルダーが人間を次のような存在、すなわち本能に束縛された被造物から自ら抜け出して、言語を案出する能力において神的なものの原理を自らの内に有する存在(第九巻第三章を参照)としてとらえていることである。それはこの段落の最後でも述べられるように「人間は、話すということに向けて有機組織化されることによってのみ(…)すべての技術の母ともいうべき**神々しい観念技術**を授かった」ということである。言語の案出は生理学上の有機組織化を基盤として行われるものであり、この有機組織化はただちに「理性」という知的な能力のみならず「文化」という人間の行為をも産み出す。

(50) 原語は Sprache des Lichts.「理性の光」と「言語」がヘルダーにあっては一体のものであることを示す表現。その前の文章に出てくる「徴表」の原語は Merkmal であるが、これについては第九巻の第二章で詳述される。

(51) 原語は Gottheit. ここでも神そのものではなく人間の有する、神にも似た素晴らしい能力を意味すると考えられる。

(52)「創世記」(一、二八)を参照。「神は彼らを祝福して言われた。/「産めよ、増えよ、地に満ちて地を従わせよ。海の魚、空の鳥、地の上を這う生き物をすべて支配せよ。」」

(53) 原語は göttliche Ideenkunst. 前出の「言語能力という神々しい贈り物」と類似の表現。

(54) Sack, August Friedrich Wilhelm (1703-86) プロテスタントの神学者でベルリンの宮廷牧師。

『キリスト教徒の守られた信仰』（一七四八―五三年）において、生れつき聾唖であった或る男性について次のように報告している。「この男性はかつてブタが畜殺されるのを目にした。数日後、彼が一通の書状とともに他の村に使いにやらせられたとき、途中で一人の女性に出会い、彼女に突然襲いかかり、地面に引き倒し、持っていたナイフで喉首を刺し、体を切り開き、臓腑を取り出し、それらにまったく平然と見入り、駆けつけた数人の人たちによっても、これも彼は自分に近づいてくるのを落ち着いて見ていたのだが、自分の仕事を中断させられることはなかった。そしてこれらの人たちが実際に急いで自分に向かってきたときも、彼は自分から捕えられ、少しも恐怖や恥じらいや他の徴候を感じさせることがなかった。それゆえ人々は彼の行動から、彼は自分が悪いことをしたということを少しも感じとっていないことを察知できたであろう」（第二部、一〇頁以下）。ザックにとってこの出来事は、人間の理性はそれだけでは決して道徳的観念にまで到達できないということの実例であった。

(55) 第一章の「カンパー」への原注23を参照。

(56) これについては、三木成夫『胎児の世界　人類の生命記憶』（中公新書、一九八三年）を参照。

(57) 「病弱者」の原語は Invalide.「廃兵」「傷痍軍人」あるいは「身体障碍者」といった意味もある。その基になっているラテン語の形容詞 invalidus は「弱い、力のない、無力な」という意味であり、この文章の前後に見られる「弱い」あるいは「弱さ」という表現と通底している。

(58) 本文での初出。この言葉そのものについての厳密な概念規定は行われないが、その実質的な内容が、順次これから叙述されていく。

(59) 原語は ein angebornes Automat. 次の訳注(60)を参照。

(60) 「理性」と「知覚されたもの」を同一視することによってヘルダーは言葉の語源上の基本的な意味を有効に働かせる。すなわち「理性」(Vernunft)のもとになっている「知覚する」(vernehmen)という動詞には「摑む、経験する、聞く、把握する」といった、感覚から出発する意味がある。ヘルダーにとって理性とは感覚経験から独立してそれ自体で存在する「生得の自動装置」ではなく、人間が幼少時以来、訓練して身につけたものであり、それゆえ言語と同じく理性も歴史を有している。ヘルダーの理性概念を理解するために必要な典拠としてプロスが挙げるのは『人間知性論』のロック、『言語の起源と進歩について』のモンボド卿、『視覚新論』のバークリに加えて、『ヘルメス、あるいは普遍文法に関する哲学的探究』(一七五一年)を著したイギリスの文法学者ジェームズ・ハリス(Harris, James, 1709–80)である。人間による認識の発生、それも認識の構造および人間が言語の形成において身体世界から論理的象徴の構造に入るための歩みに関するハリスの叙述は、抽象的思考に向けての人間の能力の展開を解釈するためにヘルダーに強い印象を与えたとされる。ハリスは『ヘルメス』の第三巻第四章で普遍的観念の生成についての解釈を行っているが、こうした観念を決して「生得の」ものと見なさず、それらの不可欠の前提として感覚を提示している。さらにハリスによれば、知性や理性という高次の諸力は、流れ去る感覚諸印象を定着させるという基盤を伴わなければ、自らの作用を及ぼそうと試みても無駄である。子どもを「いわば上級の諸力が使えない病弱者」(前出)とするヘルダーの考えはこうした省察と関連している。

（61）原語は Schnellkraft.　第一巻の「弾性」への訳注（39）を参照。

（62）原語は der erste Freigelassene.　名詞の基になっている分離動詞 frei|lassen は「（捕虜などを）釈放する」という意味。すなわちここでの frei|lassen とは、人間が自身を束縛するものから「解放された」存在であり、同時にまた行動あるいは選択の自由を持つ存在でもある。ただしそこで注意しなければならないのは、ヘルダーにとっては、理性のような精神的側面を持つ人間も、一個の被造物としては物質的側面から必ずしも「解放された」存在ではないということである。ちなみにライプニッツは前出の論文『生命の原理と形成的自然についての考察、予定調和の説の著者による』では次のように述べている。「被造物が物質から束縛されず解放されたら、それは同時に普遍的結合から切り離されることになり、一般的秩序からの脱走者のようになってしまいます」（訳文は前掲『モナドロジー　他二篇』一六一―一六二頁）。

（63）「真直ぐに」の原語は aufrecht で、本訳書の他の箇所では「直立姿勢」などのように「直立」と訳されている。これについては、第三巻第六章における「人間の形態は直立である」への訳注（50）を参照。

（64）原語は getäuschte Vernunft.「欺かれた」という言葉については第二巻第二章の「甘美にも欺かれた被造物」への訳注（13）を参照。理性を「欺く」主体は人間自身であると考えられる。これまで見られたようにヘルダーは「理性」について「計算する理性」や「まどろむ理性」のように「理性」のさまざまな状態や特性を記述する。

（65）原語は der Allsehende（すべてを見る者）。ここでは男性名詞として登場し、神と同一視される自然が念頭に置かれている。ただ、男性として登場することによって、旧約聖書的で厳格な絶対神としてのイメージもつきまとう。

(66) 原語は die allumfassende Güte. 先の厳格な「全見者」に対して、ここでは女性名詞として登場し、汎神論的な神と同一視される包括的な自然が念頭に置かれている。

(67) ルソーの『社会契約論』(一七六二年)第一篇第一章の冒頭における文章、すなわち「人は自由なものとして生まれたのに、いたるところで鎖につながれている」(訳文は『社会契約論/ジュネーヴ草稿』中山元訳、光文社古典新訳文庫、二〇〇八年、一八頁)をふまえていると思われる。先の「最初に自由の身となった者」への訳注(62)も参照。

(68) フェヌロン(Fénelon, François, 1651-1715)はフランスの神学者で作家。小説『テレマックの冒険』(一六九九年)で知られる。ヘルダーは、最も原始的な種族から、最も文明化された国民に至るまでの人類の単一性を強調する。前者の典型として挙げられるのが第一巻でも言及されたフエゴ島の住民あるいは「ペシュレ」である。ちなみに「ペシュレ」とはブーガンヴィルがフエゴ島の住民をその一種族の挨拶用語に従って名づけたものである(邦訳は、ブーガンヴィル『世界周航記』山本淳一訳、岩波書店、一九九〇年、第一部第九章を参照)。当時ペシュレは最も悲惨な人間と考えられていた。また「ニュージーランドの人喰い人間」については、前出のゲオルク・フォルスター『世界周航記』(上)、第十二章で言及されている。この問題は第三巻の末尾で言及されたディオドロスの「感じとることのできない人間」と関連している。ヘルダーにとって、人類の内部に人間とオランウータンの距離よりも、或る人間と他の人間のあいだの距離を大きくするような相違が存在するとしたら、人類という単一的な概念は消え去ってしまう。

(69) 未詳。神と人間のあいだにいるとされる天使のことかとも思われる。同じく第四章にあった「天使の理性をわれわれは知らない」という表現も参照。

(70) 被造物における「自己保存」の法則のこと。

(71) 「創世記」(一、二七)「神は御自分にかたどって人を創造された」を想起させる。しかし再度プロスによれば、ここでも注意しなければならないのは、この「神」はキリスト教的な絶対神というよりも、人間を超える神的なものを指していることである。すなわちここでの「類似性」とは、前出のハリスによれば、人間が神に類似したものへと向かう能力、あるいは可能性に関連している。ハリスはこう述べる。「想起されるべきは、われわれはなるほど神々ではないが、理性存在として自らの中に何か神的なものを有しているということである。(…)これは或る古代の著作家が言うように、われわれができるかぎり神に似ることである。なぜなら、と別の古代人は言うが、神々にとっては生全体が至福に満ちているが、人間にとってそうなるのは、生が自らをこの神的なエネルギーとの類似へと高めることができるかぎりにおいてである。」なおハリスの言う「古代の著作家」とはプラトンのことで、出典は『テアイテトス』(一七六B)である。そこではソクラテスがこう語っている。「「世を逃れる」というのは、できるだけ神に似るということなのです。そしてその神まねびとは、思慮のある人間になって、それでもって人に対しては正、神の前には義なる者となることなのです」(訳文は田中美知太郎訳、前掲『プラトン全集2　クラテュロス　テアイテトス』二八四頁)。また「別の古代人」とはアリストテレスのことで、出典は

『ニコマコス倫理学』第十巻第八章（一一七八b）である。そこでは次のように言われている。「神々にあってはその全生活が至福なのであるし、また人間にあっては神のかかる活動の何らかの似姿がそこに存しているかぎりにおいて至福なのであるが、人間以外の諸動物はいずれも全然観照的な活動に参与しないがゆえに幸福を有しない」（訳文は、『ニコマコス倫理学』（下）、高田三郎訳、岩波文庫、二〇〇九年、二三二―二三三頁）

（72）『博物誌』第七巻第一章（二）の次の章句をふまえている。「第一に、自然はすべての生物の中で人間だけを借り物の資材で覆う。ほかのすべてのものに自然はいろいろな方法で覆い物を与える。（…）しかるに自然は、人間を生まれた日に裸のままで、裸の地面へ抛り出すものだから、彼はただちに号泣したり涕泣したりする」（訳文は、前掲『プリニウスの博物誌』縮刷版Ⅱ、二九六頁）。

（73）訳注（4）で言及されたボンティウスや、その典拠となっているビュフォンに加えて、人間の男女および動物の雌雄の関係について言及した哲学者としては、ドイツの法学者プーフェンドルフの『自然法と民族について』（一六七二年）第六巻第一章、ルソー『人間不平等起原論』の原注（1）などが考えられる。さらに訳注（68）で言及されたゲオルク・フォルスターの『世界周航記』（上）第六章では未開人の女性の貞節についての記述が見られる。

（74）本書第三巻第三章におけるゾウの記述を参照。

（75）原語は「Menschen 人間」＋「Racen 種」から成る Menschenracen という複合名詞。Racen はフランス語の race からの借用語の複数形である。現在のドイツ語の綴りは Rasse で、複数形はRassenである。グリムの『ドイツ語辞典』（Bd. 12, Sp. 2064）では見出し語として単数形のMenschenrasseと綴られ、出典としてまさにヘルダーのこの箇所が挙げられているが、本文中では原典どおりMenschenracenと綴られている。この「人種」についての問題は第七巻第一章において考察される。なお、ここで「いくつかの人種」と言われる背景には、リンネの主著『自然の体系』（初版一七三五年）における四分類、すなわち「白いヨーロッパ人」「赤いアメリカ人（アメリカ・インディアン）」「蒼いアジア人」「黒いアフリカ人」といった分類などがあると考えられる。なお「人種」は、現代ではまったく科学的根拠のない概念とされている。

（76）原語はMenschenbär（＝Mensch＋Bär）．この前の「もし人間がクマやサルのように両手両足で歩けば」という文章をふまえたうえで、次の「人サル」（Menschenaffe）とともに「クマのような人間」あるいは「サルのような人間」を意味する。この造語はすでに『言語起源論』第一部にも見られるが（『ズプハン版』第五巻、四三頁）、グリムの『ドイツ語辞典』（Bd. 12, Sp. 2040）では『人類歴史哲学考』のこの箇所が引用されている。

（77）この文章と次の「これらは動物の知らないもの」という表現がきっかけとなって、カンパーは生き物の有機組織における均整というヘルダーの概念に対する自らの控えめな批判に、さらに批判的な指摘を加えることとなった。カンパーは訳注（38）で引用した感謝の手紙の終わりでこう述べる。「貴兄は動物が病気にかかることは少なく、その数も小さいと書いています。ここでお知らせしておきたいのですが、私がロッテルダムの或る学術協会から提示された問題に答える形で書いた論文のドイツ語訳を、貴兄も間もなく読むことができると思います。この論文で私が実証したのは、一、動物は——癌や性病を除いて——人間と同じ病気にさらされていること。二、動物は、より強い程度において伝染病やペストのような病気に倒れること。三、病気の数は、人間においても動物においても、社会におけるそのつどの位置に左右されることです。」

(78) イタリアの医師モスカティ(Moscati, Pietro, 1739-1824)は無数の病気の原因を、ヘルダーが非常に称賛する人間の直立姿勢に求めている。これについてはモスカティの『動物と人間の構造の身体上の本質的相違について』に対するカントによる論評(一七七一年)も参照。カントはこう述べる。「人間は社会生活を通して、それに最も適合した姿勢、すなわち二本足の姿勢を永遠のものだと信じているのである。これによって人間は、一方で動物には果てしなく優位に立つが、しかしまた、自分の頭を昔からの仲間に対して誇らしげに持ち上げたことから生じる不都合なことにも我慢しなければならないのである」(訳文は福田喜一郎訳、『カント全集3　前批判期論集Ⅲ』岩波書店、二〇〇一年、三九一頁)。

(79) ハト科の鳥で、ヒマラヤ山脈以北のアジア大陸とヨーロッパおよびアフリカに棲息する。

(80) ともにミャンマー(旧ビルマ)にある地域の旧称。

(81) Mackintosh, William(十八世紀後半)イギリスの旅行記作家。その『旅行記』は刊行直後にドイツ語に翻訳され(『ヨーロッパ、アジア、アフリカを巡るマッキントッシュ氏の旅』全二巻、一七八五年)、『新ライプツィヒ学芸新聞』(一七八五年一一月一九日、一三六号)に書評が掲載された。その二一六四頁で書評子はこう書いている。「アラカンとペグの境にまだ次のような民族が見出されるらしい。すなわち、どんな従属関係も隷属関係もなく、まったく自然の状態で暮らしている民族が。」

(82)「分有」の原語は Teilnehmung であり、英語の名詞 part と動詞 take から作られた複合名詞である(動詞は分離動詞の teil|nehmen = take part)。これは「生きもの」つまり被造物が、その全体の創造主である神もしくは自然に、その一部として関与することを意味し、特に人間の感情面にあっては「苦楽の感情を共にする」あるいは「感情を共有する」という意味での「共感」や「同情」となる。また「分与」の原語は Mitteilung であり、英語の with と他動詞の part から作られた複合名詞である。

(83) ここでの記述はルソーの『人間不平等起原論』原注(1)を意識していると思われる。

(84)「創世記」(四、一)「さて、アダムは妻エバを知った。彼女は身ごもってカインを産み、「わたしは主によって男子を得た」と言った」をふまえている。

(85) 両性具有の寓話についてはプラトン『饗宴』(一八九 c—一九一 d)、あるいはプリニウス『博物誌』第七巻第二章(一五)などが考えられる。

(86) 原語は human. ドイツ語としても辞書に登録されている単語ではあるが、同じ意味のドイツ語 menschlich ではなく、ラテン語の形容詞 humanus を想起させる human を用いることによって、ヘルダーは「フマニテート」(Humanität)という同じくラテン語由来の単語の内実を新たに「記述する」もしくは「語る」ことになる。ちなみにこの章の段落「5」の最後で使用される「非人間的な」という表現の原語もラテン語由来の inhuman である。

(87) 動詞「分かち与える」の原形 mit|teilen と「共感をもつ」の原形 teil|nehmen の用法につい

ては前出の「分有あるいは他の生きものに対する分与」への訳注(82)において言及されている。以下、この段落においては特に人間における「共感」の問題が、これに関するさまざまな単語を駆使して語られる。具体的な動詞や名詞は mit|teilen, Teilnehmung, teil|nehmen, mit|fühlen, durch|fühlen, empfinden, Sympathie, Mit|gefühl, fühlen, sympathetisch などであるが、翻訳者の立場からすれば、これらのすべてを、それぞれ一つの訳語に置き換えることはもちろん、逆にまたそれぞれに違う訳語を割り当てることも不可能である。こうした翻訳者泣かせの方法を用いることによって、ヘルダーは「共感」の世界が有する広がりを表現しようとするが、まさにこの豊饒な言語表現こそがヘルダーの著作家としての特質でもある。しかしそれは同時に、言葉の厳密な概念規定によってこそ築かれるべき「哲学」においてはおよそ異質なものとも言えよう。

(88) 原語は ein Analogon der alles durchfühlenden Gottheit. 根幹にある動詞 fühlen（＝feel）には「感じる」と「触れる」という二つの意味が同時に含まれている。

(89) 第三巻第二章の「機械」への訳注(17)を参照。

(90) 一七六二年の夏、一八歳のヘルダーはロシアの軍医シュヴァルツ＝エルラに伴われて外科学の習得のためにケーニヒスベルクに赴いたが、同地の大学で人体の解剖を見学して失神し、志望を神学に変更した。

(91) 「ヨブ記」(三九、一四―一七)を参照。

(92) ヘルダーにとって社会との人間の関わり、すなわち社会性も「人間の長い幼少期の年月」という生理学上の期間を土台としている。社会の問題は第九巻第四章で詳述される。

(93) 原語は aufrichtig. ヘルダーは人間の直立姿勢という生物学的側面と「誠実な」という道徳的側面の親縁性を、類似した言葉の使用によって印象づけようとしている。すなわち「直立姿勢」(aufrechte Stellung)における「直立の」(aufrecht)と「誠実な」(aufrichtig)という二つの形容詞がほとんど等価に扱われている。この前にある「正義と真理という規則」の原語は die Regel der Gerechtigkeit und Wahrheit であるが、「正義」の原語の Gerechtigkeit は名詞の Recht(英語の right)からの派生語である。内容的に見ると「正義」は後出の「公正」あるいは「公平」と類似した事柄を意味している。

(94) 原語は das große Gesetz der Billigkeit und des Gleichgewichts.「公正」と「公平」の原語の Billigkeit と Gleichgewicht はいずれもラテン語の aequitas に由来する。

(95) 「マタイ伝」(七、一二)「人にしてもらいたいと思うことは何でも、あなたがたも人にしなさい」をふまえた表現。これはルソーの『人間不平等起原論』などにも引用されており、この段落「5」でヘルダーは同著における「憐れみの情」についての以下の箇所を意識している。「だから、あわれみが一つの自然的感情であることは確実であり、それは各個人における自己愛(アムール・ド・ソワ・メーム)の活動を調節し、種全体の相互保存に協力する。(…)「他人にしてもらいたいと思うように他人にもせよ」というあの崇高な、合理的正義の格率のかわりに、「他人の不幸をできるだけ少くして汝の幸福をきずけ」という、たしかに前のものほど完全ではないがおそらくいっそう有効な、自然の善性についてのもう一つの格率をすべての人の心にいだかせるのは、この憐れみの情である」(訳文は、前掲書七四―七五頁)。ルソーはここで「合理的正義の格率」

と「自然の善性」を区別しているが、ヘルダーにあってこれらは「正義と真理という規則」という形で、理性も含めて「フマニテート」として人間の根源的状態の中にある。

(96) 原語は die Regel (...) des *Idem* und *Idem*. 論理学で「循環定義」と呼ばれるもので、或る事柄をその事柄自体、つまり「同じもの」によって説明すること。

(97) 原語は das Gesetz der Billigkeit und Wahrheit. これでこの段落「5」には同じような「規則」「法則」「掟」が三つ出てくることになる。すなわち「正義と真理という規則」、「公正と公平という偉大な法則」、そしてこの「公正と真理という掟」である。これはまさに前述の「循環定義」そのものであるが、これらの根源にあるものがヘルダーにあっては「フマニテート」ということになろう。

(98) 原語はそれぞれ Menschenrecht, Völkerrecht, Tierrecht. である。まず「人間法」と訳した Menschenrecht は、複数形の Menschenrechte にすると「人権」(human rights) の意味になる。また「民族法」と訳した Völkerrecht は通例「国際法」と訳される。そして最後に「動物法」と訳した Tierrecht は複数形の Tierrechte にすると、今日では「動物の権利」(animal rights) と訳される。ここで「動物法」が出てくるのは、やや唐突な感じもするが、これはルソーの『人間不平等起原論』の「序文」における次の箇所をふまえているものと推測される。「他人に対する人間の義務は、もっぱら知恵の遅まきの教訓だけによって命じられるのではない。それに、人間は憐れみという内的衝動に少しも逆らわないかぎり、他の人間にも、また、他のいかなる感性的存在にさえも、けっして害を加えないであろう。ただし、自己の保存にかかわるために、自分を優先しなければならない正当な場合だけは別である。この方法によって、動物も自然法にかかわるかどうかという昔からの論争もやはり結末をつけられる。というのは、知識も自由ももたない動物たちが、この法則を認識できないことは明白だからである。しかし動物もその授かっている感性によって、ある程度われわれの本性にかかわりがあるのだから、彼らもまた自然法に加わるはずであり、そして人間は彼らに対してなんらかの種類の義務を負うている、と判断されるだろう。実際、私が同胞に対してなんらの悪をもしてはならない義務があるとしたら、それは彼が理性的存在であるからというよりは、むしろ彼が感性的な存在であるからだと思われる。この特質は動物と人間とに共通であるから、これが少くとも前者が後者によって無用に虐待されないという権利を前者に与えているはずである」（訳文は一語を除いて、前掲書三一―三二頁）。いずれにせよ、この段落「５」における議論はルソーを介して自然法の議論と深く関わっている。

(99) ソクラテスのこと。キケロは『トゥスクルム荘対談集』第五巻（一〇）の中で、ソクラテスの哲学を次のように特徴づけている。「ソクラテスは、哲学を初めて天上から呼び降ろし、町に据えつけ、さらには家の中にまで入れ、哲学に、人生、倫理、善なるものと悪なるものについて尋ねるよう仕向けたのだ」（訳文は『キケロー選集12』木村健治・岩谷智訳、岩波書店、二〇〇二年、二八五―二八六頁）。

(100) たとえばヒューム（Hume, David, 1711-76）の『宗教の自然史』（一七五七年）がヘルダーの念頭にあるのかもしれない。

(101) 典拠は不明。

(102) プラトン以来の哲学史上の重要問題の一つで、ヘルダーも若い頃からこの問題に取り組んでいる。特にドイツの哲学者モーゼス・メンデルスゾーン(Mendelssohn, Moses, 1729-86)によるプラトンの『パイドン』のドイツ語翻訳を契機とする一七六九年前後における両者の思想上の交流は重要である。

(103) 第三巻第二章「胚の理論」への訳注(23)、および第五巻第二章「後成説」への訳注(6)も参照。ヘルダーにも大きな影響を与えたボネの著作の邦訳としては、『心理学試論』(一七五五年)の翻訳(飯野和夫・沢崎壮宏訳)が、『生と死　生命という宇宙』(十八世紀叢書、第七巻、国書刊行会、二〇二〇年)に収められている。

第五巻

(1) 原語は Menschen- ähnliche Gedanke. 第三巻第五章の「6」において動物と人間の類似性に言及され、そこでは「人間に類似しているということは、恣意の戯れではなく、多種多様な形式の結果であり、それらの形式は、自然がこれらを結びつけようとした目的、つまり観念、感覚、諸力、欲求をこの割合で行使するというまさにその目的に、これ以外にはありえない方法で結びつけられたものである」と言われている。

(2) 原語は unsichtbare Kräfte. 第三巻で言及された「有機的諸力」(organische Kräfte)および続いて言及される「内在する諸力」(die innewohnenden Kräfte)と同じものと考えられる。C・F・ヴォルフやハラー、あるいはボネによる生理学上の諸研究の成果に依拠するヘルダーにとって、生の展開プロセスを連続して進行させる諸力は、目には見えないものであるが、これらの作用という形で認識される。

（3）第四巻第四章における「神自身との類似性」への訳注(71)を参照。

（4）プリーストリについては第一巻第五章における訳注(46)を参照。ヘルダーは同時代の次のような思想家たち、すなわち精神と物質、身体と魂の唯心論的（すなわち観念論的）分離を克服しようとした思想家たちの一人としてプリーストリを挙げる。ただヘルダーはプリーストリの批判する二元論に対して自然の全体という発生論的有機的イメージを対置し、その全体の中で「一連の上昇する形と諸力」が支配していると考える。こうしたライプニッツ的な連続性の原則を言明していたもう一人の思想家は現在のクロアチア出身の物理学者で数学者のボスコヴィチ（Boscovich, Ruggiero Giuseppe, 1711-87）であったと推測される。ちなみにヘルダーは『神、いくつかの対話』（一七八七年）の第二の対話においてボスコヴィチの名を挙げている（邦訳は、前掲書四三頁）。それゆえヘルダーの言う「他の者たち」とはボスコヴィチも含めてのことであろう。

（5）ヘルダーが念頭に置いているのはロックの『人間知性論』第二巻第二十三章§5「精神の観念の明晰さは物体と同じ」の次の箇所であると思われる。「物質の形体的実体の観念は、精神的実体すなわち精神〔ないし霊〕の観念と同じように私たちの想念・認知から遠いのであり、それゆえ、私たちが精神の実体の思念をなにももたないところから、精神の非存在を結論できないということは、同じ〔物体の実体の思念をもたない〕理由で物体の存在を否定できないのと同じである」（訳文は『人間知性論』（二）、大槻春彦訳、岩波文庫、一九七四年、二四七頁）。

（6）原語はEpigenesis. 第三巻第二章の「胚の理論」への訳注（23）でも見たように、生命の起源と展開に関する問いについて十八世紀には二つの対立する見解があった。一つは、それ自体すでに存在しているものの展開と発展の理論、すなわち前成説（ヘルダーにあってはたいてい「胚の理論」という形で引用される）と、もう一つは後成説、すなわち、連続する新たな形成、もしくは付加形成によるそれぞれの有機体の発展に関する見方である。ヘルダーはこの論争で中間的な立場をとるが、後にゲーテが論文『形成衝動』（一八一八年）において後成説を回顧して述べていることは、「内的諸力の作用」としての形成というヘルダーの定義にもあてはまると思われる。ゲーテはこう述べている。「この種の表現にはなお改善の余地があった。なぜなら、有機的物質といわれるものには、それをいかに生き生きしたものと考えるにしても、つねに何か素材的なものが付着しているからである。力という言葉はまず単に物理的なもの、機械的なものをさえ表示するのであって、かの物質から有機的に生じてくるといわれるものは、われわれにとって依然として不可解なあいまいな点である。そこでブルーメンバッハは最高の決定的な表現を獲得した。彼は謎の言葉を擬人化して、問題になっていたところのものを形成衝動（nisus formativus）、すなわち形成を惹き起こす衝動ないし激しい活動と呼んだのである」（訳文は前掲『ゲーテ全集14』一三頁）。またヘルダーが「前成説」に否定的な立場をとる理由としては「第二原因」の存在が考えられる。なぜなら、すべての事物は或る種の必然性をもって、或る「原型」（Typus）に従って生れるが、しかし種々の副次的な原因もその影響においてはきわめて重要たりうるものであり、そのため根本的にはどの自然物体にあっても、新たな「発生」（genesis）について語ることができるからである。

（７）「形成」の原語は Bildung. ここでは次に来る（genesis）（＝発生）の意味で用いられている。前注も参照。

（８）原語は vernünftige Seele. ライプニッツの『モナドロジー』（二九）で言及される「理性的魂、すなわち精神」のことと思われる。そこでは次のように言われている。「私たちは、必然的かつ永遠的な真理を認識するので、単なる動物とは区別され、理性と知識をもつことになる。私たちは高められて、自己自身を知り神を知る。そしてこれこそが、私たちの内にある、理性的魂、すなわち精神というものである」（訳文は前掲書三一―三二頁）。

（９）この前の第四巻全体がヘルダーの理性論ともなっている。

（10）第三巻第一章を参照。

（11）ヘルダーが具体的に誰のことを考えているのかは不明。

（12）ライプニッツは論文『生命の原理と形成的自然についての考察、予定調和の説の著者による』において次のように述べている。「魂は有機的身体から分離することはありません。ただ、物質のどの部分についても、それが同じ魂に向けられている、とも言えます。そこで、自然的にまったく分離された魂とか、身体からまったく離脱した被造精神とかは存在しない、と私は認め、この点で古代の教父たちと同じ見解です」（訳文は前掲『モナドロジー 他二篇』一六一頁）。

（13）この一見ありえないような表現の背景にもライプニッツの存在が想定できる。『モナドロジー』（七七）では次のように言われている。「魂（不滅な宇宙の鏡）が不滅であるばかりでなく、動物そのものも、その〔身体の〕機械はしばしば部分的に死滅したり、有機的な殻を脱いだりまとったりするけれど、やはり不滅であると言える」(訳文は前掲書六五頁)。

(14) 具体的には第二部第七巻でドイツの医者エルンスト・プラートナーとその著作『医者と学者のための人間学』(一七七二年)に言及している。

(15) 第四巻第一章の「神経液」への訳注(18)を参照。

(16) 「質料」とも訳されるὕλη(hyle)というギリシア語は本来「木材」を意味し、より広くは「素材」「物質」の意味で用いられる。アリストテレスにあっては、もっぱらまだ実現されていない可能性として、形式を通じて初めて現実の規定性を得る原素材、すなわち、あらゆる現象の根底にある物質を意味する。この言葉はまた「形相」(eidos)と相関的に用いられる。プロスによれば、ヘルダーはここでもまたハリスに遡っている。すなわちハリスは、「素材」と「形相」はデカルト的な二元論的な世界像ではなく、物質に内在する形式原理が物質の原素材から自己を差異化させながら展開させるような統一的な世界像を提示しているとされる。ハリスは『ヘルメス』の第三巻第一章でこう語る。「hyleという言葉のギリシア語における最初の意味は根源的なものとしての「森」であった。(…)古代の哲学者たちによってhyleという概念は、あらゆる物体的事柄あるいは非物体的事柄に普遍的に適用された。(…)このことは近代人の耳には、いささかとっつきにくいものに聞こえるかもしれない。しかしわれわれが〈自然な能力〉という言葉が含まれる表現を解釈しようと試み、この言葉が、〈素材的精神〉あるいは〈知性〉に即した把握の〈根元的で生来の力〉、それも〈人間による〉あらゆる知に先行し、その把握に是非とも必要な力をもっぱら示すということを省察するならば、この〈自然な能力〉という表現に関してわれわれを妨げるようなものは何一つ残らない。（…）われわれはすべての動物的および植物的実体のもとで、形相（eidos）がそれを産み出す〈直接の原因の中に〉前もって存在しているのを目にする。というのも、オークの木はオークの木しか、ライオンはライオンしか、人間は人間しか産み出さないからである。」

（17）再びプロスによれば、前出のボスコヴィチにとって自然において静止は存在しない。「創造の門が閉じられた」後の展開は、物質の高度に展開された形式としての物質概念の精神化（Spiritualisierung）となり、それによって一連の有限で物質的な存在の継続は、人類にとっては、非物質的で「精神的な」存在への橋を形成するような類（Gattung）として考えられうる。こうした構想は、生命力理論や、自然史的な原型論や、その連続性原理への適用という文脈において理解されうる。

（18）第四巻、特に第一章における脳についての記述を参照。

（19）第四巻第三章のバークリに関する訳注（43）を参照。

（20）原語は alle Assoziationen unsrer Gedanken. ロックの『人間知性論』第二巻（第四版一七〇〇年）における「観念連合」（the association of ideas）のことと思われる。ヘルダーはロックについて『アドラステア』第一巻（一八〇一年）第二編の「十二　ジョン・ロック　自由思想家たち」の冒頭で次のように述べている。「ロックの最も有名な書物は『人間知性論』である。この書物はいくつもの言語に翻訳されたのみならず、ほとんど哲学の基盤となり、十八世紀にかけてイングランド、スコットランド、フランスにまで刺激を与え続けた。とりわけ彼の「観念の結合（Assoziation）」に関する教説と、「言葉の使用と誤用」に関する同書の第三巻は、学問の全領域において多くの精緻な観察を促した。この二つの部分において人々は少なからぬ誤謬の源泉に逢着した。こうして医者ロックは本当にまた人間知性の医者となった」（『ズプハン版全集』第二十三巻、一三一頁）。

(21)「活動力」の原語はEnergie.『一七六九年の旅日記』などに見られるように（邦訳『ヘルダー旅日記』嶋田洋一郎訳、九州大学出版会、二〇〇二年、訳注350を参照）、ヘルダーにあっては特に「言語のエネルギー」が問題となる。これについての構想は、ハリスの『ヘルメス』における次の文章に依拠している。「話している人間にしばしば適用される言い回しというのは、〈彼は自分の心を語っている〉というものである。すなわち、彼の発話もしくは論述は魂のエネルギー、あるいは運動を表している。」

(22) この段落においてヘルダーは「同化、成長、産出」といった自然に類似した事象を指摘することによって、精神の形成が自然の事象に即応していることを強調する。

(23) これは二項対立的な理解における人間、たとえば哲学における「知性的な人間」でも、神学における「霊的な人間」でもなく、精神の形成が自然の事象に即応している人間を意味している。

(24) 原語はStreben. スピノザ『エチカ』第三部、定理七における「コナトゥス」（conatus）、すなわち「おのおのの事物がそれ自身としてあり続けようとする努力」（上野修訳、『スピノザ全集Ⅲ』岩波書店、二〇二二年、一二七頁）と同じものと思われる。

（25）この段落でヘルダーはスペインの医者で『旅日記』でも言及されるウアルテの『諸学問のための頭脳の検査』（一五七五年）における生理学的な記述を参考にしている。ただ、ここでの記述は脳という身体部分と、魂という精神部分を一つのものとしてとらえている点に特徴がある。脳の記述に関しては第三巻第三章にゾウの脳についての考察がある。

（26）原語はSemiotik.「記号学」という意味であるが、ここでは「身体」との関連から、医学とも関連する「徴候学」を訳語とした。

（27）リュキアの王サルペドンの挿話（ホメロス『イーリアス』第十六巻、六六六―六七五）において、死と眠りは双子の神として描かれている。「芳しい眠り」の原語はder balsamische Schlafであり、芳香と鎮痛の効果のある香油のバルサム（Balsam）という単語を含んでいる。ここでは身体が魂の制御を受けずに、いわば自律的に行動することを示している。

（28）原語はTierheit. ヘルダーにあって「人間性」（後出）は「神性」と「動物性」のあいだに位置づけられ、さらに「フマニテート」は「神に類似した」ものとされる。

（29）原語はMenschheit. 前出の「動物性」に対応している。

（30）原語はder Menschenähnliche. 具体的にはどのような存在を指すのか不明だが、前出の「ソンギの少女」などのことが考えられる。

（31）このあたりの一見とても非現実的に見える叙述は、「世界の複数性」や「存在の連鎖」という思想を背景としており、特にそれはボネの『自然の観照』における次の記述にも表れている。「われわれが自然のきわめて傑出した諸作品を見るという大きな喜びを感じるとき、天上の霊たちの喜びは何と大きなものに違いないことか。これらの霊たちも神が天の蒼穹に種をまいたさまざまな世界を走り抜け、それらの中に神の諸作品の無限性を見るのだから。おお、高次の知性存在がこれらすべての世界の種々異なる造りを比較し、それぞれの球体を理性の秤の上で考量することは、何と喜びをもたらす仕事であることか。(…)これらの世界の存在を信じる基盤となる理性を獲得した地球の居住者よ、汝らは二度とそこへは到達しないのだろうか。汝らに遠くからこれらの世界を示した無限に善なる存在は、いったい汝らにそこへ入ることを永遠に拒むのだろうか。そんなことはない。もしもこの善なる存在が汝らをいつの日か天上の合唱へと呼び寄せるならば、汝らはこれらの合唱と同じように惑星から惑星へと飛ぶことであろう。」

(32) チョウについての生物学的な考察はすでに本書の第三巻の第四章や第五章でスワンメルダムらの名を挙げながら行われている。ライプニッツも『モナドロジー』(七四)などにおいて同じくスワンメルダムらの研究を念頭において毛虫やチョウのことに触れている。ここでもヘルダーはライプニッツの伝統の中におり、その哲学はヘルダーにとってはまさに「詩作」として現れる。ヘルダーによれば、「ライプニッツは数学的なスピノザよりも巧妙に詩作し」(『ズプハン版全集』第三十二巻、三二二頁)、そのモナド論では「意志に反して詩人となり、類似性、形象、言語を豊富に駆使している」(『ズプハン版全集』第八巻、二七二頁)。同じくライプニッツへの注釈の中でヘルダーはこの哲学者の教義を以下の文章に要約している。「このように現在は未来を孕んでいる」「死は眠りにすぎず、暗い表象の状態であり、これは存続しえない」「自然は決して跳躍を行わない」「チョウの中の青虫――死の中の眠り。――どんな眠りも永続しえない。しかも自己の人格と記憶を神の国において継続するよう定められた理性的な魂にとって、このことは最も少ない」(『ズプハン版全集』第三十二巻、二一五頁以下)。事実またライプニッツも「カイコと蛾」を変転の象徴として使用し、再生の思想に比喩的な表現を賦与している。たとえば一七〇二年に書かれた論文『唯一の普遍的精神の説についての考察』において身体と魂の並行説を強調し、それは自然の秩序とも合致すると述べ、理性も次のように主張すると言う。「天地開闢以来存在していたものは終結することもなく、そのため、発生が、変態し展開した動物の増大でしかないように、死滅も、変態し包蔵された動物の減少でしかないであろう。しかし、カイコと蛾が同一の動物であるように、動物は変態を繰り返しながらも常に同じものであり続ける。さて、ここでついでに指摘しておくが、自然が有している巧みさと善さとのお蔭でわれわれは自然の秘密を幾つかの見本の内に発見することができ、そのためわれわれはそれ以外のものもすべてが互いに対応し調和的であると判断できるのである。例えば毛虫など虫類の変態において自然が示しているものがそうである。なぜなら、蠅も幼虫から生ずるため、われわれは変態が至るところにあるのだと推断するようになるからである」(訳文は佐々木能章訳、『ライプニッツ著作集8　前期哲学』工作舎、一九九〇年、一二八頁)。

(33) 特に「魂の輪廻」について本書では第九巻第四章、第十一巻第四章と第十二巻第六章に言及が見られるが、詳細な考察は『みだれ草紙』第六集(一七九七年)に掲載された論考『再生。人間の魂の再来について』において行われる。

(34) この姿勢はヘルダーにおいて一貫して見られるものである。たとえば、この後の第二部の第六巻第四章では「われわれとしても黒人のことを憐れむことはあっても、軽蔑してはならない」とされる。たしかに「憐れむ」(原語は bemitleiden)という姿勢は、現代からすれば「上から目線」と感じられても無理のないところであろう。しかし第四巻の訳注(82)および(87)において述べたように、ヘルダーにとってこれは「共感」や「同情」と同じく、主体が自らを相手の立場と同じ立場に置こうとする姿勢を意味している。

(35) これはライプニッツの著作において頻繁に見られる表現であるが、ヘルダーはその中でも『理性に基づく自然と恩寵の原理』(三)における次の箇所をふまえているように思われる。「各々のモナドは生きた鏡、すなわち内的作用をそなえた鏡、自分の視点に従って宇宙を表現し宇宙そのものと同じく規則立った鏡、ということになる」(訳文は前掲『モナドロジー 他二篇』七九頁)。

(36) 自然プロセスの連続性についての表現。「諸力と形のあらゆる連関は退行でも停滞でもなく、進展である」と題された本巻第三章を参照。その背後には、「空間」と「時間」に加えて「力」(Kraft)を中心とするヘルダー独自の動態的な世界観がある。

(37) この詩句は「ドイツのサッフォー」と呼ばれた女流詩人アンナ・ルイーザ・カルシュ(Karsch, Anna Luisa, 1722-91)の頌歌(しょうか)『神に向かって彼女が明るい月明かりのもとで目覚めたとき』の第七連および第八連を下敷きにしている。原典ではこう歌われている。

まだ若々しさに満ちて彼らは輝いている

もう何千年も過ぎ去ったというのに！
時間の変転は彼らの頬から
光を奪うことは決してない。

ここではしかし彼女の眼差しのもと、
すべてが過ぎ去り、飛び去り、古びてゆく。
玉座の華美、王冠の幸福には
没落の時が迫っている！

（『精選詩集』ベルリン、一七六四年、五頁）

解説

嶋田洋一郎

1　ヘルダーの生涯と著作

「著作家の生涯は、著作の最良の注釈である」（『ズプハン版全集』第八巻、二〇八頁）というヘルダー自身の言葉に従って、その生涯を著作活動と関連させながら概観しておきたい。一七四四年八月二五日に東プロイセンの小都市モールンゲン（現在のポーランド北部のモロンク）に生れたヨハン・ゴットフリート・ヘルダーは、一一歳で同地のラテン語学校に入学し、ラテン語を中心にギリシア語やヘブライ語、歴史、地理学、数学、博物学を学ぶ。一七六〇年に同地に教区副牧師として赴任したヨハン・ゼバスティアン・トレショからヘルダーはフランス語を学ぶ。そしてバルト海沿岸地域の支配階層であったいわゆるバルト・ドイツ人で、モールンゲンからケーニヒスベルクに向かうロシア連隊に外科医として配属されていたシュヴァルツ＝エルラはヘルダーの才能に注目し、ヘルダーをケーニヒスベルクに連れて行くことを勧めると、同じくヘルダーの才能を認めていたトレショは同地の寄宿制教育機関フリデリキアヌムの奨学金獲得のために推薦状を書く。一七六二年の夏、ケーニヒスベルク大学に入学すべく一八歳のヘルダーは故郷と両親に別れを告げる。

ケーニヒスベルクにやって来たヘルダーを当地の知識人と結びつけたのは彼の詩才であり、その発見者たる同地の出版業者ヨハン・ヤーコプ・カンターであった。師トレショのカンター宛小包にヘルダーが忍び込ませた詩『キュロスに寄せる歌』がカンターの目にとまったのである（カンターについては、エンゲルハルト・ヴァイグル『啓蒙の都市周遊』三島憲一・宮田敦子訳、岩波書店、一九九七年、「第一章　都市と啓蒙　四　書籍市場と都市」を参照）。しかしこの地において彼の人生を決した体験はカントとの出会いであった。カントはヘルダーをこころよく迎え、多くの講義に無料で出席することを許す。この頃にはハーマンとも知り合い、ロンドンに滞在した経験もある彼から英語を学び、シェイクスピアを読むとともに、神学、哲学、文学に関するその博学と深い省察から大きな影響を受ける。そしてヘルダーはハーマンの友人リントナーから勧められ、リガの司教座教会付属学校の助教師の職を得て、一七六四年一一月に故国の東プロイセンを後にする。

翌一七六五年二月にヘルダーは宗務局の試験に合格し、説教師の地位に就く。同じ頃にリガの市立図書館で補助員として働き始めるが、そこで彼は美学者バウムガルテンの著作、ヴィンケルマンの『古代美術史』、モンテスキューの『法の精神』やビュフォンの『博物誌』、さらにはヒュームやシャフツベリー、そしてレッシングらによる文芸批評紙『近代ドイツ文学についての書簡集』を読み、自らの著作活動への出発点とした。しかし、リガでの生活に次第に不満を感じるようになったヘルダーは、商用でフランスへ向かおうとしていた友人のベーレンスから同船を誘われる。ヘルダーは一七六九年五月にリガ市の参事会に辞職と長期の外国旅行を願い出て、六月に出帆する。船はドーヴァー海峡を通り、七月一五日にロワール河口のナントに入港する。

この航海の体験は『一七六九年の旅日記』(拙訳『ヘルダー旅日記』九州大学出版会、二〇〇二年)に綴られている。フランスに上陸したヘルダーはナントからパリに向かい、ディドロやダランベールと会う。啓蒙思想の中心地を訪れたことは、その二〇年後に同じ場所で起こったフランス革命について彼が考えるときにも少なからぬ示唆を与えたと推測される。この後アムステルダムを経てハンブルクでレッシングと会ったものの、旅を続ける資金の不足もあって、オイティン在住のリューベックの世俗領主監督の申し出を受け入れ、その息子の教育旅行に教育係として同伴することになる。

旅は一七七〇年七月に始まったが、ヘルダーは涙腺炎の手術のために赴いていたシュトラースブルクで教育係を終える。この地で二〇歳のゲーテと出会ったヘルダーは、この若者に聖書、ホメロス、オシアン、シェイクスピアについて教えた。言語と文学は世界と民族の贈り物であるという理念のみならず、ヘルダーが若きゲーテに与えた圧倒的な印象は後者の『詩と真実』(第二部第十巻、一八一二年)における次の一節からも見てとれる。「このような精神の中にどのような躍動があったのか。またこのような本性の中にどのような発酵が生じていたのか。それは把握しがたく記述しがたい。しかし彼がそれから何年にもわたって、およそ何ごとであろうと、実行し成就したことを考えてみれば、内に秘められた志向がたしかに広大なものであったことは誰でも容易に認めるであろう」(訳文は『詩と真実』第二部、山崎章甫訳、岩波文庫、一九九七年、三一二頁により、文言をいくつか修正した)。

シュトラースブルクでは小説家ユング・シュティリングとも親交を深めた。ヘルダーはこの青年にも強い印象を与えた。シュティリングは自伝『ヘンリヒ・シュティリングの遍歴時代』(一七七八年)において、「ヘルダーにはたった一つの思想しかない。この人物は一人で全世界そのものである」(『ヘンリヒ・シュティリング自伝　真実の物語』牧原豊樹訳、幻戯書房、二〇二一年、三二一頁)と、その思想家としての特質を端的に表している。

またヘルダーは旅の途中のダルムシュタットで生涯の伴侶となるカロリーネ・フラックスラントに出会う。そして同じ頃ビュッケブルクの伯爵から宗教局評定官として招聘を受け、これを受諾する。ヘルダーの著作の中で最も有名な『言語起源論』(一七七二年)はこの時期に書かれている。

一七七一年四月にヘルダーはビュッケブルクに到着する。翌年九月には同地を訪れていたリヒテンベルクと知り合う。一七七三年に『オシアン論』と『シェイクスピア』を執筆する。そしてこれにゲーテの『ドイツの建築について』やユストゥス・メーザーの『オスナブリュック史』の序文などを加えて論文集『ドイツの特性と芸術について』(一七七三年)を編纂・刊行し、ゲーテとともにシュトルム・ウント・ドラングという新たな文学運動の口火を切る。歴史哲学では『人間性形成のための歴史哲学異説』(一七七四年)を、神学では『旧約聖書』の「創世記」解釈の書『人類最古の文書』(一七七四―七六年)とともに『新約聖書の解説』(一七七五年)を著す。

同地でヘルダーはまた「ビュッケブルクのバッハ」と呼ばれた作曲家のヨハン・クリストフ・フリードリヒ・バッハとも知り合い、オラトリオ『ラザロの復活』と『イエスの少年時代』に詞を提供している。しかしヘルダーにはこの小さな宮廷都市ビュッケブルクも次第に狭く感じられ、この地を離れたいと願うようになる。こうした状況下でザクセン公国ヴァイマールの公教会の管区総監督および主任牧師職の申し出が来る。すでにヴァイマールで要職に就いていたゲーテは、同地で著作活動を行っているヴィーラントとともに精力的に行動し、ヘルダーの招聘が決定する。

ここまで駆け足で若きヘルダーの足跡を追ってきたが、青年期から壮年期に移るに先立って、これまでの歩みの中で特筆すべき点を一つ挙げておきたい。それは「旅する青年ヘルダー」が当時の第一線の思想家や詩人などと直接会って、互いに言葉を交わしていることである。なかでもハーマン、カント、ゲーテとは互いの人生に大きな影響を与え合うことによって、その後のドイツの哲学や文学に豊かな実りをもたらした。またベルリン在住の哲学者モーゼス・メンデルスゾーンによるプラトンの『パイドン』のドイツ語翻訳(一七六七年)を契機とする「魂の不死」について、一七六九年前後に書簡で行われた両者の思想上の交流も見逃せない。

さて、三二歳になっていたヘルダーは一七七六年の一〇月一日に一家を連れてヴァイマールに到着する。この時期の著作としては、文学関係では『中世英独文芸の類似性』(一七七七年)と『民謡集』(一七七八―七九年)が刊行される。美学と心理学関係では『彫塑』(一七七八年)と『人間の魂の認識と感受について』(一七七八年)、そして神学関係では『神学研究に関する書簡』(一七八〇―八一年)と『ヘブライ文学の精神』(一七八二―八三年)

がある。音楽関係では一七八〇年にヘンデルのオラトリオ『メサイア』の英語の原詩をドイツ語に翻訳している。音楽に対するヘルダーの関心は深く、『人類歴史哲学考』においても音楽へのたび重なる言及が見られる。

その一方で本業のヴァイマールでの聖職者の仕事はヘルダーにとって相当の負担になっていた。またゲーテがますます内政に深く関わるようになり、両者の関係は次第に疎遠になっていく。このような状況のもとでヘルダーは主著の『人類歴史哲学考』(一七八四—九一年)に取りかかる。そして一七八三年八月にはゲーテの誕生日の祝いを機に両者の交流が再び始まり、『人類歴史哲学考』の執筆は大きく促進された。しかしヘルダーが渾身の思いを込めて一七八四年に送り出したその第一部と、翌一七八五年にこれに続いた第二部は、ケーニヒスベルク時代の恩師カントから思いもかけず強い批判を浴びることとなる。一七八七年には『神、いくつかの対話』と『人類歴史哲学考』の第三部が刊行される。特に前者は、当時スピノザの哲学の受容をめぐって、レッシングやメンデルスゾーン、そして哲学者フリードリヒ・ハインリヒ・ヤコービを中心にひき起こされたスピノザ論争で重要な役割を果た

J. G. ヘルダー
(A. グラフ画, 1785年)
Gleimhaus Halberstadt

す。

『人類歴史哲学考』の刊行が続くなかで一七八八年はヘルダーの生涯の大きな転機となった。この著書の最大の支援者であったゲーテは二年前からイタリアに旅しており、ヘルダーも若い頃からの憧れの地イタリアへの思いを強くしていた。こうしたなかトリアのカトリック司教座教会参事会員フーゴー・フォン・ダールベルクからイタリア旅行への誘いが来る。しかしその準備のさなかに恩師ハーマンが滞在先のミュンスターで客死し、悲しみに襲われるも八月初めにヘルダーは単身イタリアへと旅立つ。インスブルックを経てイタリアに入り、九月にローマに到着する。三カ月ほど同地に滞在した後の翌一七八九年一月にはナポリに向かう。このイタリア旅行中にヘルダーは、同じくイタリアに滞在していたドイツの作家で美学者カール・フィリップ・モーリッツとも交流を深める。帰路のヘルダーはフィレンツェを経てヴェネツィアを訪れ、オペラやゴンドラを体験し、その後ミラノを経て七月九日にヴァイマールに帰る。この年には職務上でも変化があり、ヘルダーはヴァイマール上級宗務局の副局長となる。

帰宅から数日後にフランス革命が起きる。自由主義的な思想を持つヘルダーではあったが、ロベスピエールが権力を掌握するようになると、さすがに懐疑的になる。一七九二年の或る書簡でヘルダーは「私たちの世紀は加速度的な崩壊とともに終焉に向かって急いでいます。この崩壊に人間主義的あるいは人道的な書簡が続かねばなりません」と書いて、『人類歴史哲学考』の続編ともいうべき『フマニテート促進のための書簡集』（一七九三―九七年）の執筆・刊行を予告する。またヘルダーは『キリスト教論集』全五集の刊行を開始する（一七九四―九八年）。『人類最古の文書』『ヘブライ文学の精神』に連なるこの大部の著作は、聖職者および歴史記述者としてのヘルダーの力量を遺憾なく示している。一七九六年には、ヘルダーの良き理解者となるジャン・パウルがヴァイマールにやって来る。

五七歳になった一八〇一年にヘルダーは上級宗務局の局長となるとともに自著の集大成を試みるが、そこには二つの方向が見られる。一つは彼が中心的に取り組んできたテーマをいくつかの著作にまとめることである。最初期の『存在についての試論』（一七六四年頃）以来、『言語起源論』を経て考察を続けてきた哲学に関しては、カントの『純粋理性批判』の批判の書でもある『メタクリティーク』（一七九九年）が挙げられる。美学ではバウムガルテンに関する最初期の論考から『批評論叢』（一七六九年）や『彫塑』を経て、同じくカントの『判断力批判』を批判する『カリゴネー』（一八〇〇年）に至る。民族詩を中心とする文学関係ではスペインを舞台とする翻案『シッド』（一八〇二年）を完成させる（刊行は一八〇五年）。そして多様な素材の断片を自由自在に組み合わせるという最もヘルダー的な特性は『みだれ草紙』(一七八五—九七年)や『フマニテート促進のための書簡集』を経て、雑誌『アドラステア』全六巻(一八〇一—〇三年)において結実する。一八〇三年の七月から九月にヘルダーはドレスデンへと旅をするが、ヴァイマールに戻った頃から体調不良に陥り、同年一二月一八日、五九歳で死去する。それから二カ月もしない翌一八〇四年の二月にカントが亡くなる。さらに翌一八〇五年にはシラーが亡くなり、また一八〇六年には神聖ローマ帝国が崩壊し、ここに一つの時代が終わりを告げる。

2 『人類歴史哲学考』の成立史

『人類歴史哲学考』第一部の成立についてはヘルダー自身が「序言」でも語っているとおりであるが、ここでは前著の『歴史哲学異説』(一七七四年)との関係を中心に少し詳しく見ていくことにしたい。『歴史哲学異説』が『ズプハン版全集』でおよそ一〇〇頁であったのに対して『人類歴史哲学考』全四部は同全集で九〇〇頁もあるものとなった。これほど浩瀚(こうかん)な書物が生れたのは、人類の歴史について書かれたものを「私は若い頃からほとんどすべて読んでいた」とあるように、ヘルダーが以前から、自然界の描写をも含む大規模な著述を構想していたことに起因している。なかでもケーニヒスベルク大学に在学中の一七六二年から一七六四年にかけて聴いたカントの自然地理学や天文学の講義に強い印象を受けたことは『人類歴史哲学考』の第一巻に痕跡をとどめている。続いて一七六五年頃のリガ時代の或るメモには次のように記されている(『ズプハン版全集』第十四巻、六六五頁)。

測りがたい種々の世界、多くの太陽
われわれの地球……
陸地　一つの山
海　海の動物に満ちた一つの貯水池
地層……

どのような世界に私はいたのか、私がここに来る前に
私は何であるだろうか
被造物たちの関連。偉大な精神の持ち主たちは
ひょっとしたら植物を感受する、われわれと同じように。
私は一つの動物だった。

この走り書きにも似たメモからは、ヘルダーの関心が宇宙と地球の関係から始まり、陸や海、植物や動物というふうに進展する被造物界にあることが見てとれる。前出の『旅日記』で次のように語られる内容は『人類歴史哲学考』における記述内容とも一致している。「人間の精神。地球の文化。それもあらゆる場所の文化。あらゆる時代の文化。あらゆる民族の文化。諸力がさまざまに混合した文化。さまざまな形態の文化。アジアの宗教。そして年代史と政治と哲学。エジプトの芸術と哲学と政治。フェニキアの算術と言葉と奢侈。ギリシアのすべて。ローマのすべて。北方の宗教、法、習俗、戦争、名誉。教皇の時代、修道士、学問。北アジアの十字軍戦士、巡礼者、騎士。キリスト教および異教的観点からの学問の覚醒。フランスの世紀。イギリス、オランダ、ドイツの形態。中国や日本の政治。新たな世界の自然学。それにアメリカの習俗」(邦訳、一二頁)。

さらに一七七二年頃に書かれた構想『ツェッシャウの若い紳士の教育計画』(『ズプハン版全集』第三十巻、三九五―四〇二頁)においては、第一部「自然における神の啓示」および第二部「人類の、あるいは人間性の諸力の歴史」という標題のもとに、人類の起源に始まり、近代の「交易精神」に至るまでの人類史の構想が綴られている。その内容は二年後に刊行される『歴史哲学異説』を大きく超えるものであり、前述の『旅日記』と今回の『人類歴史哲学考』とをつなぐものと考えられる。そして一七七七年頃からは『歴史哲学異説』の再版について、出版元のハルトクノッホとの間で徐々に書簡が交わされるようになる。一七七七年九月二五日付書簡でヘルダーは次のように書いている。「『歴史哲学異説』は誰も知らないいか、あるいは誰も入手できません。私にとって望ましい最も栄えある事柄の一つは、第二部を加えた第二版をすぐにでも刊行することです。」さらにハルトクノッホからヘルダー宛の一七八一年四月二五日付書簡では『歴史哲学異説』が「そうこうするうちに店頭から姿を消してしまいました」と伝えられ、同じハルトクノッホからヘルダーの妻カロリーネに宛てた同年六月二四日付書簡では『歴史哲学異説』が「もはや入手できないのですが、欲しいという声は非常に大きいのです」と書かれている。

翌一七八二年の五月には、ハルトクノッホがリガから遠路はるばるヴァイマールまでやって来て直接ヘルダーに『歴史哲学異説』の新版を出すよう求める。しかし同年一〇月三一日付のヘルダーのハルトクノッホ宛書簡ではこう記されている。「私は『歴史哲学異説』を別の形姿で提供するために帆をいっぱいに広げています。この哲学はおそらく二部ほどの分量で、よく売れる本となるでしょう。」この記述からはヘルダーが『歴史哲学異説』の改訂ではなく、まったく別の新しい歴史哲学書の刊行を決断したことが分かる。したがって『人類歴史哲学考』第一部の執筆もこの時点から開始されたものと考えてよいであろう。その後の進捗状況を示す典拠としては、同じ一七八二年に書かれた論考『魂の変転について』の中の次の一節が参考になる。「自然においてはすべてが結びつけられている。精神と身体と同じように、道徳と自然学も。道徳は精神の高次の自然学にすぎないが、ちょうどそれはわれわれの将来の使命がわれわれの存在の連鎖の一つの新たな環であるのと同じである。そしてこの環は最も精緻な前進において、最も精確にわれわれの存在の現在の環と結びついており、またそれは、われわれの地球が太陽に、そして月がわれわれの地球に結びついているのと同じである」(『ズプハン版全集』第十五巻、二七五頁)。

一七八三年になると作業は大きく進展する。その様子は妻のカロリーネがハルトクノッホに宛てた二月一三日付書簡からも見てとれる。「私の夫はこの冬の初めに歴史の哲学の構想を作りました。しかしそれは、夫がこの冬のあいだ他のものを何一つ仕上げることができないくらい非常に壮大で広範なものとなりました。」そして『人類歴史哲学考』第一部の完成にとって最も大きな意味を持つのは、この頃に自然の形態学についての研究を深めていたゲーテとの交流の再開であろう。一七八四年の四月には『人類歴史哲学考』第一部が刊行されるが、この年にも作品の成立を語る多くの言葉が見られる。

カロリーネがハルトクノッホに宛てた三月二五日付書簡からは作品の題名が決定していることが分かる。「私の夫は新しい作品に一所懸命に取り組んでおり、貴殿にもこの作品はきっと気に入ることでしょう。これは夫の以前の哲学を改訂したものではなく、まったく独自の作品で、表題は Ideen zur Philosophie der Geschichte der Menschheit となっています。」

『人類歴史哲学考』の「序言」の日付が「一七八四年四月二三日」となっていることからも、この頃には第一部が完成するとともに、ヴァイマールや刊行元のハルトクノッホ書店の所在地のリガ、あるいはハーマンやカントのいるケーニヒスベルクでは同書の第一部を実際に目にする人が増えていったと想像される。たとえば四月の末にはゲーテの親しい友人であったシュタイン夫人が共通の友人クネーベルに宛てて次のように書いている。「ヘルダーの新しい著書は、私たちが最初は植物や動物であったということを本当らしく思わせてくれます。ただ自然が今後さらに私たちから何を取り出すかは、私たちには知られないままでしょう。ゲーテは今これらの事柄について考えることにすっかり没頭しています。」成立史は以上のような経過を辿っているが、最後に『人類歴史哲学考』の第一部が刊行された直後の一七八四年五月一〇日にヘルダーがハーマンに宛てた書簡を引用しておきたい。作品が実際に世に出るまでの内的な経緯と、特にその第一部が妻のカロリーネと友人のゲーテの協力のもとで完成されたことを明らかにしてくれる。

私の最愛かつ最も古くからの友人よ、ここに私のできたての歴史の哲学の第一部をお届けします。今のところ『歴史哲学異説』の言葉は一つも残っていません。しかも土台はとても遠大で、かつ深く、あちらこちらから苦労して手に入れているので、この建物自体が完成できるのかとても不安です。(…)私の人生においてこの著作ほど内面からの非常に多くの心労や疲労のもとで、また外からの種々の困難のもとで書いたものはありません。それゆえもし、そもそも私の著作の産みの親とも言うべき私の妻と、偶然によって第一巻を目にしたゲーテが私を絶えず励まし駆りたててくれなかったら、すべてはまだ生れていない者たちの冥界にとどまっていたでしょう。

3　表題『人類歴史哲学考』について

『人類歴史哲学考』のドイツ語の原題 *Ideen zur Philosophie der Geschichte der Men-*

schheit は、著作それ自体に比例するかのように長いものであるが、直訳すると「人類の歴史の哲学についての複数の考え」となり、英語に直訳するとIdeas to the Philosophy of the History of Humankindとなろう。参考までに既存の主な英訳書と仏訳書でのタイトルを挙げておくと、*Outlines of a Philosophy of the History of Man* (by T. Churchill)、また抜粋ではあるが、*Reflections on the Philosophy of the History of Mankind* (by F. Manuel)および *Reflections on the Philosophy of the History of Humankind* (by H. Adler)となっている。他方、仏訳書では *Idées sur la Philosophie de l'Histoire de l'Humanité* (par E. Quinet)、抜粋ではあるが、*Idées pour la Philosophie de l'Histoire de l'Humanité* (par M. Rouché)となっている。一方、日本語の訳書では『歴史哲学』(田中・川合訳)あるいは『人間史論』(鼓訳)と、こちらはなぜかずっと短くなっている。

いずれにせよ、表題の翻訳だけを見ても曖昧であるが、その特徴は、一つの表題の中に名詞が四つも並んで(Ideen, Philosophie, Geschichte, Menschheit)、それぞれの名詞が当時の時代思潮とも密接に関連する大きな概念である点に見出されよう。まずIdeenについては、これを「理念」もしくは「観念」と訳すと、前者はカントに始まるドイツ観念論的な、また後者はロックに始まるイギリスの経験論的な色彩が強く、どちらも従来の西洋哲学史記述の中に取り込まれてしまう。ここではむしろIdeenという複数形になっていることが本作品の構想全体を考えるうえでも重要であろう。なぜなら、これは前述の哲学概念を意味しているのではなく、一七七四年にスコットランドの哲学者で「ケイムズ卿」の称号を持つヘンリー・ヒュームによって刊行された『人間の歴史の素描』(*Sketches of the History of Man*)を背景としていると推測されるからである。したがって Ideen というドイツ語も、哲学史的な重い意味を持つものというよりも、むしろ人類の歴史を複数の次元からとらえ、しかも考えついた複数の事柄を、なかば即興的に書き連ねていくという意味に理解できよう。この「考え」を重視して本書での訳語は「考」とした。ちなみに複数形の Ideen ではなく単数形の Idee をまさに「理念」として表題にしたものが、『人類歴史哲学考』第一部から七カ月後の一七八四年一一月に発表されたカントの論考『世界市民的見地における普遍史の理念』(*Idee zu einer allgemeinen Geschichte in weltbürgerlicher Absicht*)である。

次に Philosophie であるが、ヘルダーが著作活動を開始した一七六〇年代から七〇年代のドイツにおける哲学の状況は、学問の理論上の基礎づけを担うべき「形而上学」の第一哲学(prima philosophia)としての絶対的な地位が、新興の学問である「美学」や「心理学」によって相対化されつつあった。これを阻止すべくカントは『純粋理性批判』(一七八一年)を発表するのであるが、ヘルダーにとって「哲学」とは最初期の論考の表題『哲学はいかにして民衆のために、より一般的かつ有用なものになりうるか』(一七六五年)に示されるように、広く民衆や市民、ひいては人間全体のための学問すなわち「人間学」となるべきものであった。しかし『人類歴史哲学考』を理解するうえで重要なのは、「哲学」のこのような広がりを、後のカントやヘーゲルに代表される「ドイツ観念論」と結びつけることではなく、むしろ十八世紀ヨーロッパにおいては「思想体系よりも精神の気質を示す」(J・G・A・ポーコック『野蛮と宗教Ⅱ　市民的統治の物語』田中秀夫訳、名古屋大学出版会、二〇二二年、一九頁)ものとしてとらえることであろう。この「気質」とは、ポーコックによれば「思考や論争の社会化・世俗化を、市民社会にふさわしい活動として受け入れ、それを促したもの」とされる。そして今回の『人類歴史哲学考』における「哲学」のこうした理解は、次に説明する「歴史」という概念と結びついてヘルダーにおける「歴史の哲学」となる。

その「歴史」と訳されるGeschichteというドイツ語には基本的に三つの大きな意味がある。一つ目はこの名詞の元になっている動詞のgeschehen(＝occur, happen)「(出来事が)起こる」に由来する「出来事」であり、二つ目はこうした「出来事」の連なりとしての「歴史」であり、三つ目はこの「歴史」が「記述」もしくは「叙述」という行為とほとんど不可分な関係にあることから生じる「物語」である。したがってこの

Geschichteにおいては「出来事・歴史・物語」が一体となっているが、そのことをふまえたうえで本訳では二つ目の「歴史」という訳語を採る。

これに加えてヘルダーにおける「歴史」の意味を知るうえで重要なことは、歴史を記述することが神の啓示に注釈を付ける行為として理解されていることである。一七八一年に刊行された『神学研究に関する書簡』でヘルダーは次のように述べている。「われわれは自分が何であったかを知らない。われわれは自分が将来どのようなものになっているかということについても自然に即した資料を目の前に持っているわけではない。類比はこれら二つの面でわれわれを見捨てる。そこで実際に推論に代わって歴史が登場しなければならない。そしてこの歴史が啓示を証明し、啓示に注釈をつける(diese Geschichte beurkundet und commentirt die Offenbarung)のである」(『ズプハン版全集』第十巻、三四七頁)。ここでの「啓示」は『人類歴史哲学考』の「序言」における「創造という書物」に対応しており、ヘルダーにとって歴史記述という作業は、自然という原テクストに注釈を付す作業にほかならない。これらの意味も考慮して本書では「歴史」を先の「哲学」と結びつけて「歴史の哲学」とし、さらに「の」を外して「歴史哲学」としている。

そして今回は「人類」と訳したMenschheitであるが、これは『人類歴史哲学考』の前に書かれた『歴史哲学異説』(*Auch eine Philosophie zur Bildung der Menschheit*)の邦訳では『人間性形成のための歴史哲学異説』とあるように「人間性」と訳されている。そもそもこのドイツ語 Menschheit は「人間」を意味する Mensch(＝man)という基礎名詞に ~heit(＝~hood)という集合名詞あるいは抽象名詞を作る接尾辞が付いたものであり、人間の集合体としての「人類」の意味と、「人間らしさ」あるいは「人間性」の意味がある。ヘルダーはどちらの書物においても Menschheit にこの両方の意味を込めている。ただ今回の翻訳では人間世界全体の具体的な歴史を叙述している本書の内容に即して「人類」を採った。そして前置詞句と助詞を省いて『人類歴史哲学考』を表題とした。

4　『人類歴史哲学考』の構想と目的

ただ問題となるのは『人類歴史哲学考』において Menschheit を「人類」と訳した段階で消去された「人間性」という語である。表題の英語訳に再び目を向けると、「人類」に相当する訳語として英語では Mankind と Humankind があるが、これらとは別に「人間性」に相当する Humanity があり、これをドイツ語に訳し返すと Menschheit

ではなくHumanität(片仮名表記は「フマニテート」)となろう。Menschheitには前述のように「人類」という具象的な意味と、「人間性」という抽象的な意味がある。そこで問題となるのは、今回の表題から消えてしまったこの「人間性」に相当するHumanitätと、その訳語として考えられる「フマニテート」の扱いである。

『人類歴史哲学考』全二十巻のうち、「フマニテート」という表現を本文の中に含むものは計十四巻ある。なかでも第一部第四巻の第六章冒頭の段落は本書の構想と目的を知るうえで欠かすことができない。そこでは次のように言われている。

私はフマニテートという言葉の中に、これまで私が述べてきたこと、すなわち理性と自由、精緻な感覚と本能、きわめて繊細にして力強い健康、地球上の充溢と支配に向けられた人間の高貴な形成についてのすべてを包括できればよいと思う。事実また人間は自分の使命のために人間という言葉ほど高貴な言葉を持っていない。なぜなら、人間の中には地球の創造主の形姿が、この地上で目に見えるものとなりえた形で刻印されて生きているからである。だから人間の最も高貴な本分を詳述するためには、その形態を描きさえすればよいのだ。

すなわち『人類歴史哲学考』は、「フマニテート」を中心として自然と歴史における人間のあらゆる姿を描くことを目的としていると言ってよい。しかし「フマニテート」という概念はきわめて不明瞭であり、従来これについては、「無意味で空虚な命題を形成するために好き勝手な内容を盛ることのできるいわば古典的な見本」とか、「定義不能な、もしくは定義を必要としない理念」という見解も存在する。実際また本書において「フマニテート」は特に第四巻と第十五巻において集中的に言及されるが、概念規定がなされている箇所は、たとえば第四巻第六章の「1」で「人間の形態自身が人間に教えているのは平和を好むことであって、強奪的な殺人や略奪ではない。これがフマニテートの第一の特徴である」とされる以外は、ほとんど見られない。また第十五巻第一章の標題で「フマニテート」は「人間本性の目的」であると言われても、これではほとんど同語反復であり、カントでなくとも「あちこちで同義語が説明と見なされていないか」と指摘せざるをえない。

それではヘルダーはどのようにして「フマニテート」をこの作品の中で明らかにしようとしたのだろうか。たしかに「フマニテート」の明確で詳細な概念規定は見当たらないが、ヘルダーの意図は「人間の最も高貴な本分を詳述するためには、その形態を描きさえすればよい」という点にあると考えられる。すなわち、自然における人間の居住場所としての地球からヨーロッパの基礎が築かれた時代までの人間の具体的な形態を、その悪行非道も含めて、それぞれの時代と空間において叙述することである。そこには人間を取り巻く自然的、社会的、文化的あるいは宗教的な状況のみならず、知性や感情といった人間の内的な特性も含まれる。その意味でヘルダーの構想する人類の歴史とは、「どこをとっても、人間の諸力と行為と本能がそれぞれの場所と時代に従って産み出した自然史そのもの」(第十三巻第七章)であり、こうした自然を背景とした「人間の知性と心情の歴史」(第九巻第二章)にほかならない。

そして最後に忘れてならないのが、『人類歴史哲学考』の持つ教育的側面である。「フマニテートと宗教に向けて人間は形成されている」という第四巻第六章の標題が示すように、教育についてのヘルダーの構想は『人類歴史哲学考』全体の構成からも明らかになる。若い頃から教師や説教師として青少年の教育に大きな関心を持っていたヘルダーは『一七六九年の旅日記』において青少年向けの教育プログラムを描いている(前掲書三〇—六四頁)。そこでは教育の内容が「自然」「歴史」「抽象」の三つの段階に分けられ、これらを「低学年児」「少年」「青年」の三つのクラスで段階を追って学ぶとされる。「低学年児」のクラスで「自然」の科目に組み込まれた「生きた博物誌」から学び始め、さらに「自然学」「物理学」「技術」へと進み、第二段階の「歴史」では、あらゆる民族や時代の歴史が「地理学」と結びつけて学ばれ、最終的には「現代の政治上の基盤」にまで至る。また第三段階の「抽象」では子ども向けの「教理問答書」から始まり、少年向けの「宗教史入門」を経て、「青年」のクラスでは「哲学と形而上学、論理学、美学、道徳、政治、倫理学、神学、百科全書」まで学ばれる。このような教育プログラムを背景として地球の記述から始まる『人類歴史哲学考』は、記述の順序に気を配り、比喩を多用しながら、青少年も含む広範な読者層を念頭に置いた教育的作品と考えられる。言い換えれば、ヘルダーにとっての歴史とは人間教育の重要な場でもあった。

5　『人類歴史哲学考』第一部

次に本・第一分冊に収録した「第一部」の内容と特性に触れておきたい。「序言」におけるヘルダー自身の言葉にもあるように、「第一部は基礎だけを内容としており、人類の居住の場である地球を全般的に概観することと、われわれの周囲でともに太陽の光を享受している種々の有機体を一巡することに分けられる。」具体的には『旧約聖書』の「創世記」における「天地創造」をなぞるように、この第一部では地球から始まり、人間に至る被造物全体の特性が、自然的有機体論的構想の中で記述される。被造物の歴史はいわば列をなして上昇する種々の形や力の中で人間の生成へと至り、そこから第二部における人類の地理学的・民族誌的記述と、第三部と第四部における人類の歴史へと流れ込む。このように『人類歴史哲学考』の全体を概観すると、第一部と第二部では自然的有機体論的構想の中で地球から始まる被造物全体の歴史における人間の特性が、そして続く第三部と第四部では人類の歴史が記述され、しかも両方の領域は地球全体を共通の活動基盤として互いに補完的関係にある。

そこで問われるべきは、人類の歴史を考察するために、なぜ自然から出発する必要があるのか、ということであろう。ヘルダーにとって地球をはじめとする自然は、生きもの全体の創造および活動の場として存在する。そのさいヘルダーが重視するのは、自然と歴史に共通する原理としての「創造と破壊」あるいは「破壊による創造」である。「どのような破壊も高次の生への移行なのだ」(第五巻第三章)と述べるヘルダーは、さらに第三部第十四巻の第六章において次のように記している。「自然界においては一緒に入り組んで作用を及ぼすものはすべて、植えつけるにせよ、保持するにせよ、あるいは破壊するにせよ、互いに補完し合って全体を形作っている。歴史の自然界においても事情はまったく同じである。」

このような視点を背景として第一部の第一巻では地球と人間の関係について詳述され

る。人類史の主人公である人間と、その活動の場である地球に関する考察は、『人類歴史哲学考』全体の出発点としても重要な役割を果たしている。第二巻以降では地球に存在する他の被造物と人間との関係が考察の対象となる。「地球全体は人間のために作られ、人間は地球全体のために作られている」(第一巻第四章)という現代の地球環境問題を先取りするような表現は、ヘルダーによる人類史のこうした幅広い捉え方を端的に示している。

当時の自然研究の新しい動向に大きな関心を示すヘルダーは、アルブレヒト・フォン・ハラーの生理学やビュフォンの博物誌など当時の自然諸科学の知識を最大限に活用しようとする。そこではハラーによって区別された「弾性」「刺激反応性」「感受性」といった「諸力」自体が基本的にはたった一つの力の活動性のいくつかの形にすぎないとされる。その基盤をヘルダーに提供したのはカスパー・フリードリヒ・ヴォルフの『発生の理論』(一七五九年)における鶏卵の実験記述であった。ヴォルフは前成論の基本仮定、すなわち胚の段階で生きもの全体がそのすべての構成要素において、たとえそれが見えないにせよ、すでに存在するという仮定を否定する。

生のこうした叙述において頂点に立つのは、第二巻と第三巻が提供していた自然諸界の概観である。自然の道は鉱物の形成における単純な法則から出発する。植物界を経て動物界を通るこの進展は、被造物の自己保存に仕える同じ活動性、つまり成長、養分摂取、増殖によって不変なものと考えられている。すなわち有機的な振舞いの構想は動物界においては鉱物界や植物界におけるものと同じものにとどまる。そして動物世界においてもまた、最小の動物体から最大の動物体に至るまでの種々の相違にもかかわらず、有機的な差異化が仕えるこれらの基本機能には変更は存在しない。

第三巻の最後の三つの章は、物質の単一的な有機組織化の型を要約している。最高度に発展した四足動物において自然プロセスが一旦は静止するのに対して、人間における「本質的な力」(第四章)は人間をもう一度新たに発展させる。有機体論的視点と倫理的視点の論拠に関する結節点は第三巻と第四巻であり、そこで人間は「被造物の中で最初に自由の身となった者」として現れる。ヘルダーは自然の領域からの人間の発生を自由の領域への質的跳躍として解釈するとともに、しかもそれを直立歩行という生理学上の特徴によって可能になったとする。ヘルダーによれば、人間は直立の姿勢という特性によって初めて「直立して周囲を遠く見渡す」(第四巻第四章)被造物となり、それによって同時に理性的で道徳的な動物となる。ただ、人間の直立姿勢をそのまま「誠実な」(第四巻第六章)といった人間の道徳的特性にまで結びつけるヘルダーの記述はあまりにも素朴であり、これには強い疑念を呈さざるをえない。また第四巻の訳注(38)でも言及したように、カンパーの比較解剖学的な所見との関連において、「動物の差異」と「民族の差異」が同じ文脈で論じられることも、それが人種差別的な視点につながりかねないだけに、やはり問題であると言わざるをえないであろう(これについては第二分冊「解説」に詳述)。ただ、ヘルダーにあっては続く第五章に見られるように「人種」という言葉自体が「卑俗な言葉」であり、第二分冊に収録される第七巻第一章においては、人類をいくつかの「人種」に分類することも明確に否定される。

人間の特別な位置を動物界の中に根拠づけようとするヘルダーの試みは、『言語起源論』における人間学的な端緒をさらに拡大したものである。『言語起源論』ではライマールスから受け継いだ確信、すなわち、低次から高次の動物への発展が本能との結びつきの減少と周囲の世界への関与の増大を認識させ、そのことが人間にあっては本能からの完全な離脱につながるという確信がヘルダーを導いていた。しかし『人類歴史哲学考』においては、これに生理学と比較解剖学の知見が加わり、頭蓋の形態や位置から人間の直立歩行が生れるとされる。こうして人間は自由に立ちながら、自らを反映する領域を探すことも、自らを自らの内に反映させることもできる。人間は自然の手の中の過(あやま)つことのない機械ではもはやなく、人間は自らが加工の目標となる。人間の諸力のこうした素質は、人間にあっては身体の一定の有機組織と結びついている。

そのための前提条件は人間の直立姿勢であり、それは動物の体の極端な前傾を大地から解き放つ。人間の直立姿勢は同時に手が大地から自由になることを意味する。それによって手は摑む道具として役立つのみならず、自ら周囲の世界に手を加えるための道具を作り出す。そしてこの点に人間の技術的存在としての全体的特性が根拠づけられると同時に、「観念」の意味するものへの歩みが踏み出される。すなわちそれは人間の世界秩序の基盤を形成する記号、特に言語の形成である。人間は「観念を音声の中に刻み込み」、記憶が把握した特徴を言語記号に移し置くことができるからである。そのさいしかし「理性」は決して生得の能力ではなく、成長する小さな子どもの訓練を通じて、それも家族あるいは社会と連帯した結びつきの中で産み出されざるをえない成果として理解される（第四巻第四章）。

「被造物の中で最初に自由の身となった者」の主要特徴は、たとえ「彼が最悪のものを選んだとしても」彼の行動の手段と目的における自由の中に見出される。というのも、人間の存在それ自体は、自らの行動の正しさへの洞察を含んでいないからである。ヘルダーにあっては日常の経験から人間の自己同一性が構成される。「ここから生れた一つのものが人間の観念である。そしてこれらの観念と感受が真と偽、善と悪、幸福と不幸を判断するために多種多様に結合されたものが人間の理性である。つまりそれは、人間としての生活を形成する継続的な産物である。したがって、理性とは人間に生れついたものではなく、人間が獲得したものなのだ」(第四巻第四章)。しかしこのことは人間が動物のように自己保存の手段の選択においても不可謬でありうるということを意味しない。「人間は転ぶことによってのみ歩くことを学び、迷うことによってのみ真理に到達することも稀ではない。」

善と悪の区別の根拠づけをヘルダーは再び直立歩行に求める。というのも、この歩行は人間を、いわば本能的に同胞を視野に入れた自らの行動の考慮へと導くからである。「人間は、被造物の中で最初に**自由の身となった者**であり、しかも真直ぐに立っている。善と悪、真と偽の秤は自分の中にある。人間は探究することができる一方で、選択しなければならない。自然が人間に二本の自由な手を道具として与え、歩行を導くための見渡す目を与えたのと同じように、人間もただ分銅を載せるだけでなく、秤の上でいわば力を、すなわち、**自らが分銅である**力を内に秘めている」(第四巻第四章)。さらにヘルダーは「公正さ」の概念でもって、すでにaequitasとしてキケロに見られた自然法の概念に立ち返る。

第一部を締めくくる第五巻において重要なのは、先行する四つの巻で考察された自然のプロセスが、人間におけるその頂点にもかかわらず、静止には至らなかったという命題（第六章）である。第一巻が「天から」出発したとすれば、第五巻は人間を「二つの世界を結ぶ中間項」として描くことによって「天へと」立ち戻る。人類が地球全体に拡散して活動を繰り広げる第二部以降が水平的構造を示すのに対して、第一部全体は垂直的構造を有している。ちなみに神的なものへのこうした接近は他方でまた「魂の不死」という概念の復帰を可能にするように見えるため、カントが、ヘルダーの言述の根拠づけは自然の現実においてではなく「詩作力という実り豊かな分野」においてのみ見出されると評したことにも十分な根拠があると言えよう。しかし全体として当時の議論に照らしてみると、この第五巻の内容はその外観ほど非合理的なものではなく、チョウや繭の比喩もライプニッツなどに見られるものである。

最後に「第一部」の特性について言語表現という点から考えてみたい。人類史の基盤として重要な役割を果たすのが地球であるが、注目すべきはヘルダーが第一部において地球という単語を含む名詞の扱いを通じてこの点に読者の目を向けようとしていることであろう。具体的にそれは「地球」（Erde）という名詞だけではなく、これを接頭辞とする複合名詞を多用している点に見られる。たとえば第一巻では「地球人類」「地球知性」「地球被造物」「地球産物」「地球大気学」、第二巻では「地球民族」「地球動物」、第三巻では「地球存在物」、第四巻では「地球有機体」、第五巻では「地球形成物」などがあり、これら以外にも「地球という球体」のように日本語にすると「地球」と「球体」に分かれるが、ドイツ語の原語では Erdkugel のように一つの複合名詞として表現されているものも少なくない。

また第一部において一つの被造物として考察される「人間」についても同様の表現方法が見られる。たとえば第一巻では「人間史」「人間知性」「人間界」、第二巻では「人間哲学」、第三巻では「人間本性」「人間動物」、第四巻では「人間理性」「人間言語」「人間法」「人間愛」、第五巻では「人間性」「人間形態」などがあり、これ以外にも第四巻における「人種」「人クマ」「人サル」のように日本語にすると「人間」という表記はなくなるが、ドイツ語の原語ではそれぞれ Menschenracen, Menschenbär, Menschenaffe のように「人間」を意味するドイツ語の Mensch で始まる複合名詞も存在する。「地球」と「人間」から始まるこれらの複合名詞は、先頭に置かれる「地球」と「人間」をそれぞれ共通の分母として、その後に来る名詞が、たとえどれほど個別化されようとも、すべて地球と人間を共通の母胎としていることを示している。

「地球」や「人間」についてのこうした言語上の特色が示すのは、ヘルダーにあっては「地球」や「人間」について厳密で学問的な概念規定が行われるのではなく、これらのキーワードを語幹とする多くの複合名詞の使用によって、地球上で個々の人間が置かれる具体的な生存の場や状況が個々に細分化を繰り返しながら記述されるということである。しかもこのような叙述形態は第一部にとどまらず、『人類歴史哲学考』全体において見られるものである。たとえば「社会的存在」あるいは「政治的動物」としての人間の生活にとって最も大きな影響を有する「政治」については、政治学的に厳密な概念規定が行われるのではなく、「政治」という語を語幹、あるいは成分とする無数の複合名詞の提示によって、個々の人間や集団が生きた具体的な地理的空間と歴史的時間における政治の状況が記述される。以下、それら政治にまつわる語を例示しておきたい（個々の単語の後に巻数を示す）。

政治演説（14）、政治家（8）（11）（13）（14）（15）、政治学（9）（13）（17）、政治学者（9）、政治形態（11）、政治劇（20）、政治術（9）（12）（13）（14）（15）（17）（19）（20）、政治手法（19）、政治制度（9）（11）（12）（13）（14）（15）（16）、政治勢力（14）、政治組織（9）（11）、政治体制（12）（13）（15）（16）（18）（19）、政治談議（13）、政治団体（20）、政治哲学（14）、政治道徳（11）（13）（15）、政治文化（13）、政治法典（17）、政治物語（14）、政治的宗教（12）、政治的手腕（19）、政治的精神（14）、政治的党派（13）、政治的理性（9）（20）、王侯政治（12）、軍人政治（14）、祭司政治（12）、三頭政治（14）、神権君主政治（12）、摂政政治（11）、専

制政治(1)(6)(8)(9)(10)(11)(12)(15)(17)(18)(19)(20)、独裁政治(17)、暴君政治(13)、民衆政治(13)、遊牧民政治(12)、律法政治(12)。

「序言」によれば、第一部は「基礎だけを内容として」いる。したがって第一部は『人類歴史哲学考』全体のいわば「原論」であり、その主張は第二部以降の人類の歴史という具体的な場で検証されなければならない。そしてヘルダーにとって重要なのは、「どうしてヨーロッパだけが際立って民族も多彩で、習俗や技術も成熟し、そして何よりも世界のあらゆる地域に影響を及ぼしてきたのか?」(第一巻第六章)という問題を、人類の歴史の哲学という枠組みにおいて検証することであった。これに関して注目すべきは「序言」における次の言述であろう。「私は自分にできる範囲で人類の歴史の哲学を探し求めた。／私はこの哲学を見つけたのか? それはこの著作が決定するだろう。しかし第一部はまだその任ではない。」

そこでこの解説の最後で問われるべきは、「第一部はまだその任ではない」ということの意味であろう。たしかに第一部は「地球」や「人間」のように『人類歴史哲学考』全体を貫く重要な概念が提示されるという点では問題提起にとどまるとも言える。しかし少なくとも地球と人間の関係を広く考察の対象とするこの第一部からは、「地球は人間だけのものではない」というヘルダーの強いメッセージが読み取れる。

ヘルダーは『人類歴史哲学考』全四部において地球の創造から中世ヨーロッパに至る歴史について切れ目のない一貫した記述を試みる。たとえばヘルダーは脚注において参考文献に言及はするものの、当該文献の言述を直接引用しないで自己の地の文に同化させてしまう。その結果として地の文と引用文との差異は明示されず、そのため他者によるいわゆる先行研究との批判的対話を積み重ねる学問的な記述とは異質な記述が行われる。こうした記述上の特徴は、『人類歴史哲学考』の第一部が刊行された半年後の一七八四年一〇月二八日にヘルダーの妻のカロリーネが、夫の作品の生成過程を回顧しながらハーマンに宛てた書簡において記しているとおりである。

『人類歴史哲学考』の第一部には昨年の一一月から四月の中旬までかかりました。一つの純正な結果を何とか導き出すために夫はどれほどの労力を読書、博捜、比較対照に費やしたことでしょう。また簡にして要を得た読みやすい書物となるように、夫はどれほど原稿に朱を入れ、文章を削除したことでしょう。この書物は冗長にならないように、あるいは繰り返しが多くならないように、七回も精練されたのです。さらに、読むときに大きな妨げとなる引用はすべて削除されました。

以上、第一部の内容と特性を見てきたが、当時の自然研究の最新情報が人類史記述の中に織り込まれているこの第一部は、これにデカルトやロック以来の「観念」や「言語」をめぐる議論も加わり、その錯綜した内容を理解するのは必ずしも容易ではないであろう。そしてまた種々の言語表現を駆使するヘルダー独特の文体も好き嫌いの分かれるところである。なかでも第四巻において人間の形態を中心に多用される「美しい」という形容詞は多分に理想化された側面を含んでいるが、これについては第二分冊の解説であらためて言及することにしたい。

人類歴史哲学考（一）〔全5冊〕 ヘルダー著

2023年9月15日 第1刷発行

訳 者 嶋田洋一郎

発行者 坂本政謙

発行所 株式会社 岩波書店
〒101-8002 東京都千代田区一ツ橋2-5-5

案内 03-5210-4000 営業部 03-5210-4111
文庫編集部 03-5210-4051
https://www.iwanami.co.jp/

印刷・三秀舎 カバー・精興社 製本・中永製本

ISBN 978-4-00-386032-8 Printed in Japan

読書子に寄す

——岩波文庫発刊に際して——

岩波茂雄

真理は万人によって求められることを自ら欲し、芸術は万人によって愛されることを自ら望む。かつては民を愚昧ならしめるために学芸が最も狭き堂宇に閉鎖されたことがあった。今や知識と美とを特権階級の独占より奪い返すことはつねに進取的なる民衆の切実なる要求である。岩波文庫はこの要求に応じそれに励まされて生まれた。それは生命ある不朽の書を少数者の書斎と研究室とより解放して街頭にくまなく立たしめ民衆に伍せしめるであろう。近時大量生産予約出版の流行を見る。その広告宣伝の狂態はしばらくおくも、後代にのこすと誇称する全集がその編集に万全の用意をなしたるか。千古の典籍の翻訳企図に敬虔の態度を欠かざりしか。さらに分売を許さず読者を繋縛して数十冊を強うるがごとき、はたしてその揚言する学芸解放のゆえんなりや。吾人は天下の名士の声に和してこれを推挙するに躊躇するものである。このときにあたって、岩波書店は自己の責務のいよいよ重大なるを思い、従来の方針の徹底を期するため、すでに十数年以前より志して来た計画を慎重審議この際断然実行することにした。吾人は範をかのレクラム文庫にとり、古今東西にわたって文芸・哲学・社会科学・自然科学等種類のいかんを問わず、いやしくも万人の必読すべき真に古典的価値ある書をきわめて簡易なる形式において逐次刊行し、あらゆる人間に須要なる生活向上の資料、生活批判の原理を提供せんと欲する。この文庫は予約出版の方法を排したるがゆえに、読者は自己の欲する時に自己の欲する書物を各個に自由に選択することができる。携帯に便にして価格の低きを最主とするがゆえに、外観を顧みざるも内容に至っては厳選最も力を尽くし、従来の岩波出版物の特色をますます発揮せしめようとする。この計画たるや世間の一時の投機的なるものと異なり、永遠の事業として吾人は微力を傾倒し、あらゆる犠牲を忍んで今後永久に継続発展せしめ、もって文庫の使命を遺憾なく果たさしめることを期する。芸術を愛し知識を求むる士の自ら進んでこの挙に参加し、希望と忠言とを寄せられることは吾人の熱望するところである。その性質上経済的には最も困難多きこの事業にあえて当たらんとする吾人の志を諒として、その達成のため世の読書子とのうるわしき共同を期待する。

昭和二年七月

《歴史・地理》〔青〕

- 新訂 魏志倭人伝・後漢書倭伝・宋書倭国伝・隋書倭国伝 —中国正史日本伝1 石原道博編訳
- 新訂 旧唐書倭国日本伝・宋史日本伝・元史日本伝 —中国正史日本伝2 石原道博編訳
- ヘロドトス 歴史 全三冊 松平千秋訳
- トゥーキュディデース 戦史 全三冊 久保正彰訳
- ガリア戦記 カエサル 近山金次訳
- ランケ世界史概観 —近世史の諸時代 鈴木成高・相原信作訳
- ランケ自伝 林健太郎訳
- 歴史とは何ぞや ベルンハイム 坂口昂・小野鉄二訳
- 歴史における個人の役割 プレハーノフ 木原正雄訳
- 古代への情熱 —シュリーマン自伝 シュリーマン 村田数之亮訳
- アーネスト・サトウ 一外交官の見た明治維新 全二冊 坂田精一訳
- ベルツの日記 全二冊 トク・ベルツ編 菅沼竜太郎訳
- 武家の女性 山川菊栄
- インディアスの破壊についての簡潔な報告 ラス・カサス 染田秀藤訳
- ラス・カサス インディアス史 全七冊 長南実訳 石原保徳編
- コロンブス 全航海の報告 林屋永吉訳

- 戊辰物語 東京日日新聞社会部編
- 大森貝塚 —付 関連史料 E・S・モース 近藤義郎・佐原真編訳
- ナポレオン言行録 オクターヴ・オブリ編 大塚幸男訳
- 中世的世界の形成 石母田正
- 日本の古代国家 石母田正
- 平家物語 他六篇 石母田正 髙橋昌明編
- クリオの顔 歴史随想集 E・H・ノーマン 大窪愿二編訳
- 日本における近代国家の成立 E・H・ノーマン 大窪愿二訳
- 旧事諮問録 —江戸幕府役人の証言 全二冊 旧事諮問会編 進士慶幹校注
- 朝鮮・琉球航海記 —一八一六年アマースト使節団とともに ベイジル・ホール 春名徹訳
- アリランの歌 —ある朝鮮人革命家の生涯 ニム・ウェールズ キム・サン 松平いを子訳
- さまよえる湖 全二冊 ヘディン 福田宏年訳
- 老松堂日本行録 —朝鮮使節の見た中世日本 宋希環 村井章介校注
- 十八世紀パリ生活誌 —タブロー・ド・パリ 全二冊 メルシエ 原宏編訳
- 北槎聞略 —大黒屋光太夫ロシア漂流記 桂川甫周 亀井高孝校訂
- ヨーロッパ文化と日本文化 ルイス・フロイス 岡田章雄訳注
- ギリシア案内記 全二冊 パウサニアス 馬場恵二訳

- 西遊草 清河八郎 小山松勝一郎校注
- オデュッセウスの世界 フィンリー 下田立行訳
- 東京に暮す —一九二八〜一九三六 キャサリン・サンソム 大久保美春訳
- ミカド —日本の内なる力 W・E・グリフィス 亀井俊介訳
- 増補 幕末百話 篠田鉱造
- 幕末明治 女百話 全二冊 篠田鉱造
- トゥバ紀行 メンヒェン=ヘルフェン 田中克彦訳
- 徳川時代の宗教 R・N・ベラー 池田昭訳
- ある出稼石工の回想 マルタン・ナド 喜安朗訳
- 植物巡礼 —プラント・ハンターの回想 F・キングドン-ウォード 塚谷裕一訳
- モンゴルの歴史と文化 ハイシッヒ 田中克彦訳
- ダンピア 最新世界周航記 全二冊 平野敬一訳
- ローマ建国史 全三冊(既刊上巻) リーウィウス 鈴木一州訳
- 元治夢物語 —幕末同時代史 馬場文英 徳田武校注
- フランス・プロテスタントの反乱 —カミザール戦争の記録 カヴァリエ 二宮フサ訳
- ニコライの日記 —ロシア人宣教師が生きた明治日本 全三冊 中村健之介編訳
- 徳川制度 全三冊・補遺 加藤貴校注

第二のデモクラテス
戦争の正当原因についての対話
セプールベダ
染田秀藤訳

ユグルタ戦争　カティリーナの陰謀
サルスティウス
栗田伸子訳

史的システムとしての資本主義
ウォーラーステイン
川北稔訳

《法律・政治》〔白〕

- 人権宣言集　高木八尺・末延三次・宮沢俊義編
- 新版 世界憲法集 第二版　高橋和之編
- 君主論　マキアヴェッリ　河島英昭訳
- フィレンツェ史 全二冊　マキァヴェッリ　齊藤寛海訳
- リヴァイアサン 全四冊　ホッブズ　水田洋訳
- 法の精神 全三冊　モンテスキュー　野田良之・稲本洋之助・上原行雄・田中治男・三辺博之・横田地弘訳
- 教育に関する考察　ロック　服部知文訳
- 完訳 統治二論　ジョン・ロック　加藤節訳
- 寛容についての手紙　ジョン・ロック　加藤節・李静和訳
- キリスト教の合理性　ジョン・ロック　加藤節訳
- ルソー 社会契約論　桑原武夫・前川貞次郎訳
- アメリカのデモクラシー 全四冊　トクヴィル　松本礼二訳
- リンカーン演説集　高木八尺・斎藤光訳
- 権利のための闘争　イェーリング　村上淳一訳
- 近代人の自由と古代人の自由・征服の精神と簒奪 他一篇　コンスタン　堤林剣・堤林恵訳
- 民主主義の本質と価値 他一篇　ハンス・ケルゼン　長尾龍一・植田俊太郎訳
- 外交談判法　カリエール　坂野正高訳
- 危機の二十年 —理想と現実　E・H・カー　原彬久訳
- ザ・フェデラリスト　A・ハミルトン　J・ジェイ　J・マディソン　斎藤眞・中野勝郎訳
- アメリカの黒人演説集 —キング・マルコムX・モリスン 他　荒このみ編訳
- モーゲンソー 国際政治 全三冊 —権力と平和　原彬久監訳
- ポリアーキー　ロバート・A・ダール　高畠通敏・前田脩訳
- 現代議会主義の精神史的状況 他一篇　カール・シュミット　樋口陽一訳
- 政治的なものの概念　カール・シュミット　権左武志訳
- 第二次世界大戦外交史 全二冊　芦田均
- 憲法講話　美濃部達吉
- 日本国憲法　長谷部恭男解説
- 民主体制の崩壊 —危機・崩壊・再均衡　ファン・リンス　横田正顕訳
- 憲法　鵜飼信成

《経済・社会》〔白〕

- 政治算術　ペティ　大内兵衛・松川七郎訳
- 国富論 全四冊　アダム・スミス　水田洋監訳　杉山忠平訳
- 法学講義　アダム・スミス　水田洋訳
- コモン・センス 他三篇　トーマス・ペイン　小松春雄訳
- 経済学における諸定義　マルサス　玉野井芳郎訳
- オウエン自叙伝　ロバアト・オウエン　五島茂訳
- 戦争論 全三冊　クラウゼヴィッツ　篠田英雄訳
- 自由論　J・S・ミル　塩尻公明・木村健康訳
- 大学教育について　J・S・ミル　竹内一誠訳
- 功利主義　J・S・ミル　関口正司訳
- イギリス国制論 全二冊　バジョット　遠山隆淑訳
- ユダヤ人問題によせて　ヘーゲル法哲学批判序説　マルクス　城塚登訳
- 経済学・哲学草稿　マルクス　城塚登・田中吉六訳
- 新編輯版 ドイツ・イデオロギー　マルクス　エンゲルス　廣松渉編訳　小林昌人補訳
- マルクス エンゲルス 共産党宣言　大内兵衛・向坂逸郎訳
- 賃労働と資本　マルクス　長谷部文雄訳
- 賃銀・価格および利潤　マルクス　長谷部文雄訳
- マルクス 経済学批判　武田隆夫・遠藤湘吉・大内力・加藤俊彦訳
- マルクス 資本論 全九冊　エンゲルス編　向坂逸郎訳
- トロツキー わが生涯 全二冊　森田成也・志田昇訳

- 空想より科学へ —社会主義の発展　エンゲルス　大内兵衛訳
- 帝国主義論 全二冊　ホブスン　矢内原忠雄訳
- 帝国主義　レーニン　宇高基輔訳
- 国家と革命　レーニン　宇高基輔訳
- ローザ・ルクセンブルク獄中からの手紙　秋元寿恵夫訳
- 雇用、利子および貨幣の一般理論 全二冊　ケインズ　間宮陽介訳
- シュムペーター経済発展の理論 全二冊　塩野谷祐一・中山伊知郎・東畑精一訳
- シュムペーター経済学史 —学説ならびに方法の諸段階　中山伊知郎・東畑精一訳
- 租税国家の危機　シュムペーター　木村元一・小谷義次訳
- 日本資本主義分析　山田盛太郎
- 恐慌論　宇野弘蔵
- 経済原論　宇野弘蔵
- 資本主義と市民社会 他十四篇　大塚久雄　齋藤英里編
- 共同体の基礎理論 他六篇　大塚久雄　小野塚知二編
- ユートピアだより　ウィリアム・モリス　川端康雄訳
- 社会科学と社会政策にかかわる認識の「客観性」　マックス・ヴェーバー　富永祐治・立野保男訳　折原浩補訳
- プロテスタンティズムの倫理と資本主義の精神　マックス・ヴェーバー　大塚久雄訳

- 職業としての学問　マックス・ヴェーバー　尾高邦雄訳
- 社会学の根本概念　マックス・ヴェーバー　清水幾太郎訳
- 職業としての政治　マックス・ヴェーバー　脇圭平訳
- 古代ユダヤ教 全三冊　マックス・ヴェーバー　内田芳明訳
- 宗教と資本主義の興隆 —歴史的研究 全二冊　トーニー　出口勇蔵・越智武臣訳
- 世論 全二冊　リップマン　掛川トミ子訳
- 鯰絵 —民俗的想像力の世界　C・アウエハント　小松和彦・中沢新一・飯島吉晴・古家信平訳
- 贈与論 他二篇　マルセル・モース　森山工訳
- 国民論 他二篇　マルセル・モース　森山工編訳
- ヨーロッパの昔話 その形と本質　マックス・リュティ　小澤俊夫訳
- 独裁と民主政治の社会的起源 —近代世界形成過程における領主と農民 全二冊　バリントン・ムーア　宮崎隆次・森山茂徳・高橋直樹訳
- 大衆の反逆　オルテガ・イ・ガセット　佐々木孝訳

《自然科学》〔青〕

- ヒポクラテス医学論集　國方栄二編訳
- 科学と仮説　ポアンカレ　河野伊三郎訳
- ロウソクの科学　ファラデー　竹内敬人訳
- 種の起原 全二冊　ダーウィン　八杉龍一訳

- 自然発生説の検討　パストゥール　山口清三郎訳
- 完訳ファーブル昆虫記 全十冊　山田吉彦・林達夫訳
- 科学談義　T・H・ハックスリ　小泉丹訳
- メンデル雑種植物の研究　岩槻邦男・須原準平訳
- アインシュタイン相対性理論　内山龍雄訳・解説
- 相対論の意味　アインシュタイン　矢野健太郎訳
- アインシュタイン一般相対性理論　小玉英雄編訳・解説
- 自然美と其驚異　ジョン・ラバック　板倉勝忠訳
- ダーウィニズム論集　八杉龍一編訳
- ニールス・ボーア論文集1 因果性と相補性　山本義隆編訳
- ニールス・ボーア論文集2 量子力学の誕生　山本義隆編訳
- ハッブル銀河の世界　戎崎俊一訳
- パロマーの巨人望遠鏡 全二冊　D・O・ウッドベリー　関正雄・湯澤博・成相恭二訳
- 生物から見た世界　ユクスキュル・クリサート　日高敏隆・羽田節子訳
- ゲーデル不完全性定理　林晋・八杉満利子訳
- 日本の酒　坂口謹一郎
- 生命とは何か —物理的にみた生細胞　シュレーディンガー　岡小天・鎮目恭夫訳

ウィーナー サイバネティックス ―動物と機械における制御と通信　池原止戈夫・彌永昌吉・室賀三郎・戸田巌 訳

熱輻射論講義　マックス・プランク　西尾成子 訳

コレラの感染様式について　ジョン・スノウ　山本太郎 訳

20世紀科学論文集 現代宇宙論の誕生　須藤靖 編

高峰譲吉文集 いかにして発明国民となるべきか　鈴木淳 編

相対性理論の起原 他四篇　廣重徹　西尾成子 編

《哲学・教育・宗教》〔青〕

ソクラテスの弁明・クリトン　プラトン　久保勉訳
ゴルギアス　プラトン　加来彰俊訳
饗宴　プラトン　久保勉訳
テアイテトス　プラトン　田中美知太郎訳
パイドロス　プラトン　藤沢令夫訳
メノン　プラトン　藤沢令夫訳
国家　全二冊　プラトン　藤沢令夫訳
プロタゴラス —ソフィストたち　プラトン　藤沢令夫訳
パイドン —魂の不死について　プラトン　岩田靖夫訳
アナバシス —敵中横断六〇〇〇キロ　クセノポン　松平千秋訳
アリストテレス　ニコマコス倫理学　全二冊　高田三郎訳
アリストテレス　形而上学　全二冊　出隆訳
アリストテレス　弁論術　戸塚七郎訳
アリストテレース　詩学・ホラーティウス　詩論　松本仁助・岡道男訳
物の本質について　ルクレーティウス　樋口勝彦訳
エピクロス —教説と手紙　出隆・岩崎允胤訳

生の短さについて　他二篇　セネカ　大西英文訳
怒りについて　他二篇　セネカ　兼利琢也訳
エピクテトス　人生談義　全二冊　國方栄二訳
人さまざま　テオプラストス　森進一訳
マルクス・アウレーリウス　自省録　神谷美恵子訳
老年について　キケロー　中務哲郎訳
弁論家について　全二冊　キケロー　大西英文訳
キケロー書簡集　高橋宏幸編
平和の訴え　エラスムス　箕輪三郎訳
方法序説　デカルト　谷川多佳子訳
哲学原理　デカルト　桂寿一訳
情念論　デカルト　谷川多佳子訳
パンセ　全三冊　パスカル　塩川徹也訳
スピノザ　神学・政治論　全二冊　畠中尚志訳
知性改善論　スピノザ　畠中尚志訳
スピノザ　エチカ（倫理学）　全二冊　畠中尚志訳
スピノザ　国家論　畠中尚志訳

スピノザ往復書簡集　畠中尚志訳
デカルトの哲学原理 —附 形而上学的思想　スピノザ　畠中尚志訳
スピノザ　神・人間及び人間の幸福に関する短論文　畠中尚志訳
モナドロジー　他二篇　ライプニッツ　谷川多佳子・岡部英男訳
市民の国について　全二冊　ヒューム　小松茂夫訳
自然宗教をめぐる対話　ヒューム　犬塚元訳
エミール　全三冊　ルソー　今野一雄訳
人間不平等起原論　ルソー　本田喜代治・平岡昇訳
ルソー　社会契約論　桑原武夫・前川貞次郎訳
言語起源論 —旋律と音楽的模倣について　ルソー　増田真訳
ディドロ　絵画について　佐々木健一訳
道徳形而上学原論　カント　篠田英雄訳
啓蒙とは何か　他四篇　カント　篠田英雄訳
純粋理性批判　全三冊　カント　篠田英雄訳
カント　実践理性批判　波多野精一・宮本和吉・篠田英雄訳
判断力批判　全二冊　カント　篠田英雄訳
永遠平和のために　カント　宇都宮芳明訳

プロレゴメナ　カント　篠田英雄訳
学者の使命・学者の本質　フィヒテ　宮崎洋三訳
シュライエルマッハー 独白　木場深定訳
ヘーゲル 政治論文集 全二冊　金子武蔵訳
哲学史序論 ―哲学と哲学史　ヘーゲル　武市健人訳
歴史哲学講義 全二冊　ヘーゲル　長谷川宏訳
法の哲学 ―自然法と国家学の要綱　ヘーゲル　上妻精・佐藤康邦・山田忠彰訳
学問論　シェリング　西川富雄・藤田正勝監訳
自殺について 他四篇　ショウペンハウエル　斎藤信治訳
読書について 他二篇　ショウペンハウエル　斎藤忍随訳
知性について 他四篇　ショーペンハウエル　細谷貞雄訳
不安の概念　キェルケゴール　斎藤信治訳
死に至る病　キェルケゴール　斎藤信治訳
体験と創作 全二冊　ディルタイ　柴田治三郎・小牧健夫訳
眠られぬ夜のために 全二冊　ヒルティ　草間平作・大和邦太郎訳
幸福論 全三冊　ヒルティ　草間平作・大和邦太郎訳
悲劇の誕生　ニーチェ　秋山英夫訳

ツァラトゥストラはこう言った 全二冊　ニーチェ　氷上英廣訳
道徳の系譜　ニーチェ　木場深定訳
善悪の彼岸　ニーチェ　木場深定訳
この人を見よ　ニーチェ　手塚富雄訳
プラグマティズム　W・ジェイムズ　桝田啓三郎訳
宗教的経験の諸相 全二冊　W・ジェイムズ　桝田啓三郎訳
日常生活の精神病理　フロイト　高田珠樹訳
純粋現象学及現象学的哲学考案 全二冊　フッセル　池上鎌三訳
デカルト的省察　フッサール　浜渦辰二訳
愛の断想・日々の断想　ジンメル　清水幾太郎訳
ジンメル宗教論集　深澤英隆編訳
笑い　ベルクソン　林達夫訳
道徳と宗教の二源泉　ベルクソン　平山高次訳
時間と自由　ベルクソン　中村文郎訳
ラッセル教育論　安藤貞雄訳
ラッセル幸福論　安藤貞雄訳
存在と時間 全四冊　ハイデガー　熊野純彦訳

学校と社会　デューイ　宮原誠一訳
民主主義と教育 全二冊　デューイ　松野安男訳
我と汝・対話　マルティン・ブーバー　植田重雄訳
アラン 幸福論　神谷幹夫訳
アラン 定義集　神谷幹夫訳
天才の心理学　E・クレッチュマー　内村祐之訳
英語発達小史　H・ブラッドリ　寺澤芳雄訳
日本の弓術　オイゲン・ヘリゲル述　柴田治三郎訳
ことばのロマンス ―英語の語源　ウィークリー　寺澤芳雄・出淵博訳
ヴィーコ 学問の方法　上村忠男・佐々木力訳
国家と神話 全二冊　カッシーラー　熊野純彦訳
天才・悪　ブレンターノ　篠田英雄訳
人間の頭脳活動の本質 他一篇　ディーツゲン　小松摂郎訳
プラトン入門　R・S・ブラック　内山勝利訳
反啓蒙思想 他二篇　バーリン　松本礼二編
マキアヴェッリの独創性 他三篇　バーリン　川出良枝編
ロシア・インテリゲンツィヤの誕生 他五篇　バーリン　桑野隆編

2023.2 現在在庫　F-2

- 論理哲学論考 — ウィトゲンシュタイン 野矢茂樹訳
- 自由と社会的抑圧 — シモーヌ・ヴェイユ 冨原眞弓訳
- 根をもつこと 全二冊 — シモーヌ・ヴェイユ 冨原眞弓訳
- 重力と恩寵 — シモーヌ・ヴェイユ 冨原眞弓訳
- 全体性と無限 全二冊 — レヴィナス 熊野純彦訳
- 啓蒙の弁証法 —哲学的断想 — M・ホルクハイマー T・W・アドルノ 徳永恂訳
- ヘーゲルからニーチェへ 十九世紀思想における革命的断絶 全二冊 — レーヴィット 三島憲一訳
- 統辞構造論 付『言語理論の論理構造』序論 — チョムスキー 福井直樹 辻子美保子訳
- 統辞理論の諸相 方法論序説 — チョムスキー 福井直樹 辻子美保子訳
- 快楽について — ロレンツォ・ヴァッラ 近藤恒一訳
- 古代懐疑主義入門 判断保留の十の方式 — J・アナス J・バーンズ 金山弥平訳
- ニーチェ みずからの時代と闘う者 — ルドルフ・シュタイナー 高橋巖訳
- フランス革命期の公教育論 — コンドルセ他 阪上孝編訳
- フレーベル自伝 — 長田新訳
- 旧約聖書 創世記 — 関根正雄訳
- 旧約聖書 出エジプト記 — 関根正雄訳
- 旧約聖書 ヨブ記 — 関根正雄訳

- 旧約聖書 詩篇 — 関根正雄訳
- 新約聖書 福音書 — 塚本虎二訳
- 文語訳 新約聖書 詩篇付
- 文語訳 旧約聖書 全四冊
- キリストにならいて — トマス・ア・ケンピス 大沢章 呉茂一訳
- 聖アウグスティヌス 告白 全二冊 — 服部英次郎訳
- アウグスティヌス 神の国 全五冊 — 服部英次郎 藤本雄三訳
- 新訳 キリスト者の自由・聖書への序言 — マルティン・ルター 石原謙訳
- キリスト教と世界宗教 — シュヴァイツェル 鈴木俊郎訳
- 水と原生林のはざまで — シュヴァイツェル 野村実訳
- コーラン 全三冊 — 井筒俊彦訳
- エックハルト説教集 — 田島照久編訳
- ムハンマドのことば ハディース — 小杉泰編訳
- 新約聖書外典 ナグ・ハマディ文書抄 — 荒井献 大貫隆 小林稔 筒井賢治 編訳
- 後期資本主義における正統化の問題 — ハーバーマス 山田正行・金慧訳
- シンボルの哲学 —理性、祭礼、芸術のシンボル試論 — S・K・ランガー 塚本明子訳

- ジャック・ラカン 精神分析の四基本概念 全二冊 — ジャック＝アラン・ミレール編 小出浩之 新宮一成 鈴木國文 小川豊昭 訳
- 精神と自然 生きた世界の認識論 — グレゴリー・ベイトソン 佐藤良明訳
- 人間の知的能力に関する試論 全二冊 — トマス・リード 戸田剛文訳
- 開かれた社会とその敵 全四冊 — カール・ポパー 小河原誠訳

岩波文庫の最新刊

パスカル／塩川徹也・望月ゆか訳
小品と手紙

『パンセ』と不可分な作として読まれてきた遺稿群。人間の研究と神の探求に専心した万能の天才パスカルの、人と思想と信仰を示す二一篇。
〔青六一四-五〕 定価一六五〇円

安倍能成著
岩波茂雄伝

高らかな志とあふれる情熱で事業に邁進した岩波茂雄（一八八一―一九四六）。「一番無遠慮な友人」であったという哲学者が、稀代の出版人の生涯と仕事を描く評伝。
〔青N一三一-一〕 定価一七一六円

グレゴリー・ベイトソン著／佐藤良明訳
精神の生態学へ(下)

世界を「情報＝差異」の回路と捉え、進化も文明も環境も包みこむ壮大なヴィジョンを提示する。下巻は進化論・情報理論・エコロジー篇。動物のコトバの分析など。（全三冊）
〔青N六〇四-四〕 定価一二七六円

中川裕補訂
知里幸恵 アイヌ神謡集

アイヌの民が語り合い、口伝えに謡い継いだ美しい言葉と物語。熱き思いを胸に知里幸恵（一九〇三―二二）が綴り遺した珠玉のカムイユカㇻ。補訂新版。
〔赤八〇-一〕 定価七九二円

アリエル・ドルフマン作／飯島みどり訳
死と乙女

息詰まる密室劇が、平和を装う恐怖、真実と責任追及、国家暴力の闇という人類の今日的アポリアを撃つ。チリ軍事クーデタから五〇年、傑作戯曲の新訳。
〔赤N七九〇-一〕 定価七九二円

……今月の重版再開……

塙治夫編訳
アブー・ヌワース アラブ飲酒詩選

〔赤七八五-一〕 定価六二七円

大杉栄著／飛鳥井雅道校訂
自叙伝・日本脱出記

〔青一三四-一〕 定価一三五三円

定価は消費税10％込です　2023.8

岩波文庫の最新刊

暗闇に戯れて
—白さと文学的想像力—

トニ・モリスン著／都甲幸治訳

キャザーやポーらの作品を通じて、アメリカ文学史の根底に「白人男性を中心とした思考」があることを鮮やかに分析し、その構図を一変させた、革新的な批評の書。〔赤三四六-一〕 定価九九〇円

左川ちか詩集

川崎賢子編

左川ちか(一九一一-三六)は、昭和モダニズムを駆け抜けた若き女性詩人。夭折の宿命に抗いながら、奔放自在なイメージを、鮮烈な詩の言葉に結実した。〔緑二三一-一〕 定価七九二円

人類歴史哲学考(一)

ヘルダー著／嶋田洋一郎訳

風土に基づく民族・文化の多様性とフマニテートの開花を描こうとした壮大な歴史哲学。第一分冊は有機的生命の発展に人間を位置づける。(全五冊)〔青N六〇八-一〕 定価一四三〇円

高野聖・眉かくしの霊

泉 鏡花作

鏡花畢生の名作「高野聖」に、円熟の筆が冴える「眉かくしの霊」を併収した怪異譚二篇。本文の文字を大きくし、新たな解説を加えた改版。(解説＝吉田精一／多田蔵人)〔緑二七-一〕 定価六二七円

……今月の重版再開……

多情多恨

尾崎紅葉作

〔緑一四-七〕 定価一一三三円

狂気について 他二十二篇

渡辺一夫評論選

大江健三郎・清水徹編

〔青一八八-二〕 定価一一五五円

定価は消費税10％込です

2023.9